Ursula Poznanski ·

URSULA POZNANSKI
ELANUS

ISBN 978-3-7855-8231-2
1. Auflage 2016
© Loewe Verlag GmbH, Bindlach 2016
Umschlaggestaltung: Michael Dietrich
Redaktion: Lisa Blaser
Printed in Germany

www.elanus-buch.de
www.loewe-verlag.de

1

Der Zug hielt mit einem Ruck. Als wäre der Lokführer an der Station Rothenheim lieber vorbeigerauscht und hätte sich erst im letzten Moment dazu durchringen können, doch die Bremse zu ziehen.

Verständlich, fand Jona, obwohl das Haltemanöver ihn fast von den Füßen gerissen hätte. Er packte seinen Aluminiumkoffer fester und spähte nach draußen.

Grau, alles. Graue Straßen, graue Häuser, graues Wetter. Die Fotos in der Hochglanzbroschüre, die die Victor-Franz-Hess-Privatuniversität ihm gemeinsam mit ihrer Einladung zugeschickt hatte, hatten irgendwie anders ausgesehen.

Jona hängte sich seinen Rucksack um und stieg aus dem Zug. Hinaus in den Nieselregen.

Keine Spur von den Helmreichs. Klar. Wenn die Bahn schon einmal pünktlich war, musste sich seine Gastfamilie verspäten. Alles andere hätte nicht ins Bild gepasst und erst recht nicht in Jonas Leben.

Seufzend marschierte er auf das Bahnhofsgebäude zu und hielt Ausschau nach den beiden Durchschnittsgesichtern, die er auf den Facebookprofilen der Helmreichs betrachtet hatte. Silvia und Martin. Wahrscheinlich hatten sie heute Morgen aus dem Fenster gesehen, daraufhin einen depressiven Schub erlitten und beschlossen, ihrem Leben ein frühes Ende zu setzen.

»Vernünftige Entscheidung«, murmelte Jona, während er unter dem Bahnhofsvordach Schutz vor dem stärker werdenden Regen suchte. Fünf Minuten vergingen. Zehn. Voller Widerwillen zog er schließlich sein Handy aus der Hosentasche.

Silvia Helmreich. Er wählte die eingespeicherte Nummer an, lauschte dem Freizeichen. Dreimal, viermal. Dann schaltete sich die Sprachbox ein.

Guten Tag, ich kann im Moment leider nicht ans Telefon gehen, sprechen Sie Ihre Nachricht bitte nach dem Signalton.

Eine hohe Stimme in einer so aufdringlich gespielten Fröhlichkeit, dass Jona seine Vorsätze, einen guten ersten Eindruck zu hinterlassen, unmittelbar über Bord warf.

»Hallo. Hier ist Jona Wolfram, Sie erinnern sich? Nein? Also, ich bin der, den Sie eigentlich um 16 Uhr 25 vom Bahnhof hätten abholen sollen. Zumindest haben Sie das mit meinen Eltern so besprochen, persönlich hatten wir ja noch nicht das Vergnügen. Aber machen Sie sich keine Gedanken, beenden Sie ruhig vorher Ihre Shoppingtour oder Ihre Pediküre, ich warte einfach noch ein bisschen. Gleich neben mir sitzt ein netter, bärtiger Mann, der mir angeboten hat, seinen Doppelliter Rotwein mit mir zu teilen. Also keine Eile!«

Noch bevor er die Verbindung trennte, wusste Jona, dass diese Aktion dumm gewesen war. Vor allem die Sache mit Shopping und Pediküre, die würde man ihm übel nehmen. Konnte ja auch sein, dass gerade die Oma vom Lkw überfahren worden war.

Er schüttelte über sich selbst den Kopf. Begriff wieder einmal nicht, warum seine Intelligenz, die ihm im Alter von siebzehn Jahren ein Vollstipendium an einer Eliteuni einbrachte, ihn in ganz alltäglichen Situationen ständig im Stich ließ.

Er behielt das Smartphone in der Hand und überlegte sich ein paar überzeugend klingende Entschuldigungen, während er auf Silvia Helmreichs erbosten Rückruf wartete.

Obwohl – auf ein Gespräch mit ihr legte er überhaupt keinen Wert. Eine Rückmeldung anderer Art wäre ihm hingegen sehr gelegen gekommen. Jona seufzte. Warum hatte er nicht gleich daran gedacht, Silvia in seine Sammlung aufzunehmen?

Er rief noch einmal ihre Nummer auf, über seine ganz spezielle Nachrichten-App.

Bin am Bahnhof, kann Sie leider nirgendwo sehen. Ist alles in Ordnung? Liebe Grüße, Jona Wolfram.

Kaum zwei Minuten später verkündete sein Smartphone per Glockenton, dass eine SMS eingetroffen war.

Tut mir leid, werde gleich da sein. Fünf Minuten, höchstens zehn. Freue mich darauf, dich kennenzulernen! Silvia.

Sie hatte geantwortet. Jona grinste zufrieden in sich hinein. Jetzt gehörte sie ihm. Ja, sie würde ihn kennenlernen. Und er sie noch viel besser.

Er überlegte sich, ob er nicht gleich auch die Universität anrufen und mit dem Rektor einen ersten persönlichen Termin vereinbaren sollte. Dr. Carl Schratter. Wenn man nach dem Bild auf der Uni-Homepage ging, wirkte er wie ein freundlicher Mann mit streng nach hinten gebürstetem graublondem Haar und einer ziemlich großen Nase. Vor ein paar Tagen noch hatte Jona von ihm eine Mail bekommen, eine vorauseilende Begrüßung und zum vierten oder fünften Mal die Versicherung, dass er sich sehr, wirklich sehr freue, so ein Ausnahmetalent wie Jona an seiner Universität begrüßen zu können.

Er klang nett, dieser Carl Schratter. Er wusste Jona zu schätzen.

Exakt in dem Moment, in dem er die Nummer des Rektoratsbüros aufrief, bog endlich Silvia Helmreich um die Ecke, völlig aufgelöst.

»Es tut mir so leid! Du bist Jona, nicht wahr? Es tut mir so leid, Jona.« Sie griff nach seinem Alukoffer und er musste sich zusammennehmen, um ihn ihr nicht grob aus der Hand zu reißen.

»Den nehme ich«, sagte er. »Sie müssen nichts für mich tragen, wirklich nicht.«

Sie blickte sich hektisch um und lächelte dann, als müsse sie sich erst erinnern, wie man das macht. »Wie du meinst. Der Großteil deiner Sachen ist ja längst bei uns. Drei Koffer, zwei Taschen, ist das richtig?«

»Ja.« Er musterte die Frau von oben bis unten. Sie wirkte so erschöpft, als hätte sie den Weg zum Bahnhof im Laufschritt zurückgelegt. »Was hat Sie denn so lange aufgehalten?«

Für Jonas Geschmack dachte Silvia Helmreich darüber einen Moment zu lange nach. »Es gab ein Problem mit dem Auto. Mein Mann sagt mir schon seit Monaten, ich soll es in die Werkstatt stellen, doch bisher habe ich es immer aufgeschoben. Er wird sauer sein, aber das geschieht mir wohl recht.«

Verlieren wir bloß keinen Gedanken daran, ob eventuell ich sauer bin, dachte Jona bitter. »Es wäre nett gewesen, wenn Sie mich angerufen und informiert hätten.«

Sie blinzelte, als ob das ein völlig neuer Gedanke für sie wäre. »Ja. Ja, da hast du recht. Tut mir wirklich leid, ich fürchte, wir haben da keinen sehr guten Start.«

Er antwortete nicht, sondern trottete schweigend neben ihr her zum Auto und bestand darauf, den Alukoffer selbst zu verstauen. Als sie vom Parkplatz fuhren, ergriff er wieder das Wort.

»Haben Sie in der letzten halben Stunde Ihre Sprachbox abgehört?«

Sie sah ihn an, schüttelte den Kopf.

»Gut. Es wäre besser, Sie belassen es dabei.«

Das Haus war in zwei verschiedenen Blautönen verputzt und von einem sehr gepflegten Garten umgeben. Jona hakte in Gedanken alle klaren Symptome für Spießigkeit und Angepasstheit ab: Vogelhäuschen – check; Thujenhecke – check; der gemauerte Grill aus dem Baumarkt – check; spucknapfgroßer Swimmingpool – natürlich auch check. Nur die Gartenzwerge suchte er vergebens, nahm sich aber vor, der Familie zwei oder drei davon zu schenken. Um das Bild wirklich rundzumachen.

»Warte noch einen Moment.« Silvia Helmreich mühte sich mit dem Türschloss ab, das offenbar klemmte. »Ich möchte nur schnell sichergehen, dass alles in Ordnung ist.« Sie lächelte Jona an. »Erster Eindruck, du weißt ja.«

Er musste sich auf die Lippen beißen, um nicht laut loszulachen. Als ob der erste Eindruck noch zu retten gewesen wäre. Als ob ihn nach fast einer Stunde Warten am Bahnhof ein paar dreckige Socken auf dem Fußboden noch irritieren könnten.

Doch diesmal musste er sich kaum eine Minute lang gedulden, bevor er hereingewunken wurde. »So. Willkommen. Ich hoffe, du wirst dich bei uns wohlfühlen, Jona. Lass uns per Du sein, okay? Nenn mich Silvia.« Sie streckte ihm die Hand hin und er ergriff sie nach kurzem Zögern.

»Dein Zimmer ist im ersten Stock, du kannst die Wände gern so dekorieren, wie du sie haben möchtest. Alles kein Problem. Der WLAN-Empfang ist da oben auch sehr gut.«

Die Wände waren Jona gleichgültig, dagegen war der WLAN-

Empfang fast lebenswichtig. »Danke, äh, Silvia. Ich werde dann mal auspacken.«

Sie nickte, ging auf der Treppe voraus und öffnete oben die erste Tür links. »Hier. Bad und Toilette sind gleich gegenüber. Du teilst sie dir nur mit Kerstin; Martin und ich haben unser eigenes Bad.«

Ah ja. Kerstins Existenz hatte er beinahe verdrängt, obwohl er von seinen Eltern wusste, dass die Helmreichs eine zweiundzwanzigjährige Tochter hatten. Da konnte er sich gut ausrechnen, wie häufig das Bad besetzt sein würde.

Das Zimmer war nicht groß, aber es würde reichen. Mit zusammengekniffenen Augen musterte Jona den Teddybären, den man ihm aufs Kopfkissen gesetzt hatte, und quartierte ihn im Kleiderschrank ein.

Die Koffer, die Mama und Paps schon vor einer Woche vorausgeschickt hatten, waren alle angekommen. Jona stöpselte sich die Kopfhörer in die Ohren, drehte die Musik auf volle Lautstärke und begann mit dem Auspacken.

»Sie werden dich in alle Einzelteile zerlegen«, erklärte Kerstin genüsslich, bevor sie sich eine weitere Gabel Spaghetti in den Mund schob.

»Kerstin!« Silvia ließ ihr Besteck klirrend auf den Teller fallen. »Nimm dich zusammen, ja? Jona wird blendend zurechtkommen, warum auch nicht? Ihr geht an eine der besten Universitäten im Land, eine Eliteuniversität, dort weiß man ja hoffentlich, wie man miteinander umgehen muss!«

»Es ist ein Haifischbecken«, konstatierte Kerstin ungerührt. »Und er hier – hast du ihm die letzte Viertelstunde lang zugehört? –, er ist ein Klugscheißer. Ein kleiner Klugscheißer, zu allem Überfluss. Sie werden ihn als Konkurrenz betrachten und ihm das Leben so schwer machen, wie sie können. Noch dazu, wo er erst vier Wochen nach Semesterbeginn hier aufschlägt. Sonderbehandlung von Anfang an.«

Jona zuckte mit den Schultern. »Ich habe nur auf eure Fragen geantwortet. In vollständigen, grammatikalisch korrekten Sätzen, das ist wahr – und wenn mich das schon zum Klugscheißer macht, dann frage ich mich, was genau an dieser Universität hier Elite sein soll.«

Silvia seufzte, Kerstin lachte laut auf. »Toll, dass du da bist. Ich werde so viel Spaß haben.«

Ein Räuspern von der Stirnseite des Tisches. Martin Helmreich hatte die ganze Zeit über kaum ein Wort gesagt, jetzt blickte er von seinem Teller auf. Er war blass und wirkte müde. »Wirklich schön zu hören, dass du so viel von deiner Uni hältst, Kerstin. Deine Mutter und ich nehmen eine Menge auf uns, um dich dort hinschicken zu können.«

Oh Gott, die Opfernummer. Erstmals fühlte Jona etwas wie Sympathie für Kerstin. Diese Art von Eltern abzukriegen, war echt Pech. Er warf einen Blick auf Silvias Leidensmiene und wandte sich sofort wieder ab. *Was wir alles auf uns nehmen.*

Und nun hatten sie auch noch Jona aufgenommen. Das allerdings freiwillig und gegen ausreichend Geld, was er ihnen notfalls unter die Nase reiben würde.

Aber nicht heute. »Dann hoffe ich, ich bin keine zusätzliche Belastung«, sagte er zuckersüß. Sah, wie Helmreich irritiert die Augenbrauen hochzog.

»Aber natürlich nicht.« Er drehte den Kopf zur Seite, blickte einen Moment lang zum Fenster, in dem sich das Esszimmer spiegelte. Anscheinend war er mit seinen Gedanken bereits wieder woanders. »Danke für das Essen, Silvia. War sehr gut. Ich glaube, ich gehe schon mal nach oben.«

Jona wartete, bis Martins Schritte auf der Treppe verklungen waren. »Ich schließe mich an. Ich bin hundemüde. Der Tag war lang und der morgen wird es auch, schätze ich.«

Ohne eine Antwort abzuwarten – oder sein Geschirr weg- zuräumen –, ging er nach draußen. Lief die Treppe hinauf, nahm dabei immer zwei Stufen auf einmal und schloss die Zimmertür hinter sich. Leise.

Endlich allein. Endlich Ruhe.

Jona kniete sich vor sein Bett und zog behutsam den Alukof- fer darunter hervor. Er war abgesperrt, der Schlüssel sicher ver- steckt. So würde es fürs Erste bleiben. Es war noch viel zu früh, den Koffer zu öffnen. Wozu auch. Es lohnte sich bisher noch bei niemandem, ihm Elanus auf den Hals zu hetzen.

2

»Der Rektor ist beschäftigt.« Die hektischen roten Flecken im Gesicht der Sekretärin entlockten Jona ein mitfühlendes Lächeln. Als er zehn Minuten vorher zum zweiten Mal an der Tür geklopft hatte, war die Haut der Frau noch durchgehend blass gewesen. Tja, es tat ihm leid, dass er ihr Stress verursachte, aber er wartete nun bereits eine halbe Stunde vor dem Rektorat und hatte nicht vor, da draußen vergessen zu werden. »Mein Termin mit Dr. Schratter war um zehn Uhr.«

Die Frau strich mit einer fahrigen Bewegung ihr halblanges Haar hinters Ohr und öffnete den Mund zu einer Antwort, doch noch bevor sie auch nur einen Ton sagen konnte, unterbrach ein Krachen das eben begonnene Gespräch. Als hätte jemand im Büro des Rektors einen Stuhl umgeworfen. Oder ihn gegen die Wand gedroschen.

»Sie Vollidiot!« Eine laute Stimme, männlich. »Ist Ihnen überhaupt klar, was Sie da angerichtet haben?«

Jona biss sich auf die Lippen. Schien ein sympathischer Mann zu sein, dieser Schratter. Nach dem Ton seiner Mails hatte Jona sich ein anderes Bild von ihm gemacht. War wohl keine gute Idee, ihm in einer solchen Stimmung zum ersten Mal zu begegnen.

»Vielleicht verschieben wir den Termin ja«, murmelte die Sekretärin peinlich berührt und zog einen Buchkalender hervor.

»Ich kann nur im Moment noch nicht sagen, wann es dem Rektor passen wird. Aber … vielleicht Freitag?«

Im Büro sprach nun jemand anderes, sehr leise und in schuldbewusstem Ton. Zu seinem Leidwesen konnte Jona kein Wort verstehen.

»Freitag wäre okay.«

»Ich sehe, was ich tun kann.« Die Sekretärin schrieb eine Notiz in den Kalender. »Melden Sie sich vorsichtshalber noch mal bei mir. Tut mir leid, aber – Dr. Schratter hat derzeit sehr viel um die Ohren. Er ist sonst nicht so, keine Sorge.«

»Ja, natürlich.« Jona schielte zur Tür hinüber, doch dahinter war es jetzt ruhig. »In Ordnung. Dann also bis bald.«

Er hatte die Tür beinahe schon geschlossen, als die Frau ihn noch einmal zurückrief. Sie hatte eine dünne graue Mappe in der Hand. »Hier. Ihre Unterlagen, da steht alles drin. Vorlesungen, Übungen, Professorenkontakte.« Sie musterte ihn kurz. »Sie sind ja begabt, sagen sie, dann werden Sie sich schon zurechtfinden.«

Oh, wie gut er diesen Satz kannte. Und wie sehr er ihn liebte. Wer sich für klüger hielt als andere, durfte es gerne ein bisschen schwerer haben im Leben.

Ohne zu grüßen, drehte er sich um und ging, bereits vertieft in die Mappe, die ihm eben überreicht worden war. Ach du liebe Güte.

Grundbegriffe der Mathematik. Analysis 1. Lineare Algebra 1. Einführung in die Informatik. Einführung in die strukturierte Programmierung.

Sie hatten ihn tatsächlich in die Kurse des ersten Semesters eingeteilt. So war das nicht verabredet gewesen, da würde er ja bloß seine Zeit verschwenden. Das war doch alles Kinderkram, dazu hatte er schon während der letzten beiden Schuljahre bergeweise Fachliteratur gewälzt.

Jona blätterte vorwärts. Er wusste, die interessanten Sachen kamen erst viel später, mit den Vertiefungsfächern: Entwurf und Analyse von Algorithmen. Mathematische Grundlagen der Kryptografie.

Zu dumm, dass Dr. Schratter damit beschäftigt gewesen war, Untergebene niederzubrüllen. Jona hätte ihn sonst an ihre Vereinbarung erinnern können. Sie hatten besprochen, dass er die Einführungsphase überspringen und gleich mit den Kursen des dritten Semesters beginnen konnte.

Er seufzte. Die Vorlesung über mathematische Modellierung begann in zwanzig Minuten. Das war eine Veranstaltung für Fünftsemester, aber sie würden ihn schon nicht rausschmeißen. Dieser Stoff interessierte ihn, und wenn er dem Dozenten nicht folgen konnte, würde zumindest das eine interessante neue Erfahrung sein.

Laut dem Lageplan, den er ebenfalls in der Mappe fand, war das Institut höchstens zweihundert Meter entfernt.

Na dann. Er war hier, um zu studieren, und genau das würde er jetzt tun. Wenn es allzu langweilig wurde, konnte er immer noch darüber nachdenken, wie sich Elanus' Stabilität weiter verbessern ließ. Sie war gut, aber nicht perfekt.

Und perfekt war das Mindeste, was er zu akzeptieren bereit war.

Natürlich musterten sie ihn beim Hereinkommen. Erstaunt, irritiert oder milde lächelnd. Als wäre er der Botenjunge.

Sie mussten alle etwa einundzwanzig, zweiundzwanzig sein. Es war Jona klar, dass die vier Jahre, die ihn noch von diesen

Studierenden trennten, keine Kleinigkeit waren. Und davon abgesehen: Die meisten hier kamen aus Familien, die sich fünf-stellige Studiengebühren leisten konnten, und das jedes Jahr. Söhne und Töchter russischer Oligarchen, amerikanischer Großindustrieller oder arabischer Ölmilliardäre. An mehr als einem Handgelenk sah Jona eine Uhr blitzen, die deutlich mehr gekostet haben musste als das Auto seiner Eltern.

Tja, leicht würde es nicht werden. Noch dazu war er keiner von den Siebzehnjährigen, die locker als neunzehn durchgin-gen.

»Sorry, ich denke, du hast dich verirrt.« Ein Student, der eben noch lässig an seiner Tischkante gelehnt hatte, kam auf ihn zu.

Jona straffte die Schultern. »Hier findet gleich die Veranstal-tung zu mathematischer Modellierung statt? Oder?« Er tät-schelte den Oberarm des anderen. »Dann bin ich richtig.«

In der zweiten Reihe fand er einen freien Platz und ließ seine Tasche zu Boden gleiten. Hinter sich hörte er verhaltenes La-chen und einen leisen Wortwechsel. Die Sache mit dem Tät-scheln war ein Fehler gewesen, das würde der Kerl nicht auf sich sitzen lassen.

»Hey. Kleiner.«

Ja. Da stand er schon mit seinen gut eins neunzig und diesem vom Dreitagebart umrahmten, schiefen Lächeln, auf das Mäd-chen üblicherweise flogen. Eine teure Uhr trug er allerdings nicht.

Kleiner, na klar. Wie originell. »Ich heiße Jona.«

»Aha. Okay, Jona, hör zu: Du bist hier falsch. Heute ist weder Schnuppertag, noch ist es bei uns üblich, jüngere Geschwister mitzubringen, also wer auch immer dich angeschleppt hat, soll dich wieder abholen.«

16

Jona lächelte, so herzlich er konnte. »Entschuldige bitte, ich habe deinen Namen nicht verstanden.«

Er konnte das winzige Zucken im Mundwinkel des anderen sehen – entweder er würde loslachen oder richtig unfreundlich werden. Doch Jona wurde enttäuscht. Sein Gegenüber blieb völlig ernst.

»Aron. Ich heiße Aron.«

Jetzt einfach die Hand ausstrecken, herzlich lächeln und auf höflich-bescheidene Weise sagen, was Sache war. Das war möglich, andere konnten es doch auch.

Aber schon als Jona den Mund öffnete, wusste er, dass seine vernünftige Seite eine weitere Niederlage würde einstecken müssen.

»Das freut mich sehr, Aron. Und zu deiner Information: Ich bin hier keineswegs falsch. Ich greife höchstens ein bisschen vor, denn eigentlich bin ich Erstsemester, aber das Curriculum der ersten beiden Jahre ist ein Witz, da wirst du mir wahrscheinlich zustimmen. Also dachte ich mir, ich höre mir eine Vorlesung an, in der ich vielleicht irgendetwas Neues erfahre.« Er strich sich die Haare aus der Stirn. »Falls mein Alter dich stören sollte – ich bin erst siebzehn, das ist wahr. Aber ich bin verdammt schlau und man hat mir ein Vollstipendium für diese angebliche Eliteuni aufgedrängt.« Er wusste, es wäre klüger gewesen, sich an dieser Stelle zu bremsen. Zu lachen und so zu tun, als sei alles ein Scherz gewesen. Aber er schaffte es nicht, er schaffte es einfach nicht. »Mal sehen, was ihr hier so könnt. Im Übrigen gebe ich dir gern Nachhilfe, falls du mit dem Stoff Schwierigkeiten haben solltest. Meine Preise sind ausgesprochen fair, also keine Sorge deswegen.«

Aron hatte die Arme vor der Brust verschränkt und war einen

Schritt zurückgetreten. »Du hast einen richtig heftigen Knall, oder?«

»Nicht schlimmer als die meisten.« Aus den Augenwinkeln sah Jona, wie jemand den Hörsaal betrat, der deutlich älter war als der Rest der hier Versammelten. Der Dozent vermutlich.

Auch Aron hatte ihn bemerkt. »Na gut, dann wird dich eben Dr. Lichtenberger rausschmeißen. Wenn dir das lieber ist …« Er zuckte belustigt mit den Schultern und ging zu seinem Platz zurück.

Jona entspannte sich. Mit Erwachsenen kam er normalerweise viel besser zurecht als mit Leuten, die in seinem Alter waren. Dieser Lichtenberger wirkte okay, auf den ersten Blick. Ein großer, gut aussehender Mann in Jeans und Pulli, mit dunklem Haar und breiten Schultern. Nur seine Bewegungen passten nicht ganz zu seiner Erscheinung, sie waren ein wenig fahrig, er rückte alle paar Sekunden seine Brille zurecht. Der Rahmen war aus blau schimmerndem Kunststoff und es war ein Stück herausgebrochen, wie Jona beim zweiten Blick irritiert bemerkte. Die Stelle war mit transparentem Klebeband repariert worden, aber wenn man genau hinsah …

»Guten Morgen.« Lichtenberger stellte eine braune Ledertasche auf dem Tisch ab und blickte in die Runde. »Wenn Sie so nett wären, mir zu sagen, wo wir beim letzten Mal stehen geblieben sind, ich bin heute nicht ganz –« Sein Blick blieb an Jona hängen. »Oh. Wir kennen uns noch nicht. Sind Sie sicher, dass Sie nicht im falschen Hörsaal gelandet sind?«

Leises Gelächter. Lauteres von Aron, der schräg hinter Jona saß. »Das habe ich auch schon versucht, ihm klarzumachen.«

Fast genüsslich langsam stand Jona auf. Er liebte Gelegenheiten wie diese und konnte ihnen einfach nicht widerstehen. Es saßen rund zwanzig Leute im Hörsaal, hauptsächlich junge Männer, und keiner von ihnen würde ihm im Anschluss noch freundlich gesonnen sein. Aber es würde ihn auch keiner je wieder vergessen, der Professor inbegriffen.

»Mein Name ist Jona Wolfram und ich bin nicht irrtümlich hier. Mich interessiert mathematische Modellierung, ich habe mich in den vergangenen Jahren intensiv damit beschäftigt.«

Lichtenberger zog ein Blatt Papier aus seinen Unterlagen. »Jona Wolfram? Sie stehen nicht auf der Liste der angemeldeten Studenten.«

»Das liegt daran, dass ich noch keine Gelegenheit hatte, mit dem Rektor zu sprechen. Ich wollte ihn bitten, mich die Einführungsphase des Studiums überspringen zu lassen, aber leider hatte er heute keine Zeit für mich.«

In einer ratlosen Geste wischte Lichtenberger sich über die Stirn. Blickte auf seine Studentenliste, dann wieder auf Jona.

Seine Unsicherheit war überraschend. Jona hatte damit gerechnet, dass der Dozent ihn freundlich, aber bestimmt zum Gehen auffordern würde, und sich bereits genau zurechtgelegt, was er dann tun würde.

»Also …« Lichtenberger zögerte. »Darf ich Sie fragen, wie alt Sie sind?«

»Siebzehn und so hochbegabt, dass es kaum noch auszuhalten ist. Vollstipendium, persönliche Einladung des Rektors und des Beirats der Schule, die wahrscheinlich hofft, sich einen künftigen Nobelpreisträger unter die Absolventen zu holen.«

Wieder ein Satz, den er sich ebenso gut hätte verkneifen können. Verdammt, er lernte es einfach nicht. Besser, er trat jetzt schnell den Beweis dafür an, dass er nicht nur eine große Klappe hatte.

Ohne die Entgegnung des Dozenten abzuwarten, ging er nach vorne an dessen Tisch, warf einen Blick auf die dort liegenden Papiere und fand sofort, was er suchte. »Ist das der Stoff für heute? Ja? Dann sehen wir uns das doch einmal an.«

Unter dem fassungslosen Schweigen der Anwesenden ging er mit dem Blatt zum Whiteboard an der Stirnseite des Hörsaals und griff sich einen der Stifte.

»Also. An einer stark befahrenen Straße soll eine Ampel installiert werden. Wie lang sollen die Ampelphasen sein, damit sich während der Grünphase der Stau vor der Ampel vollständig abbaut?«

Nun trat Lichtenberger doch zu ihm. »Herr, äh, Herr Wolfram, würden Sie bitte …«

Jona ignorierte ihn völlig. »Wir müssen hier ein Strömungsmodell erstellen. Dazu sind Vereinfachungen nötig, wir nehmen also eine einspurige Straße an und ignorieren Überholvorgänge. Außerdem modellieren wir die Autos nicht als individuelle Fahrzeuge, sondern nehmen eine Fahrzeugdichte Rho an, die zwischen den Punkten a und b am Ort x zu einer Zeit t größer gleich null gilt.« Er war jetzt völlig in seinem Element, die Gedanken, die logischen Schlussfolgerungen flossen fast ohne sein Zutun, so schnell, dass er mit dem Sprechen kaum nachkam. Mit dem Schreiben am Whiteboard ohnehin nicht.

»V bezeichnet die Geschwindigkeit der Autos, die in das Intervall a-b einfahren, die Anzahl der Autos, die den Punkt x zur Zeit t passieren, lässt sich damit einfach berechnen, sobald wir den Wert Rho kennen, also die Fahrzeugdichte. Dafür gilt es nun, eine Bewegungsgleichung aufzustellen.«

Er notierte die Gleichung auf dem Whiteboard, wischte dabei

zweimal Zeichen weg und schrieb sie neu – nicht weil er sich geirrt hatte, sondern weil seine Schrift unter dem rasenden Tempo unleserlich wurde.

»Herr Wolfram«, versuchte Lichtenberger es erneut. »Egal, ob Sie hier wirklich Student sind oder nicht, Sie können nicht einfach die Vorlesung an sich reißen …«

Jona achtete nicht auf ihn. Er hatte alle Mühe, seinen vorausgaloppierenden Gedanken die nötigen Erklärungen folgen zu lassen.

»Wir benötigen nun eine Gleichung für die Geschwindigkeit v und setzen voraus, dass sie von der Fahrzeugdichte abhängt und folgenden Bedingungen unterliegt: v ist eine monoton fallende Funktion von Rho – logisch, da die Autos bei dichterem Verkehr langsamer fahren. Wir nehmen außerdem an, dass die Autos auf einer leeren Straße mit der maximal erlaubten Geschwindigkeit unterwegs sind und dass die Autokolonne ab einem gewissen Mindestabstand steht. Das einfachste Modell, das alle diese Bedingungen erfüllt, ist eine lineare Beziehung zwischen Rho und v …«

Jona unterbrach sich. Lichtenberger hatte ihm wortlos den Stift aus der Hand genommen. Seine eigene Hand hatte dabei leicht gezittert – aber nicht aus Wut, wie Jona seinem Gesichtsausdruck entnahm. Dort las er eher etwas wie Anspannung. Oder Angst? Nein, warum auch.

»Vielen Dank, Herr Wolfram. Wir haben nun alle begriffen, wie unglaublich schlau Sie sind. Was Ihre charakterliche Reife angeht, scheinen Sie allerdings noch Aufholbedarf zu haben. Ich möchte jetzt, dass Sie meine Vorlesung verlassen und sich an das Curriculum für Studierende der Einführungsphase halten, so wie alle anderen auch.«

Jona verbeugte sich stumm, erst zu Lichtenberger hin, dann zu den anderen Studenten im Hörsaal, bevor er seine Tasche holen ging. Das Hochgefühl, das ihn jedes Mal überkam, wenn er komplizierte mathematische Aufgaben löste, erfüllte und wärmte ihn immer noch. Als wäre er völlig im Einklang mit dem Universum.

Vermutlich würde dieser Auftritt irgendwann wie ein Bumerang zu ihm zurückgeschossen kommen, im ungünstigsten Moment. War bisher fast immer so gewesen.

Aber für heute würde er am Institut Gesprächsthema Nummer eins sein.

3

Draußen war es warm, einer dieser Herbsttage, an denen man nicht glauben konnte, dass die Ferien schon vorbei waren. Jona schlenderte über den Campus und merkte allmählich, wie das Triumphgefühl in ihm beklommener Ernüchterung wich. Er hätte einen anderen Start wählen sollen. Freundlich sein. Bescheidenheit vortäuschen, statt allen seine Überlegenheit um die Ohren zu hauen.

Es war ja noch nicht einmal sicher, dass er wirklich überlegen war. So schwierig war die Aufgabe nicht gewesen, es war also gut möglich, dass in dem Hörsaal zwei oder drei andere gesessen hatten, die sie ebenso schnell und korrekt hätten lösen können wie er, sich aber zurückgehalten hatten.

Unwahrscheinlich, aber möglich.

Er kickte ein Steinchen vom Weg. Vermutlich war es am besten, jetzt doch noch in die richtige Vorlesung zu gehen. In die, die auf seinem Stundenplan vermerkt war. Nur dass er dort erst recht anecken würde, das wusste er genau, er kannte sich selbst schließlich schon lange genug. Langeweile machte ihn angriffslustig und Beherrschung war nicht seine starke Seite. Das hatte er ja eben wieder bewiesen.

Erstmals, seit er aus dem Institut gelaufen war, sah er sich bewusst auf dem Campus um. Da, ziemlich abgelegen, in einiger Entfernung zu seiner Rechten, war eine Baustelle, inklusive

Baggern und Kran. Abgesperrtes Gelände. Sah aus, als bekäme die Uni ein großes neues Gebäude dazu. Der Lärm der Maschinen war nur leise zu hören und auch nur, wenn man hier draußen war.

Auf der linken Seite sah es freundlicher aus, dort war jede Menge los. Gruppen von Studierenden saßen zusammen und lachten oder lernten oder taten beides gleichzeitig. Er glaubte, ein paar Fetzen Russisch zu hören, von drei Studenten, die unter einem Baum auf der Wiese saßen. Ja, das Publikum war international. Töchterchen und Söhnchen stinkreicher Eltern, oder Genies wie er selbst. Ein Stück weiter entdeckte er zwei Jungs, die arabisch aussahen. Juniorscheichs vermutlich. Und ein paar Meter links von ihnen …

Jona blieb stehen. Wahnsinn. Egal, was ab jetzt passierte, allein für diesen Anblick hatte es sich gelohnt, nach Rothenheim zu kommen.

Das Mädchen war beinahe so groß wie er, und im ersten Moment fiel ihm weder ihre Figur noch ihr Gesicht noch ihre Haarfarbe auf, sondern einzig und allein die Art, wie sie sich bewegte. So harmonisch und fließend, als wäre das Leben ein Tanz.

Dabei hatte sie nichts Besonderes getan, sondern nur ihre Tasche von der Schulter genommen, sie auf der Parkbank abgestellt und sich dann auf die Lehne dieser Bank geschwungen. Nun hielt sie ihr Gesicht in die Sonne. Die Augen hatte sie geschlossen, also konnte Jona sie ungestört betrachten.

Sie war blond, ihre Haare hatten die Farbe von hellem Bernstein, der im Licht leicht rötlich schimmerte. Ihre ausgewaschenen Jeans steckten in ausgetretenen Raulederstiefeletten, das schwarze Shirt war eben im Begriff, ihr über die linke Schulter zu rutschen. Und sie lächelte. Als würde sie an jemanden denken.

Mit einem Ruck wandte Jona sich ab. Er wusste genau, was er tun wollte, aber das war falsch, falsch, falsch. Er würde sie nicht ansprechen, nicht einfach so. Nicht ohne Vorbereitung.

Sie kannte ihn noch nicht. Er hatte die Chance auf einen guten ersten Eindruck, aber die würde er vermasseln, wenn er sich auch nur eine Sekunde lang unsicher fühlte. Und das würde er bei ihrem Anblick, außer er hatte sich vorher genau zurechtgelegt, was er sagen wollte.

Jona nahm die Abzweigung nach rechts, da ging es zum Institut für Wirtschaftswissenschaften, wenn man dem Wegweiser vertrauen wollte. Zwei amerikanische Studentinnen kamen ihm lachend entgegen, ohne ihn eines Blickes zu würdigen.

Das Mädchen auf der Bank würde genauso auf ihn reagieren, nämlich gar nicht. Er würde sie nicht mit einer schnellen Aktion oder ein paar coolen Sprüchen für sich gewinnen können, dafür fehlte ihm das Aussehen.

Nicht, dass er hässlich gewesen wäre, nein, aber er wirkte eben sehr ... jung. Selbst wenn er sich vier Tage lang nicht rasierte, sprossen nur einzelne Haare an seinem Kinn und entlang des Unterkiefers. Immerhin war er relativ groß, aber das allein rettete den Eindruck nicht.

Er musste es anders angehen. Das Mädchen kennenlernen, ihm sympathisch sein und dann nach und nach zeigen, was für ein außergewöhnlicher Kerl er war. Klug, das sowieso, aber auch witzig, loyal und ein guter Zuhörer, wenn er wollte. Sie würde sich erst langsam in ihn verlieben, er musste Geduld haben, aber sie war es wert. Keine Frage.

Jona umrundete das Gebäude, in dem die Fakultät für Medienwissenschaften untergebracht war. Er brauchte einen Aufhänger. Einen Vorwand für ein richtiges Gespräch, nicht nur einen kurzen Wortwechsel. Sie bloß nach dem Weg oder der Uhrzeit zu fragen, war zu wenig und außerdem völlig banal.

Wieder kam ihm eine Gruppe Studenten entgegen, die ihn diesmal nicht ignorierte, sondern verwundert musterte. Als fragten sie sich, ob er sich verirrt hatte. Oder seine Eltern suchte.

Die dritte Runde um das Gebäude brachte Jona dann endlich die ersehnte Eingebung. Er wusste, wie er das Mädchen ansprechen und dafür sorgen würde, dass sie ihm zuhörte. Es war eine perfekte Idee, in jeder Hinsicht. Er würde aus dem Fehler, den er vorhin begangen hatte, einen Trumpf machen.

Blieb nur zu hoffen, dass sie immer noch auf der Bank in der Sonne saß und nicht mittlerweile in irgendeinem Hörsaal verschwunden war.

Sie war noch da, wie er erleichtert feststellte, als die Bank wieder ins Blickfeld kam. Doch jetzt hatte sie Kopfhörer auf und spielte mit ihrem Smartphone.

Langsam ging er auf sie zu. Er würde sie nicht einfach ansprechen, sondern versuchen, es so zu drehen, dass sie das Gespräch eröffnete.

Sie blickte nur kurz auf, als er sich neben sie setzte. Ein bisschen genervt, wie Leute es häufig taten, wenn sie vergeblich gehofft hatten, ein paar ruhige Augenblicke für sich selbst zu haben. Rückte ihre Tasche ein Stück zur Seite; eine hellgrüne Ledertasche mit bronzefarbenen Nieten und Schnallen, so vollgestopft mit Büchern, dass der Reißverschluss sich nicht zuziehen ließ.

Jona nickte dem Mädchen zu, tat, als würde das Lächeln, das

er dabei aufsetzte, ihm große Mühe bereiten. Dann starrte er einfach geradeaus. Schluckte. Stützte schließlich die Ellenbogen auf die Knie und verbarg sein Gesicht in den Händen.

Es dauerte keine zehn Sekunden, bis er eine Hand auf seiner Schulter fühlte. »Ist alles in Ordnung mit dir?«

Sie hatte die Kopfhörer abgesetzt; nun hingen sie um ihren Hals. Leise und undeutlich drang *Paradise Circus* von Massive Attack bis an Jonas Ohren. Der Song war alt, aber sie beide kannten ihn. Mochten ihn. Wenn das kein Zeichen war.

»Es ist … mein erster Tag hier.« Zufrieden stellte er fest, dass es ihm gelang, seiner Stimme einen erstickten Klang zu geben. »Mein erster Tag, und ich habe schon alles vermasselt.«

Sie blickte ihn ernst an. Ihre Augen waren braun, mit bernsteinfarbenen Sprenkeln, die die Farbe ihres Haars wiederholten. »Das kann ich mir nicht vorstellen.«

»Doch. Ich bin ein Idiot.« Der Satz kam ihm erstaunlich schwer über die Lippen. Wenn er etwas nicht war, dann dumm, aber das würde das Mädchen früh genug herausfinden.

Ihre Augen verengten sich, sie musterte ihn genauer. »Du studierst hier? Habe ich das richtig verstanden?«

»Ja.«

»Entschuldige, aber … wie alt bist du?«

Er seufzte, als würde die Frage alles nur noch schlimmer machen. »Siebzehn.«

»Oh.«

»Ja. Ich bin jung und sehe noch jünger aus. Aber ich – na ja, ich bin ganz gut in manchen Sachen, deshalb habe ich ein Stipendium für die Victor-Franz-Hess-Universität bekommen. Du kannst dir nicht vorstellen, wie sehr ich mich gefreut habe.« Das zumindest entsprach der Wahrheit. »Und dann gehe ich heute in die erste Vorlesung und verderbe es mir sofort mit dem Professor …«

Ihr Lächeln vertiefte sich. »Ach komm. So schlimm wird es nicht gewesen sein. Welcher Prof war es denn?«

»Einer von den Mathematikern. Lichtenberger.«

Ihr Lächeln erlosch, und obwohl sie sich nicht rührte, fühlte es sich für Jona so an, als würde sie ein Stück zurückweichen. »Lichtenberger? Ja, also … der ist eigentlich sehr nett. Aber ein bisschen merkwürdig in letzter Zeit. Wenn er dich angeschnauzt hat, lag es vielleicht gar nicht an dir.«

Das kam überraschend. Der Dozent hatte keinen übellaunigen Eindruck gemacht, bevor Jona ihm ins Handwerk gepfuscht hatte. »Ich fürchte, doch«, sagte er leise.

Sie ging nicht darauf ein. Fixierte stattdessen eine Birke, die ein paar Meter weiter stand und deren Blätter sich leicht im Wind bewegten. »Wie heißt du?«, fragte sie schließlich.

»Jona Wolfram.« Sie hatte zuerst gefragt, das war gut. »Und du?«

»Linda. Linda Koren. Ich studiere hier Marketing.«

Er nickte nur. Woher kannte sie dann Lichtenberger? Unterrichtete der noch an einer anderen Fakultät? Höhere Mathematik konnte doch bei Marketingleuten kein Thema sein.

Aber das war jetzt nebensächlich. »Du bist der erste Mensch an dieser Uni, der nett zu mir ist, Linda.« Okay, das war ein bisschen dick aufgetragen, aber sie schluckte es. Oder war in Gedanken ohnehin anderswo. Auch das ließ sich nutzen.

»Meinst du …« Er wischte sich übers Gesicht, als müsse er sich überwinden, eine Frage zu stellen, die ihm auf der Zunge lag. »Also, würdest du mir deine Handynummer geben? Keine Angst, ich werde dich nicht mit Anrufen bombardieren, aber es wäre schön zu wissen, dass da jemand ist, den ich im Notfall ein paar Dinge fragen kann.«

Es dauerte einige Sekunden, bis sie antwortete. »Na klar.« Sie diktierte ihm die Nummer und er speicherte sie sofort in sein Smartphone ein.

Wieder dieses Gefühl des Triumphs, stärker noch als vorhin im Hörsaal. Er hatte alles, was nötig war, und es war unfassbar einfach gewesen.

Damit gab es keinen Grund mehr, hier weiter Zeit zu verschwenden. Viel vernünftiger war es, Linda jetzt nicht auf die Nerven zu gehen – so, wie er es einschätzte, gab es vermutlich nur wenige Männer, die ein Gespräch mit ihr von sich aus beendeten. Eine gute Chance, aus der Masse herauszustechen.

»Ich will dich nicht länger stören«, begann er also. »Ich wünsche dir einen …«

Er unterbrach sich, denn sie achtete überhaupt nicht mehr auf ihn. Ihr Blick ging an ihm vorbei, sie atmete tief ein und wandte den Kopf zur Seite.

Jona drehte sich um und entdeckte sofort, was Lindas Aufmerksamkeit gefangen genommen hatte. Wer, genauer gesagt.

Der Kerl, der mit großen Schritten über den Weg auf sie zukam, war der gleiche, mit dem Jona vor etwas mehr als einer Stunde diesen wenig freundlichen Wortwechsel gehabt hatte. Aron. Das war wirklich Pech.

»Hallo, Linda.« Er umarmte sie zögernd und drückte ihr ein Küsschen auf die Wange, streckte unmittelbar danach die Hand aus, um Jona zu begrüßen – doch dann erkannte er ihn.

»Ach nein. Der kleine Klugscheißer.«

Jona sackte demonstrativ ein Stück weiter in sich zusammen. Wortlos. Aus den Augenwinkeln sah er, wie Lindas Kopf herumfuhr. »Was ist denn mit dir los, Aron? Hast du es wirklich nötig, auf Jüngeren herumzuhacken?«

Aron zuckte unbeeindruckt mit den Schultern. »Wenn sie sich so benehmen wie der hier … du hättest die Vorstellung sehen müssen, die er bei Lichtenberger gegeben hat. Dummerweise war niemandem nach Applaus zumute.«

Wieder fühlte Jona, wie sich Lindas Hand sanft auf seine Schulter legte. »Es ist sein erster Tag«, sagte sie eindringlich. »Er war nervös, da kann man doch einmal etwas Dummes machen.«

Aron trat einen Schritt zurück. »Oh, hat er schon dein Herz gewonnen? Ist ja süß. Aber glaube mir, er ist eine kleine Ratte. Hat mir Nachhilfe angeboten und gleich danach Lichtenbergers Vorlesung an sich gerissen. Unter anderem. Ich habe so etwas noch nie erlebt.«

Jona hob den Kopf und legte alles Schuldbewusstsein in seinen Blick, das er vorzutäuschen fähig war. »Ich weiß doch, dass das Quatsch war. Aber es ist, wie Linda sagt. Ich war nervös und dann ist es mit mir durchgegangen.« Er verschränkte die Arme vor der Brust und lächelte Aron schüchtern an, woraufhin dieser in Gelächter ausbrach.

»Du glaubst doch nicht, dass ich auf deine Show reinfalle? Spar dir die Mühe, Klugscheißer. Damit kochst du möglicherweise Linda weich, aber mich ganz sicher nicht.« Er kam wieder einen Schritt näher. »Alles, was du heute Morgen wolltest, war, dass wir mit offenem Mund dasitzen und nicht fassen können, was für ein Genie du bist. Nur ist der Schuss dummerweise nach hinten losgegangen.«

Tja, da lag Aron mit jedem Wort richtig, wie Jona widerwillig zugeben musste. Nun behielt er seine geknickte Haltung erst recht bei. »Es tut mir ja selbst leid«, murmelte er. »Ich wünschte, ich könnte es ungeschehen machen.«

»Gib ihm doch eine Chance«, meldete Linda sich wieder zu Wort. »Er könnte jemanden brauchen, der ihm gerade am Anfang zeigt, wie es hier läuft.«

Wieder lachte Aron auf, diesmal bitter. »Wie es hier läuft? Denkst du, er sollte das wirklich wissen?« Mit dem Ellenbogen drängte er Jona ein Stück zur Seite und nahm Lindas Hand. »Ich bin für dich da, das weißt du, oder?«, sagte er leise. »Immer. Es liegt nur an dir. Erinnerst du dich nicht mehr, wie …«

Sie machte sich von ihm los. »Hör auf damit. Wir hatten das geklärt, es hat sich nichts geändert.«

Jona musste sich auf die Lippen beißen, um nicht loszulachen. Dass er heute auch noch Zeuge werden würde, wie Aron sich einen Korb holte, war fast zu schön, um wahr zu sein. Und er freute sich auf dessen Gesicht, wenn er ihn und Linda zum ersten Mal Arm in Arm über den Campus spazieren sehen würde.

Dass es dazu kam, war nur eine Frage der Zeit, denn Jona würde alles daransetzen, Linda für sich zu gewinnen.

Die perfekten Voraussetzungen dafür hatte er bereits geschaffen.

4

Kurz nach zwanzig Uhr. Silvia hatte zum Abendessen zerkochte Nudeln in einer blassen Soße serviert, selbst aber kaum etwas davon gegessen. Ebenso wenig wie Martin, der in Gedanken anderswo zu sein schien und recht bald aufbrach, weil er noch mit zwei Freunden auf ein Bier gehen wollte.

Blieb also umso mehr Essen für Kerstin und Jona, doch keiner der beiden hatte Lust, sich den Bauch vollzuschlagen. Jona saß ohnehin die ganze Zeit wie auf Kohlen. Er wollte heute noch loslegen, seine Ungeduld schnürte ihm die Kehle zu, doch Kerstin schien die Einzige zu sein, die das merkte.

»Kommt etwas Spannendes im Fernsehen? Warum bist du denn so zappelig?«

»Ich … habe mit einem Kumpel von zu Hause abgemacht, dass wir chatten wollen.« Er floh, sobald sich die erste Gelegenheit dazu ergab, lief in sein Zimmer und schloss die Tür hinter sich zweimal ab.

Sein Handy steckte noch in der Hosentasche, er holte es heraus. Der erste Schritt war die Textnachricht, die er über seine selbst entwickelte App schicken musste. Er tippte das Icon an – ein geflügeltes Wesen, das seinen Schatten auf den Boden warf. Dann schrieb er.

Liebe Linda! Ich wollte dir noch mal dafür danken, dass du heute so nett zu mir warst. Das ist nicht immer ganz einfach, da hat Aron schon recht. Manchmal kann ich ein ziemliches Ekel sein. Deshalb bin ich dir doppelt dankbar. Hab einen schönen Abend, viele Grüße, Jona.

Er drückte auf *Senden* und setzte sich an den kleinen Schreibtisch. Klappte das Notebook auf und begann, seine Mails durchzusehen. Für mehr reichte seine Konzentration gerade nicht, er wartete auf das Klingelgeräusch, mit dem Lindas Antwort hereinkommen würde.

Fünf Minuten vergingen. Zehn.

Was, wenn sie im Kino war? Oder in einem Lokal, mit Freunden, mit lauter Musik? Dann würde sie erst wer weiß wann auf ihr Handy schauen und er musste seine Pläne für heute Abend aufgeben.

Zweiundzwanzig Minuten nachdem Jona seine Nachricht gesendet hatte, kam endlich die Antwort.

Du musst mir nicht danken, ist doch selbstverständlich. Dass du ein Ekel bist, kann ich mir nicht vorstellen :-)

Dir auch einen schönen Abend, Linda

Jona sprang auf, riss triumphierend seine Faust in die Luft und warf sein Smartphone aufs Bett. Sie hatte geantwortet, damit war die Spyware installiert, es konnte losgehen.

Er holte den Aluminiumkoffer hervor, platzierte ihn in der Mitte des Zimmers, gab am Schloss den Zahlencode ein und klappte den Deckel hoch.

Elanus lag metallisch glänzend in seiner Schaumstoffhülle, wie ein winziges Ufo, gerade mal handtellergroß. An vier Armen, die jeweils fünfzehn Zentimeter nach außen ragten, waren die Rotoren angebracht. Jona nahm ihn vorsichtig heraus und steckte das Ladekabel ein, obwohl der Akku noch fast voll war. Die maximale Flugzeit betrug dreiundvierzig Minuten, das war nach heutigem Stand großartig, aber gerade jetzt wollte Jona auf keine Sekunde davon verzichten.

Er holte die HD-Kamera und den Flight Controller aus dem Koffer, obwohl er Letzteren voraussichtlich nicht brauchen würde. Elanus würde die Fährte selbst aufnehmen, er würde von seinem Ziel angelockt werden wie die Biene vom Honig.

Kaum zehn Minuten dauerte es, bis die Ladeanzeige grün leuchtete. Jona nahm Elanus aus der Station, schaltete ihn ein und warf ihn hoch, bis knapp unter die Decke.

Surrend erwachten die vier Rotoren zum Leben. Der scheibenförmige Körper der Drohne stabilisierte sich sofort, sie lag ruhig in der Luft. Keine Höhenschwankungen, auch kein seitliches Abdriften. Elanus war wendig und schnell, nur wenn der Wind zu stark wurde, gab es manchmal Probleme.

Mithilfe des Flight Controllers ließ Jona die Drohne sanft auf dem Bett landen, montierte die Kamera und öffnete dann auf dem Notebook das Programm, das er speziell für seine Drohne geschrieben hatte.

Lindas Nummer war dort schon gespeichert, der Computer hatte sich automatisch mit dem Handy synchronisiert. Jona wählte sie aus der Liste aus, damit würde Elanus dem Handy folgen, sobald er die Verbindung hergestellt hatte. In den Einstellungen wählte er die Option Autopilot, als maximale Annäherung an das Zielobjekt gab er drei Meter ein. Egal, ob Linda zu Hause oder unterwegs war, aus dieser Entfernung sollte sie ihren Verfolger weder sehen noch hören können.

Er versicherte sich, dass die radarbasierte Hinderniserkennung aktiv war – wenn er das vergaß, würde Elanus auf dem Weg zu Linda in kürzester Zeit gegen einen Baum oder eine Hausmauer knallen. Das durfte nicht passieren.

Ein letzter Check aller Systeme, dann öffnete Jona das Fenster. Er warf Elanus hinaus, als würde er ein Frisbee werfen – möglichst hoch und weit. Sah noch, wie die Rotoren sich anschalteten und die Scheibe sich in der Luft stabilisierte, bevor sie davonschoss, in die Richtung, in der Jonas Einschätzung nach die Uni lag.

Er schloss die Fensterflügel und setzte sich vor das Notebook. Die Kamera schickte bereits ihre Live-Aufnahmen und sie waren gut. Jona fegte mit Elanus durch die nächtliche Stadt, über blinkende Ampeln, hell erleuchtete Straßenzüge und dunkle Parks hinweg. Er liebte diese Flüge, diesen Blick aus der Vogelperspektive.

Auch die Tonübertragung war ziemlich deutlich. Im Moment bekam Jona zwar hauptsächlich Rauschen übertragen, aber das war logisch, es war wie Fahrtwind. Sobald Elanus seine Zielposition erreicht hatte, würde es aufhören.

Eine Kreuzung, an der Autos standen. Eine Frau, die ihren Hund spazieren führte. Ein Pärchen, das sich an einer Bushaltestelle küsste. Eine kleine Gruppe Raucher vor einem Restaurant.

Jona kannte die Stadt noch nicht gut genug, um sich orientieren zu können. Flogen sie auf den Campus zu? Oder würde Elanus gleich vor einem der Studentenlokale haltmachen, von denen es hier angeblich so viele gab?

Sechs Minuten bisher. Blieben im besten Fall siebenunddreißig, allerdings inklusive Rückflug. Jona hatte Elanus ein Failsafe-Programm installiert, das ihn eigenständig zum Startort zurückfliegen ließ, sobald es mit der Akkuladung eng wurde. Schließlich sollte er nicht irgendwann einfach abstürzen, bloß weil Jona ihn nicht rechtzeitig zurückgeholt hatte. Daher: Bumerangprinzip.

Acht Minuten. Okay, jetzt erkannte er die Umgebung, das war tatsächlich der Uni-Campus, allerdings eine Ecke, in der Jona noch nicht gewesen war. Hinter den meisten Fenstern brannte Licht, also flog Elanus vermutlich auf eines der Wohnheime zu.

Er wurde nun langsamer, senkte sich von fünfzehn Metern ab auf zehn, auf neun … immer weiter, bis er vor einem der erleuchteten Fenster zum Stillstand kam.

War er hier richtig? Jona zoomte mit der Kamera näher heran. Ein kleines Zimmer, mit einem hellgrün bezogenen Bett. Ein Schrank, auf dem unzählige Fotos klebten. Ein Schreibtisch, übersät mit Büchern und Papier, dazwischen zwei Kaffeetassen.

Aber keine Spur von Linda. Jona ahnte, woran das lag, das war eben leider der Schönheitsfehler an seinem System: Elanus ortete das Handy der Zielperson, nicht die Zielperson selbst. Und wenn die ihr Telefon nicht bei sich hatte …

Noch ein Stück näher heranzoomen. Ja, da lag es, ein weißes Smartphone, mitten auf dem grünen Kopfkissen. Verdammt, das war wirklich Pech. Die meisten Leute trugen ihr Handy ständig am Körper, als wäre es mit ihnen verwachsen, aber ausgerechnet Linda ließ es einfach liegen.

Jona lehnte sich in seinem Stuhl zurück. Er würde noch ein bisschen warten, vielleicht war sie ja nur kurz nach draußen gegangen und kam gleich wieder. Wenn nicht, würde er auf Handsteuerung umschalten und mal nachsehen, was sich so hinter den Fenstern der Nebenzimmer und der Gemeinschaftsküche tat.

Ein kleiner Kameraschwenk nach rechts. Lindas Schranktür stand offen, dahinter stapelten sich T-Shirts, Pullis, Jacken. Eine Jeans hing halb heraus.

Weiterschwenken, auf das schmale Bücherregal. Da fand sich

jede Menge Zeug über Marketing, aber auch Krimis, hauptsächlich skandinavische. Ein paar Gedichtbände, das war ja süß. Wirtschaftswörterbücher für Englisch, Französisch und Spanisch. Und im untersten Fach standen …

Die Tür sprang auf, fast hätte Jona es nicht gesehen, so nah hatte er an das Regal herangezoomt. Nun ging er, so schnell er konnte, wieder in die Totale, sah Linda hereinstürmen, die Tür hinter sich zuknallen und aufs Bett sinken.

Was war da los? Er startete den Aufnahmemodus, holte sich Lindas Augen, ihr zerzaustes Haar, ihr ganzes Zimmer auf seine Festplatte – er würde das alles künftig abrufen können, so oft er wollte.

Sie rieb sich das Gesicht mit beiden Händen, griff dann nach ihrem Telefon, wischte übers Display und hielt sich das Gerät ans Ohr.

Mach das Fenster auf, beschwor Jona sie stumm. *Los, bitte, mach das Fenster auf.*

Doch Linda dachte offensichtlich nicht daran. Sie sprach erst ruhig, dann hektischer, schüttelte immer wieder den Kopf, wurde von Sekunde zu Sekunde aufgebrachter. Zumindest sah das durch die Scheibe so aus. Erneut zoomte Jona näher heran, auf dieses wunderhübsche Gesicht, das er bald küssen würde.

Im Moment allerdings wirkte Linda, als wüsste sie nicht, ob sie weinen oder einen Wutanfall bekommen sollte. Hätte er bloß Lippenlesen gelernt …

Irgendwann sagte sie nichts mehr, sondern hörte nur noch zu. Ihre Lippen waren aufeinandergepresst und Jona sah eine einzelne Träne über ihre Wange laufen. Dann war das Gespräch beendet. Sie warf das Handy wieder aufs Kissen und krümmte sich nach vorn, das Gesicht in den Armen verborgen.

Jetzt weinte sie, daran bestand kein Zweifel.

Jona stellte sich vor, wie er sich zu ihr setzen und ihr einen Arm um die Schultern legen würde. Er konnte fast fühlen, wie sie sich an ihn schmiegte, ihren Kopf an seiner Brust verbarg. Er würde ihr Haar streichen, ihr die Tränen vom Gesicht wischen und sie dann küssen, ganz vorsichtig, ganz zärtlich.

Es war gut zu wissen, wie sie sich in Wahrheit fühlte. Er konnte sich auf sie einstellen. Für sie da sein. Wahrscheinlich war Aron, dieser Widerling, schuld daran, dass es ihr so schlecht ging.

Als hätte der Gedanke an ihn Aron herbeigerufen, öffnete sich Lindas Tür und er steckte seinen Kopf herein. Sah sie dasitzen, schlüpfte ins Zimmer und zog schnell die Tür hinter sich zu.

Linda blickte auf. Sie wechselten ein paar Sätze, dann setzte Aron sich neben sie, woraufhin sie sofort aufsprang.

Gut so, dachte Jona zufrieden. *Schmeiß ihn raus, Linda.*

Sie ging ans Fenster, blickte hinaus in die Dunkelheit, was Jona einen Moment lang nervös werden ließ. Eigentlich sollte sie nicht mehr sehen können als ihr eigenes Spiegelbild, aber wenn sie allzu aufmerksam hinausspähte, war es nicht ausgeschlossen, dass sie Elanus entdeckte.

Oder … hatte sie etwa vor, das Fenster zu öffnen? Gab es endlich Futter für Elanus' Mikrofon?

Nein. Linda legte bloß ihre Stirn gegen die Scheibe, als wolle sie sie abkühlen. Hinter ihr gestikulierte Aron, sprach offenbar ohne Punkt und Komma, bis sie sich doch wieder zu ihm umdrehte.

Jona konnte sie nur von hinten sehen, aber ihrer Körperhaltung nach war es gut möglich, dass sie Aron anschrie. Dieser grinste zuerst, dann wurde seine Miene ernst. Dann verärgert. Dann wütend.

Er stand langsam auf, richtete seinen Zeigefinger in einer drohenden Geste auf sie. Sagte zwei, drei knappe Sätze und ging aus dem Zimmer.

Einen Krach wie diesen hatte Jona schon mehrere Male mit angesehen, bei seinen Eltern. Es gab danach regelmäßig Versöhnungen, aber zuerst herrschte mindestens einen Tag lang Funkstille. Das würde hier hoffentlich ebenso sein und Jona hatte nicht die Absicht, diese Zeit ungenutzt verstreichen zu lassen.

Apropos Zeit. Er warf einen Blick auf den Zähler; zweiunddreißig Minuten war Elanus schon unterwegs, blieben also elf. Das hieß, in ein bis zwei Minuten würde er sich eigenständig zurück zum Ausgangspunkt aufmachen. Das war Mist. Jona betrachtete Linda, die nun wieder auf ihr Bett gesunken war und eine Hand vor den Mund presste.

Er wollte sie nicht alleine lassen. Nicht so. Nicht jetzt. Auch wenn sie keine Ahnung von seiner Anwesenheit hatte, wäre er gern noch so lange geblieben, bis er sicher sein konnte, dass sie sich ein bisschen besser fühlte.

Unwillkürlich musste er grinsen. So viel Fürsorge war er von sich selbst nicht gewohnt, aber Linda war so … anders. Und wenn er ganz ehrlich zu sich selbst war – Fürsorge war nur ein Teil dessen, was er empfand. Er wollte, dass Linda ihn mochte, so richtig, und dazu brauchte er jede Information über sie, die er kriegen konnte.

Jetzt griff sie wieder nach ihrem Handy. Wählte, wartete. Doch offenbar ging niemand ran und sie warf es zurück aufs Bett, stand auf …

In diesem Augenblick setzte Elanus sich in Bewegung. Das Failsafe-Programm hatte den Rückflug gestartet, was ja eigentlich gut war, aber im Moment …

Jona stützte die Ellenbogen auf den Schreibtisch und beobachtete frustriert, wie das helle Rechteck, das Lindas Fenster war, immer kleiner wurde. Nun konnte er genauso gut den Aufnahmemodus beenden.

Elanus nahm exakt den Weg zurück, den er gekommen war, Jona erkannte bereits einige der Straßenzüge, gleich da vorne würde ein Supermarkt kommen. Bingo.

Als er sah, dass das Haus der Helmreichs von Elanus' Kamera erfasst wurde, öffnete er das Fenster. Die Drohne flog mit leisem Surren herein und blieb mitten im Zimmer in der Luft stehen.

Mit geübtem Griff packte Jona sie an der Unterseite, woraufhin die Propeller langsam zum Stillstand kamen. »Guter Junge«, murmelte er und schloss das Gerät an die Ladestation an.

Dann setzte er sich vor sein Notebook und sah sich die Aufnahme noch einmal von Beginn an. Linda allein, dann mit Aron, dann wieder allein.

Er hätte zu gern gewusst, worüber die beiden sich gestritten hatten.

5

Der nächste Tag war mit vier Vorlesungen ziemlich ausgefüllt. Jona hatte noch einmal versucht, zu Rektor Schratter vorzudringen, aber man hatte ihn wieder abgewimmelt, also musste er wohl oder übel seinem Stundenplan folgen.

Seinem todlangweiligen Stundenplan.

Die Studenten, mit denen er den Hörsaal teilte, waren nun bloß noch ein bis zwei Jahre älter als er, trotzdem stach er heraus wie eine Distel unter lauter Gänseblümchen.

Während die anderen sich über ihre Mitschriften beugten und die meisten sichtlich Mühe hatten, der Dozentin zu folgen, fand Jona den Stoff nicht viel schwieriger als das kleine Einmaleins.

Er saß still und versuchte, sich seine Langeweile nicht anmerken zu lassen. Nicht verächtlich zu schnauben, wenn jemand eine Frage stellte. Trotzdem zog er Blicke auf sich, denn er war der Einzige, der nicht mitschrieb.

Neben ihm saß ein Student namens Sergej, seinen Schuhen und seiner Uhr nach zu schließen wahrscheinlich der Sohn eines russischen Ölmilliardärs. Er hatte Jona in gebrochenem Deutsch, aber mit einem freundlichen Lächeln begrüßt und mühte sich nun sichtlich ab, den Erklärungen der Dozentin zu folgen.

Dabei waren doch gar keine Erklärungen nötig. Alles, was es

zu wissen und verstehen gab, stand in völlig klaren Zahlen am Whiteboard.

Nun seufzte Jona doch. Statt hier sinnlos seine Zeit abzusitzen, wäre er viel lieber auf die Suche nach Linda gegangen. Wenn diese Vorlesung vorbei war, hatte er eine Stunde Zeit, und die würde er nutzen.

Doch sie war nirgendwo zu finden. Jona durchkämmte das Campusgelände, die Mensa, das Gebäude der Fakultät für Wirtschaftswissenschaften. Irgendwann entdeckte er Aron, der eilig auf einen der Campusausgänge zulief, doch ihn würde er keinesfalls fragen.

Wahrscheinlich saß Linda in einer Vorlesung. So wie er selbst auch wieder, in zehn Minuten.

War ja okay. Er hatte Zeit. Das Semester hatte erst vor wenigen Wochen begonnen.

Wenn nur dieses Ziehen in seinem Inneren nicht gewesen wäre. Dieses unbezwingbare Bedürfnis, in Lindas Nähe zu sein. Von ihr angelächelt zu werden. Wieder ihre Hand auf der Schulter zu spüren.

Jona hatte bereits Freundinnen gehabt, zwei, um genau zu sein. Beide waren ihm ziemlich exakt nach vier Monaten auf die Nerven gegangen. Am Ende des fünften Monats hatte er die Beziehungen dann jeweils beendet.

Er konnte sich beim besten Willen nicht vorstellen, dass es ihm mit Linda ebenso gehen würde. Schon allein, weil sie bisher mehr Mitgefühl als Interesse an ihm gezeigt hatte. Umso wichtiger war es, dass er jetzt nichts Unüberlegtes tat. Und sich nicht einfach Hals über Kopf in sie verliebte.

So etwas würde nur ein Idiot tun.

Ein völlig verschwendeter, sinnloser Tag war es gewesen, langweilig und frustrierend. Als einzige Ausbeute ließ Jona Sergejs Handynummer gelten – er war durchaus gespannt darauf, einen Blick durch das Fenster seines Kommilitonen zu werfen. Ob es auf dem Campus ein Wohnheim extra für Reiche gab?

Während Jona mit dem Bus nach Hause fuhr, schickte er Sergej die SMS mit der Spyware.

Hat mich gefreut, dass wir uns begegnet sind. Bis morgen dann!

Wenn er darauf reagierte, war es gut, wenn nicht – auch keine Katastrophe.

Doch Sergejs Antwort kam innerhalb von zwei Minuten.

Hat mich auch gefreut. Am 23. machen wir Party, kommst du?

Verblüfft betrachtete Jona die zwei Sätze in dem grauen Textfeld. Die Partys, auf die er bisher eingeladen worden war, konnte er leicht an einer Hand abzählen. Er las die Nachricht noch einmal und freute sich. Nicht nur, weil er Sergej nun in seiner Sammlung hatte.

Vielleicht lohnte es sich ja, wirklich hinzugehen. Vielleicht würde er Linda mitnehmen.

Die Haltestelle war knapp zweihundert Meter vom Haus der Helmreichs entfernt und Jona legte die Strecke beschwingt zurück. Er würde sich jetzt mal überlegen, was er Sergej antworten sollte, und dann, sobald es dunkel war, Elanus wieder losschicken. Dann würde er Linda sehen. Der Tag würde schön enden.

Jona suchte in seiner Jackentasche den Hausschlüssel, steckte ihn ins Schloss – doch das ließ sich nicht drehen. Er versuchte es mehrmals, in beiden Richtungen, aber ohne Erfolg.

War es der richtige Schlüssel? Er zog ihn noch einmal heraus – na klar war er das.

Noch ein Versuch, ebenso erfolglos wie der erste.

Jona sah sich um. Silvias Auto stand vor der Tür, vielleicht hatte sie ihren Schlüssel innen stecken lassen? Er drückte die Klingel, kurz erst, aber dann, als sich nichts rührte, mehrmals lang.

Niemand öffnete.

Ratlos ging Jona zur Terrassentür. Die Vorhänge waren nur halb zugezogen, er konnte ins Wohnzimmer spähen, doch da war niemand.

»Hey!«

Er fuhr herum. Lässig an den Zaun gelehnt stand ein großer, dunkelhaariger Junge, etwa in Jonas Alter. Gut aussehend, Typ Sportler.

»Wenn du einbrechen willst, kann ich dir ein paar Häuser zeigen, wo sich das eher lohnt.«

»Ich will nicht einbrechen. Ich wohne hier, aber ich kriege die Tür nicht aufgesperrt und es ist offenbar keiner zu Hause.«

»Ah, du bist das! Stimmt, Kerstin hat mir erzählt, dass sie einen Wunderkind-Gaststudenten aufnehmen.« Er flankte mit einem Satz über den hüfthohen Zaun und streckte Jona die flache Hand entgegen. »Gib mir mal den Schlüssel.«

Jona überlegte kurz und kam zu dem Ergebnis, dass der Typ nicht so aussah, als würde er sich damit aus dem Staub machen. Er drückte ihm den Schlüsselbund in die Hand, doch auch bei ihm klappte es nicht. Er gab nach dem dritten Versuch auf.

»Weißt du was? Komm einfach mit rüber zu mir. Wir wohnen schräg gegenüber, in dem dünnpfifffarbenen Haus. Wir könnten eine Runde Call of Duty spielen, was hältst du davon?«

Jonas erster Impuls war, Nein zu sagen. Er hatte keine Lust auf Konsolenspiele, er wollte Elanus für seinen nächsten Flug vorbereiten. Nur dass das Zimmer, der Koffer und das Notebook im Moment unerreichbar waren. Immerhin schien der Gegenüber-Nachbar ein witziger Kerl zu sein.

»Ich heiße Pascal, übrigens«, erklärte er. »Falls du nicht mit Fremden mitgehen darfst.«

»Jona.« Er schulterte seine Tasche. »Okay, für eine Stunde oder so, aber ich sollte dann später noch ein bisschen arbeiten.«

Pascal riss die Augen auf. »Arbeiten?«

»Ja. Für die Uni.«

Ein nachdenklicher Blick von der Seite. »Du bist wirklich schon siebzehn?«

»Ja, verdammt, seit zwei Monaten.«

In einer übertrieben dramatischen Geste hob Pascal die Hände. »Sorry! Ich wollte dir nicht auf die Füße treten. Bin nur von Natur aus neugierig.«

Jona dachte an Elanus und den Ordner mit Videodateien auf der Festplatte seines Notebooks. »Kann ich verstehen. Da sind wir schon zwei.«

Bei Pascal war niemand zu Hause, sie lümmelten sich mit einer Packung Chips auf die Couch im Wohnzimmer und begannen zu spielen.

»Wie bist du eigentlich ausgerechnet bei den Helmreichs gelandet?«, fragte Pascal irgendwann zwischendurch.

»Meine Eltern haben nach einer Gastfamilie gesucht, und die Helmreichs waren die Ersten, die sich gemeldet haben. Sie machen es aber nicht aus reiner Freundlichkeit, sie kriegen auch Geld dafür.« Den Teil, dass seine Familie befürchtet hatte, im

Studentenwohnheim würde Jona ziemlich schnell mit dem Kopf in der Kloschüssel landen, verschwieg er. Soziale Unverträglichkeit. Tja. Die würde Pascal vermutlich bald von selbst entdecken, da musste man ihn nicht noch mit der Nase draufstoßen.

»Ich würde auswachsen bei den Helmreichs«, erklärte Pascal, während er seinen Soldaten hinter einer Mauer in Deckung gehen ließ. »Kerstin ist in Ordnung, aber die Eltern – abartige Spießer. Silvia ist eine von denen, die in riesigen Töpfen kocht und dann in großem Stil einfriert. Kerstin sagt, sie hätten im Keller eine Tiefkühltruhe, aus der man die ganze Stadt zwei Tage lang ernähren könnte.«

»Aha.« Jona zuckte die Schultern. Spießigkeit war ihm egal, eigentlich waren ihm die Helmreichs insgesamt egal, solange sie ihn in Ruhe ließen.

»Was studierst du noch mal?« Pascal hatte das Spiel pausiert und riss die zweite Chipstüte auf.

»Technomathematik.«

»Whoa. Ernsthaft? Freiwillig?«

Jona beugte sich vor und griff sich so viele Chips, wie auf einmal in seine Hand passten. Es knirschte. »Sehe ich aus, als würde ich mich zu so etwas zwingen lassen?« Zufrieden stellte er fest, dass Pascal beeindruckt wirkte.

»Wenn du so gut in Mathe bist, könntest du mir vielleicht da und dort mal unter die Arme greifen. Ich bin in dem Bereich nämlich eine ziemliche Flasche. Aber ich würde in zwei Jahren auch gern auf die Victor-Franz-Hess gehen, da bräuchte ich Noten, die zumindest nicht peinlich sind.«

Sozial verträglich sein, mahnte Jona sich selbst und unterdrückte ein Auflachen. »Ähm – denkst du denn, du hast Chancen? Soweit ich weiß, muss man entweder richtig Kohle haben oder enorm begabt sein, um aufgenommen zu werden.«

Pascal war keineswegs beleidigt. »Und von beidem bin ich weit entfernt, sehr wahr. Aber es gibt auch ein Kontingent an Studienplätzen für Studenten, die aus der Stadt kommen. Das ist Tradition, seit die Uni gegründet wurde.« Er streckte sich genüsslich. »Und? Lust, mich ein bisschen zu erleuchten, was Differenzialfunktionen angeht?«

Schulstoff. Der langweilige Kram, dem Jona endlich entkommen war. Andererseits, Mühe würde es ihn keine kosten. Und er mochte Pascal.

»Okay, sagen wir, ich helfe dir. Wie sieht's mit einer Gegenleistung aus?«

Pascal legte grinsend den Kopf schief. »Aber gerne. Du prügelst mir Mathe ins Hirn, und ich zeige dir, wie man Mädchen rumkriegt.«

Erst als Jona sich eine halbe Stunde später auf den Weg nach Hause machte – es brannte Licht im Wohnzimmer der Helmreichs –, fügte sich die Information, die Pascal ihm gegeben hatte, ins Bild.

Ein Kontingent für Einheimische. Deshalb also studierte Kerstin an der Victor-Franz-Hess.

Diesmal funktionierte der Schlüssel einwandfrei. Aus der Küche kamen Geräusche, Jona warf einen Blick hinein und entdeckte Kerstin, die mit dem Wasserkocher hantierte. »Ich mache Tee für Mama, sie fühlt sich mies. Abartige Kopfschmerzen, sagt sie.«

»Ach.« Na, da hatte er ja die Erklärung für das Dilemma von heute Nachmittag. Silvia hatte vergessen, den Schlüssel abzuziehen, und sich dann leidend ins Bett zurückgezogen. Die Frage, wie Kerstin trotzdem ins Haus gekommen war, lag ihm kurz auf der Zunge, aber dann stellte er sie doch nicht. Wahrscheinlich hatte sie ihre Mutter am Handy angerufen – das hätte Jona im nächsten Schritt auch getan, wenn Pascal nicht aufgetaucht wäre.

»Ich kümmere mich heute ums Abendessen, sind Würstchen und Bratkartoffeln für dich okay?«

Angesichts der Massen von Chips in seinem Magen, denen dann auch noch zwei Snickers gefolgt waren, winkte Jona leicht angeekelt ab. »Danke, ich lasse das Abendessen ausfallen.«

Ohne eine Entgegnung abzuwarten, lief er die Treppe hoch und in sein Zimmer. Es wurde langsam dunkel, und Jona gestand sich ein, dass Silvia ihm mit ihrer verschlossenen Haustür vielleicht sogar einen Gefallen getan hatte – Elanus bei Tageslicht fliegen zu lassen, wäre ohnehin leichtsinnig gewesen.

Wieder sperrte er die Zimmertür hinter sich ab, bevor er den Aluminiumkoffer unter dem Bett hervorzog.

Die Drohne lag leicht in seiner Hand, voll aufgeladen, startbereit. Jona musste keine der Einstellungen verändern, das Ziel seiner Beobachtungen war das gleiche geblieben. Er hoffte, dass sie heute ein wenig aufschlussreicher sein würden – der Abend war mild, viele Fenster in der Nachbarschaft waren zumindest gekippt.

Nun öffnete Jona das seines eigenen Zimmers, wollte Elanus nach draußen werfen, hielt aber im letzten Moment inne, denn Martin Helmreichs Auto fuhr eben in die Einfahrt. Es dauerte, bis die Tür aufsprang und Helmreich ausstieg, umständlich seine Aktentasche vom Rücksitz holte und dann … einfach stehen blieb.

48

Als würde er es mit voller Absicht tun, dachte Jona erbost, aber gleichzeitig froh, dass er noch gewartet hatte, denn nun blickte Helmreich auch nach oben. Nicht zu Jonas Fenster, eher in den Himmel, wie man es an manchen Frühlingstagen tut, um die ersten warmen Sonnenstrahlen im Gesicht zu spüren.

Es machte ganz den Eindruck, als hätte er keine Lust, nach Hause zu gehen, was Jona verstehen konnte, trotzdem hätte er Helmreich erwürgen können.

Als der sich endlich in Bewegung setzte und aus dem Sichtfeld verschwand, wartete Jona zur Sicherheit noch fünf Minuten, bevor er Elanus tatsächlich starten ließ.

Er warf die Drohne, die Propeller sprangen an, das Gerät stabilisierte sich blitzschnell und zog davon.

Allerdings nicht in die gleiche Richtung wie gestern.

Jona schloss hastig das Fenster und setzte sich vor sein Notebook. Versuchte, aus den Bildern, die Elanus ihm schickte, schlau zu werden.

Es ging nicht zum Campus, so viel war klar. Nur kannte Jona Rothenheim bei Weitem noch nicht gut genug, um irgendwelche Schlüsse aus Elanus' Route ziehen zu können. Was, wenn Linda eine Freundin außerhalb der Stadt besuchte? Okay, es würde nichts Schlimmes passieren, er würde einfach auf halber Strecke kehrtmachen, aber dieses heftige Bedürfnis danach, Linda wenigstens aus der Ferne zu Gesicht zu bekommen, würde nicht befriedigt werden.

Er ballte die Hände zu Fäusten. Elanus flog über Straßenzüge, die Jona noch nie gesehen hatte. Belebte, unbelebte. Erreichte einen kleinen Platz mit einem Brunnen … und wurde langsamer. Sank auf genau einen Meter fünfzig Flughöhe und flog auf ein Gebäude mit hell erleuchteten Fenstern zu.

Ristorante ai Due Torri, las Jona. Na großartig. Linda war essen, beim Italiener. Die Bilder, die Elanus schickte, zeigten auch tatsächlich einen Tisch, an dem zwei Leute saßen, allerdings beides Männer um die fünfzig.

Die Wahrscheinlichkeit, dass Linda mit ihnen unterwegs war, schätzte Jona gleich null ein. Sie befand sich in dem Lokal – ihr Handy jedenfalls tat es –, aber vermutlich an einem Tisch weiter innen, der vom Fenster aus nicht zu sehen war.

Mit aller Kraft kämpfte Jona seine Enttäuschung nieder. Er würde nicht warten können, bis Linda herauskam. Bis dahin würde längst das Failsafe-Programm gegriffen haben. Zudem war es mehr als riskant, Elanus länger auf dieser niedrigen Flughöhe schweben zu lassen.

Jona schaltete den Autopilot aus und wechselte auf Handsteuerung. Ließ seine Drohne über das Dach des Restaurants steigen und darüber kreisen, ratlos.

Dieser Italiener sah teuer aus. Kein Lokal, in das jemand wie Aron ein Mädchen ausführen konnte. Dann schon eher jemand wie … Sergej. Einer der reichen Russen, Amerikaner oder Araber.

Oder eventuell … ihre Eltern!

Das war ein tröstlicher Gedanke. Möglicherweise waren Lindas Eltern zu Besuch und machten sich mit ihrer Tochter einen schönen, kostspieligen Abend.

So war es, redete Jona sich ein, während er Elanus auf Heimflug einstellte und etwas später ans Ladekabel hängte, während er doch noch eine widerwillige halbe Stunde mit den Helmreichs verbrachte und später übers Internet nach noch leistungsfähigeren Akkus suchte.

Dummerweise glaubte er sich selbst kein Wort.

6

Das erste Wochenende bei den Helmreichs bot alles, was Jona von Herzen verabscheute. Gemeinsames Kochen, gemeinsames Fernsehen, irgendwann sogar ein gemeinsames Kartenspiel, bei dem er zweimal mit Absicht verlor, um es nicht völlig uninteressant werden zu lassen. Silvia verzog sich zwischendurch immer wieder ins Schlafzimmer, ihrer Kopfschmerzen wegen, aber Martin war sichtlich erpicht darauf, Jona »Familienatmosphäre« zu bieten.

Sich gleich am ersten Wochenende auszuklinken, wäre gegen jede Höflichkeit gewesen, also biss er die Zähne zusammen und versuchte, nicht an Elanus zu denken und an die Dinge, die er ihm in dieser Zeit hätte zeigen können. Aber er war heilfroh, als am Montag die Uni wieder losging.

Dass er Linda im Laufe des Tages begegnete, war kein Zufall, sondern das Ergebnis einer zermürbenden Geduldsprobe. Jona war viel zu früh zur Uni aufgebrochen und hatte eineinhalb Stunden vor dem Gebäude der Wirtschaftsfakultät gewartet. Es gab nur zwei Eingänge und eine Bank, von der aus man beide im Auge behalten konnte.

Linda ging langsam und sie war allein. Perfekte Bedingungen. Ohne zu zögern, lief Jona auf sie zu, er hatte Zeit genug gehabt, sich zu überlegen, was er sagen würde.

Sie schrak zusammen, als er sie ansprach.

»Hey. Das ist ja ein Zufall«, rief er, vielleicht eine Spur zu fröhlich. »Ich hatte mir vorhin überlegt, dir eine Nachricht zu schicken. Ich wollte dich etwas fragen.«

Sie sah ihn erst desinteressiert, dann ratlos an. Als wüsste sie überhaupt nicht, wer er war.

Aber das konnte nicht sein, oder? Sie konnte ihn nicht innerhalb von vier Tagen vergessen haben.

Er strahlte sie mit aller Herzlichkeit an, zu der er trotz des wunden Gefühls in seinem Inneren fähig war. »Du hast mir deine Nummer gegeben, erinnerst du dich?«

Sie nickte zerstreut. Erst jetzt fiel Jona auf, dass sie blasser war als zuletzt. Auch die dunklen Augenringe waren neu.

»Ich habe keine Zeit«, sagte sie leise.

Er legte den Kopf schief, in einer Geste, die hoffentlich einfühlsam wirkte. »Ist alles in Ordnung bei dir?«

»Ja. Klar.« Sie wandte sich ab. Es war nicht misszuverstehen, sie wollte in Ruhe gelassen werden. Obwohl Jona das wusste, brachte er es nicht über sich, das Gespräch so schnell schon wieder zu beenden.

»Ich höre dir gerne zu, wenn du reden möchtest. Wirklich. Du siehst so bedrückt aus.« Das waren Dinge, die sonst seine Mutter sagte, stellte er insgeheim fest und schüttelte sich innerlich. Aufhören konnte er leider trotzdem nicht.

»Ich würde dir sehr gerne helfen. Und ich verspreche dir, alles, was du sagst, bleibt unter un–«

»Kannst du nicht einfach die Klappe halten?«, fuhr Linda ihn an. »Was willst du eigentlich? Wir kennen uns nicht, ich brauche keine Hilfe und wenn, dann bestimmt nicht von einem Kind, also lass mich gefälligst in Ruhe.«

»Ich bin kein …«

»Doch, du bist ein Kind, und ein verzogenes dazu. Hat deine Mama dir nicht beigebracht, dass man sich in die Angelegenheiten von Erwachsenen nicht einmischt?« Sie trat einen Schritt zurück, verengte die Augen. »Oder … stehst du etwa auf mich?« Sie verzog ihren Mund zu einem hämischen Grinsen, lachte dann los, es war viel zu laut, um echt zu sein.

»Wenn es das ist, dann schmink es dir ganz schnell ab, Kleiner. Ich lass mich doch nicht mit Babys ein. Sei so nett, geh zurück in deine Krabbelgruppe und vergiss, dass du mich getroffen hast.«

Jona stand einfach nur da, starr. Er wusste, dass Lindas Worte ihm eigentlich nicht so wehtun sollten, er war schon schlimmer behandelt worden, von Menschen, die er besser kannte. Es war zutiefst unvernünftig, so für sie zu empfinden, wie er es tat, aber er konnte es beim besten Willen nicht ändern.

Mit jedem Wort, das er jetzt noch sagen konnte, würde er es nur schlimmer machen, also drehte er sich um und ging. Merkte, wie er immer schneller wurde, fühlte sein Gesicht heiß werden. Er hatte sich lächerlich gemacht, Linda hatte ihn innerhalb von kaum zwei Minuten durchschaut. Und jetzt … So selten ihm Fehler in mathematischen und technischen Bereichen passierten, so verlässlich unterliefen sie ihm, sobald es darum ging, mit Menschen zurechtzukommen. Er war sicher gewesen, dass er Linda für sich gewinnen konnte, wenn er nur genügend Informationen über sie gesammelt hatte. Und dann hatte er aus Ungeduld alles ruiniert. Idiotisch.

Jona floh in das Verwaltungsgebäude der Universität, das nun direkt vor ihm lag, und sperrte sich dort in einer der Toiletten im Erdgeschoss ein. Er wollte nicht, dass ihn jemand so sah oder gar ansprach, er brauchte ein paar Minuten, um wieder er selbst zu werden.

Geh zurück in deine Krabbelgruppe. Wieso tat das so weh? Wieso konnte er sich nicht einfach sagen, dass Linda eine dämliche Kuh war, die ihm ohnehin innerhalb von ein paar Monaten auf die Nerven gegangen wäre?

Er klappte den Klodeckel runter und setzte sich drauf, vergrub das Gesicht in beiden Händen. Der Moment würde kommen, an dem er es so sehen konnte, die Frage war bloß, wann. Und bis dahin würde es ihm dreckig gehen, er kannte sich gut genug, um zu wissen …

Das Geräusch einer eilig geöffneten Tür. Dann Schritte und zwei Männerstimmen. Ein hastiges, gedämpftes Gespräch.

»… ist doch Wahnsinn! Was denkt ihr, wie lange es dauert, bis so ein Lügengebäude einstürzt? Das kann nicht gut gehen.«

»Hast du eine bessere Idee?« Die Stimme war die gleiche, die Jona letztens im Rektoratsbüro hatte brüllen hören. Direktor Schratter.

»Wieso ich? Was geht das denn mich an? Diese ganze Katastrophe ist doch euer –«

»Ah, natürlich, jetzt hast du auf einmal nichts mehr damit zu tun.«

»Habe ich auch nicht!«

»Aber dir ist klar, was von dir erwartet wird, oder?«

Jona in seiner Kabine atmete unwillkürlich flacher. Die Vorstellung, von den Männern entdeckt zu werden, hatte etwas Bedrohliches, vor allem, wenn einer von ihnen der Rektor war. Obwohl Jona sich überhaupt nichts zuschulden hatte kommen lassen. Aber wenn sie mitbekamen, dass er Zeuge ihres Gesprächs geworden war, war das für alle Seiten mehr als unangenehm, und möglicherweise hatte er seinen Bonus bei Schratter dann verspielt.

»Hättest du mir bloß nichts erzählt. Wenn es rauskommt, habe ich von nichts gewusst, ist das klar?«

»Wie bitte? So einfach kannst du es dir nicht machen …«

»Oh doch. Und für mich ist das Gespräch jetzt beendet.«

Wieder Schritte. Die Tür, die sich öffnete.

Waren beide Männer gegangen? Jona wagte nicht, sich zu rühren. Zu Recht, wie sich kurze Zeit später herausstellte.

»Scheiße«, hörte er jemanden seufzen. »Verdammte, verdammte Scheiße.«

Schließlich wurde die Tür ein weiteres Mal geöffnet und auch der andere ging hinaus. Jona war wieder allein, zumindest hoffte er das. Er wartete noch zwei, drei Minuten, bevor er die Tür seiner Kabine entriegelte und hinaustrat.

Das Gespräch der beiden Männer hatte sich Wort für Wort in sein Gedächtnis eingeprägt. Dummerweise konnte er nichts von dem, was gesagt worden war, einordnen – er hatte keine Ahnung, um welche Katastrophe es ging. Um welches Lügengebilde.

Jona hielt seine Hände unter heißes Wasser und fuhr sich dann mit den nassen Fingern durchs Haar.

Es schien, als brauchte er nicht unbedingt eine Drohne, um auf die Geheimnisse anderer Menschen zu stoßen.

Eine Viertelstunde später war er an seinem Hörsaal, wo bereits die anderen Studenten warteten. Er kannte bisher niemanden aus seinem eigenen Semester mit Namen und war jetzt auch wirklich nicht in der Stimmung, neue Bekanntschaften zu machen. Lindas Abfuhr, die er vorhin auf seinem Lauschposten fast vergessen hatte, drängte schmerzhaft in sein Bewusstsein zurück. Er lehnte sich gegen die Wand und schloss die Augen. In seinem Kopf vermischten sich die Stimmen.

Wenn es das ist, dann schmink es dir ganz schnell ab, Kleiner.

Wenn es rauskommt, habe ich von nichts gewusst, klar?

»Hey, sieh an, der Klugscheißer.«

Der letzte Satz war nicht Erinnerung, sondern Gegenwart. Jona öffnete die Augen, vor ihm stand Aron.

»Na? Hast du diesmal den richtigen Hörsaal gefunden?« Er blickte sich um, lachend, bis er die Aufmerksamkeit einer vierköpfigen Gruppe erregte, die ein Stück weiter links stand. Er nickte ihnen freundlich zu. »Wärt ihr so nett, ein bisschen auf Jona zu achten? Er ist zwar angeblich sehr schlau, hat aber noch nicht begriffen, wie es auf einer Universität zugeht, und hält sich gelegentlich für einen Professor. Will den Unterricht übernehmen und so. Dann stoppt ihn bitte, bevor er wieder Ärger bekommt.« Aron wuschelte ihm kräftig durchs Haar. »Manchmal versucht er auch, an Mädchen ranzukommen, die vier bis fünf Nummern zu groß für ihn sind. Auch da wäre es nett, wenn ihr ihn zurückhaltet, sonst wird er unter Umständen mal verhauen. Und das wäre doch schade bei so einem kleinen Genie, nicht?« Damit drehte Aron sich um und ging.

Jona sah ihm nach, hin- und hergerissen zwischen Fassungslosigkeit und Wut. Dann hörte er Gelächter hinter sich und entschied sich für Wut. Beschloss aber, sie sich nicht anmerken zu lassen.

»War das dein großer Bruder?«, fragte einer der Studenten.

»Nein. Nur ein großer Idiot.« Jona wandte sich der Gruppe zu. »Ich habe ihn letztens blamiert und das wollte er mir wohl zurückzahlen.«

Er ging in den Hörsaal und spürte, wie zahlreiche Blicke ihm folgten. Nicht nur die vier angesprochenen Studenten hatten die kleine Szene mitbekommen, die Aron inszeniert hatte.

Jona fragte sich, wie er wohl am besten an dessen Handynummer kam.

»Ich habe alle meine Mathesachen dabei.« Pascal lehnte am Zaun der Helmreichs und sah Jona, der eben von der Bushaltestelle nach Hause ging, erwartungsvoll entgegen. »Bücher, Hefte und ungefähr fünftausend Arbeitszettel. Los. Erleuchte mich.«

»Schlechter Zeitpunkt.« Jona ging an ihm vorbei, ohne ihn auch nur anzusehen. Seine Laune hatte sich durch die Vorlesungen des heutigen Tages nicht verbessert. Nach Arons Auftritt war er unfassbar sauer gewesen. Zwei Studenten, die ein Gespräch mit ihm beginnen wollten, hatte er eine derart bissige Antwort gegeben, dass ihn anschließend niemand mehr angesprochen hatte. Da war er wieder gewesen, der übliche Abstand zu den anderen.

Dann noch drei höhnisch-ironische Bemerkungen, die Jona sich während der Vorlesung nicht verkneifen konnte, und sein Ruf war gefestigt. Klugscheißer.

Ganz toller Neustart.

Pascal hatte ihn auf dem Gartenweg überholt und ging nun rückwärts vor Jona her. »Miesen Tag gehabt?«

»Scheißtag.«

»Okay, neuer Nachbar, dann schütte mir doch dein Herz aus. Und anschließend versuchst du, ein bisschen Mathe in mein armes, minderbemitteltes Hirn zu prügeln, ja?«

Wieder lag Jona eine scharfe Bemerkung auf der Zunge, doch

diesmal schaffte er es, sie nicht auszusprechen. Er mochte Pascal, und vielleicht war es kein Fehler, das auch zu zeigen.

»In Ordnung. Wenn du damit klarkommst, dass ich richtig miese Laune habe und wahrscheinlich ein paar echt gemeine Dinge zu dir sagen werde.«

»Kein Problem«, erklärte Pascal fröhlich, während Jona die Haustür aufsperrte. Was diesmal erfreulicherweise auf Anhieb klappte.

Außer ihnen war niemand da. Keine Silvia, keine Kerstin. Herr Helmreich, bei dem Jona sich immer noch nicht durchringen konnte, ihn Martin zu nennen, nicht einmal in Gedanken, würde ohnehin erst bei Einbruch der Dunkelheit von der Arbeit kommen.

Sie machten es sich in Jonas Zimmer gemütlich, Pascal lümmelte sich aufs Bett. Ohne die Schuhe auszuziehen, aber über so etwas wollte Jona sich heute wirklich nicht mehr aufregen.

»So.« Pascal zupfte sich das Kopfkissen zurecht. »Ich höre. Erzähl.«

Erst wollte Jona sich kurzfassen, bloß ein paar Fakten in den Raum stellen, doch Pascals unaufgeregtes Interesse tat ihm so gut, dass er ihm schließlich alles anvertraute. Jedes Detail, an das er sich erinnerte.

»Also«, stellte Pascal am Ende fest und streckte sich genüsslich. »Dieser Aron ist einfach nur ein Arschloch. Dagegen hat Linda selbst heftig an etwas zu knabbern, wenn es so war, wie du sagst. Jemand hat ihr wehgetan und sie hat es an dir ausgelassen.«

»Glaubst du?«

»Ja. Sie hätte keinen anderen Grund, dich so runterzumachen. Du hast selbst gesagt, dass sie bedrückt gewirkt hat?«

Jona versuchte, sich genauer zu erinnern. »Bedrückt, gehetzt, wütend – von allem etwas.«

»Siehst du.« Jetzt hatte Pascal die offene Tüte Gummibärchen auf Jonas Nachttisch entdeckt und riss sie sofort an sich. »Du warst ihr Ventil«, sagte er kauend. »Und du warst perfekt, weil sie gespürt hat, dass du sie magst, und sie dich deshalb verletzen kann. Danach ist es ihr sicher besser gegangen.«

Jona nickte. Ja, Linda war darauf aus gewesen, ihn zu verletzen, ebenso wie Aron es darauf angelegt hatte, ihn bloßzustellen.

»Es ist immer das Gleiche«, stellte er nüchtern fest. »Ich komme irgendwo dazu und bleibe außen vor.«

»Also, ich finde, du bist in Ordnung«, erklärte Pascal schulterzuckend. »Vielleicht versuchst du ein bisschen zu sehr, deine Umwelt zu beeindrucken, aber wenn du nun mal so klug bist …« Er grinste. »Ich würde wahrscheinlich auch nicht widerstehen können, aber bei mir besteht in der Hinsicht keine Gefahr.«

Das sah Jona anders. Gut, vielleicht war Pascal eine Matheniete, aber wenn es darum ging, das Verhalten anderer Menschen zu durchschauen, schien er richtig gut zu sein und Jona meilenweit voraus.

»Was würdest du an meiner Stelle tun?«

Pascal verschränkte die Arme hinter dem Kopf und blickte zur Decke. »Ich würde ihnen eine andere Beschäftigung verschaffen. Du bist doch so schlau. Gib ihnen eine richtig harte Nuss, an der sie sich die Zähne ausbeißen.«

Die nächsten eineinhalb Stunden waren Pascals Differenzialgleichungen gewidmet, aber Jona ging ihr Gespräch währenddessen keine Minute lang aus dem Kopf.

Eine richtig harte Nuss. Ja, aber keine, die man mit dem Verstand lösen konnte. Ihm schwebte etwas anderes vor. Etwas wie ein Spiel. Etwas, das sowohl Linda als auch Aron tanzen ließ, nach Jonas Melodie, und mit ein bisschen Glück und Elanus' Hilfe würde er sie dabei beobachten können.

7

An diesem Abend schickte er Elanus später los, wieder auf Lindas Spuren. Pascal war gegangen, das Abendessen der Familie Helmreich vorbei und Kerstin traf sich mit Freunden, während ihre Eltern im Wohnzimmer vor dem überaus lauten Fernseher saßen.

Von draußen drang kühle Nachtluft herein, Elanus' Oberfläche schimmerte matt. Jona warf ihn hoch in die Luft, genoss wie jedes Mal diesen Moment, in dem die Drohne zum Leben erwachte, sich ausrichtete und dann einen Moment still im Nichts stand, bevor sie zielstrebig davonzog.

Auch diesmal wieder in eine andere Richtung. Eilig schloss Jona das Fenster und setzte sich vor sein Notebook. Elanus schickte Bilder von parkenden Autos, Vorgärten, in denen vereinzelt noch Menschen saßen, die den lauen Abend genossen. Einer Katze, die wie ein grauer Schatten über die Straße schoss. Eine Kreuzung, ein Kinderspielplatz, ein nächtlich beleuchteter Supermarkt. Wieder Einfamilienhäuser.

Viel früher, als Jona erwartet hatte, drosselte Elanus sein Tempo und begann zu sinken.

Ein Blick auf die Uhr, es waren seit dem Start erst dreieinhalb Minuten vergangen. Fantastisch, dann würde diesmal länger Zeit zum Beobachten sein, mehr als eine halbe Stunde.

Linda musste sich im ersten Stock dieses dunkelgelb verputzten Hauses befinden. Das Fenster, vor dem Elanus hielt, war hell erleuchtet, trotzdem konnte Jona einen lauten Fluch nicht unterdrücken.

Vorhänge, an jedem einzelnen Fenster des Hauses zugezogen. Rote Vorhänge, die zwar Licht durchließen, sonst aber nichts. Nur ein Spalt in der Mitte erlaubte einen schmalen Einblick in das dahinterliegende Zimmer. Jona zoomte näher heran.

Ein Schlafzimmer, ziemlich sicher. Das, was man an der gegenüberliegenden Wand erkennen konnte, war zwar nur ein winziger Teil eines Möbels, aber er hätte darauf gewettet, dass es ein Bett war, keine Couch.

Der Ausblick darauf wurde für eine halbe Sekunde von etwas Dunklem verdeckt, dann war er wieder zu sehen. Jemand war am Vorhangspalt vorbeigegangen, mit energischen Schritten.

Linda? Jona war nicht sicher. Aber nachdem Elanus beharrlich vor diesem Fenster schwebte, befand Linda sich wohl dort drin, und vermutlich nicht alleine.

Wer wohnte in diesem Haus? Aron? War er einer der Studenten, die aus der Stadt stammten, und lebte deshalb noch bei seinen Eltern?

Wieder ein menschlicher Umriss vor dem Spalt. Ein größerer diesmal. Jona rieb sich mit beiden Händen übers Gesicht. Wenn er die richtigen Schlüsse aus dem wenigen zog, was er sah, dann war Linda gerade zu Besuch bei einem Mann. Genauer gesagt, in dessen Schlafzimmer.

Diese Tatsache schmerzte ihn noch mehr als das, was sie ihm am Vormittag an den Kopf geworfen hatte. Und auch wenn er sich dafür schämte, war da in ihm das Bedürfnis, es ihr heimzuzahlen, ihr wenigstens auch ein bisschen wehzutun. Irgendwie.

Wieder kam Leben in das Stück Zimmer hinter dem Spalt. Erst tauchte Linda auf, ja, es war unverkennbar sie – das hellblaue Shirt hatte sie auch tagsüber getragen. Kurz darauf wurde sie von der zweiten Gestalt verdeckt. Ein Mann, nur leider war er nicht zu erkennen. Er stand mit dem Rücken zum Fenster, Jona sah nur einen Streifen seiner Jeans, seines weißen Pullis oder Hemds und einen Teil seines Hinterkopfs. Dunkles Haar vermutlich. Tatsächlich nicht ausgeschlossen, dass es Aron war.

Wenn einer von beiden den Vorhang wenigstens ein Stück zur Seite rücken würde, dachte Jona. Oder das Fenster öffnen, das wäre noch besser. Dann würde er hören können, worüber sie sich unterhielten – und vielleicht auch die Stimme des Mannes erkennen.

Doch weder das eine noch das andere passierte. Es kostete Jona seine ganze Konzentration und Fantasie, sich zusammenzureimen, was sich gerade in dem Raum abspielte. Die beiden mussten eng zusammenstehen. Küssten sie sich? Danach sah es aus. Und nun bewegten sie sich langsam auf das zu, was Jona für ein Bett hielt …

Er wollte es sehen, einerseits. Andererseits wäre er am liebsten aus dem Zimmer gelaufen. Wenn wenigstens klar gewesen wäre, was genau geschah, aber der verfluchte Vorhangspalt ließ eben genug erahnen, um Jonas Fantasie verrücktspielen zu lassen.

»Nein.« Er hatte das Wort laut ausgesprochen, ohne es zu wollen, und es holte ihn ins Hier und Jetzt zurück. In sein eigenes Zimmer, in das Haus, durch das immer noch der Fernsehapparat der Helmreichs dröhnte.

Mit einigen entschlossenen Klicks beorderte Jona Elanus wieder nach Hause. Kein Failsafe-Programm heute, sondern vorzeitiger Rückzug. Er hatte genug. Sich selbst zu quälen, war noch nie sein Ding gewesen.

Trotzdem lag er die halbe Nacht über wach und grübelte. Wieso lag ihm so viel an Linda, er kannte sie doch kaum? War er einfach nur ein dämlicher, verknallter Teenager, den seine Hormone fest im Griff hatten?

Wahrscheinlich. So hoch konnte ein IQ vermutlich gar nicht sein, dass er einen davor schützte, sich in die Falsche zu verlieben.

Aber es gab ein Gegenmittel, und Jona würde nicht zögern, es zu ergreifen. 3:14 zeigten die Leuchtziffern seines Weckers an, als er noch einmal die Beine aus dem Bett schwang und sich an den Schreibtisch setzte. Er öffnete das Textverarbeitungsprogramm seines Notebooks, dachte kurz nach und tippte.

Ausdrucken würde er das Ganze erst morgen, er wollte nicht, dass der Mini-Drucker, den er mitgebracht hatte, Kerstin im Nebenzimmer weckte.

Um halb vier drehte er das Licht an seinem Nachttisch wieder aus und konnte endlich schlafen.

Er trug drei Exemplare des Ausdrucks in seiner Tasche, zurechtgeschnitten auf DIN-A5-Format. Genau wusste er nicht, wie er Linda seine Botschaft zukommen lassen sollte, aber er war optimistisch. Irgendwie würde es klappen, und weil es möglicherweise lustig werden konnte, ein bisschen Verwirrung zu stiften, würde er auch Aron mit einem der Zettel überraschen. Wenn das gestern er gewesen war, in dem Schlafzimmer, dann würde ihm der Text zumindest Unbehagen bereiten. War er es nicht, würde er ihn verunsichern, und das, dachte Jona, wäre fast noch besser.

Heute stand seine erste reguläre Vorlesung mit Lichtenberger an, und unter anderen Umständen wäre er sehr gespannt gewesen, wie der Professor diesmal auf ihn reagieren würde. Wie sehr er ihm den Ausflug ins höhere Semester und von da direkt an die Tafel übel nahm.

So aber war er mehr damit beschäftigt, sich Pläne zurechtzulegen, möglichst viele unterschiedliche – die alle nutzlos sein würden, wenn Linda heute beispielsweise mit Schnupfen im Bett lag.

Du bist ein Kind, und ein verzogenes dazu.

Die Worte taten immer noch weh, sobald er sie sich wieder ins Gedächtnis rief. Na gut, dann war er eben ein Kind. Kinder durften spielen, nicht wahr? Genau das würde er tun, und er war sehr gespannt, wie …

»Jona Wolfram? Ich habe mir Ihren Namen doch richtig gemerkt?«

Nur das verhaltene Murmeln rund um ihn machte Jona klar, dass Lichtenberger ihn wohl nicht zum ersten Mal angesprochen hatte. Mist, er durfte sich nicht so tief in seine Gedanken fallen lassen, dann war es immer, als hätte jemand die Welt rund um ihn herum ausgeknipst.

»Da erinnern Sie sich ganz richtig«, sagte er. Bemerkte, dass es arrogant klang. »Es tut mir leid, dass ich nicht sofort geantwortet habe. Das war unhöflich.«

Der Professor war sichtlich erstaunt über Jonas Eingeständnis, fing sich aber schnell. »Denken Sie, Sie werden es diesmal schaffen, mir den Unterricht zu überlassen?«

Jona nickte mit einem Lächeln, so freundlich, dass es in den Mundwinkeln schmerzte. »Natürlich. Tut mir leid wegen letztem Mal.«

Und damit schaltete er ab. Ließ die Stunde an sich vorbeirauschen – den Stoff beherrschte er ohnehin im Schlaf. Überlegte sich stattdessen, wie er herausfinden sollte, wo Linda ihre Mittagspause verbringen würde.

Lichtenberger schrieb eine Formel nach der anderen an die Tafel; währenddessen beschloss Jona, nach der Vorlesung in die Mensa zu gehen und dort so lange zu bleiben, bis Linda ihm über den Weg lief.

Doch dann war sie bereits da, als er dort ankam. Stand mit zwei anderen Mädchen in der Schlange bei der Essensausgabe und unterhielt sich angeregt. Sie hatte ihn nicht gesehen. Mit dieser Situation hatte Jona nicht gerechnet, irgendwie war Linda in seiner Vorstellung immer allein unterwegs, aber das war natürlich Unsinn.

Und dann eröffnete sich ihm mit einem Schlag eine neue Möglichkeit, denn da, auf einem der Stühle, stand ihre Tasche. Grün, mit bronzenen Nieten, bis obenhin vollgestopft mit Büchern. Sie hatte sie als Platzhalter stehen gelassen – keine schlechte Idee, so voll, wie die Mensa jetzt bereits war.

Jona traf seine Entscheidung binnen einer Sekunde, er zog einen seiner Ausdrucke heraus und ging mit schnellen Schritten auf den Stuhl mit der Tasche zu. Zur Sicherheit ein knapper Blick zu Linda, die in eine völlig andere Richtung sah, und schon steckte der Zettel zwischen zwei von ihren Büchern.

Das war's. Er machte kehrt und ging raus auf den Gang, zum Treppenhaus und ins Freie. In ihm lieferten sich Triumphgefühl und Beschämung einen kurzen, aber heftigen Kampf.

Es war nicht wirklich okay, jemanden aus gekränktem Stolz aus dem Gleichgewicht zu bringen, und zumindest das würde der Zettel wohl tun. Linda würde den Inhalt nicht einfach achselzuckend zur Kenntnis nehmen. Er klang ein bisschen … bedrohlich. Jedenfalls dann, wenn man etwas zu verbergen hatte. Wenn nicht, war er harmlos. Aber Jona hatte da so ein Gefühl, was Linda anging.

Zwei Ausdrucke hatte er noch bei sich. Aron hatte er heute noch nicht zu Gesicht bekommen, aber den würde ohnehin Linda informieren.

Dann also – ja, warum eigentlich nicht? Warum nicht einfach irgendjemanden nehmen?

Der Gedanke beflügelte ihn. Das war wie Lotto spielen – vielleicht würde er einen Treffer landen, einfach durch Zufall. Obwohl es in Wahrheit viel wahrscheinlicher war, dass diejenigen einfach nur die Stirn runzeln, das Papier zusammenknüllen und wegwerfen würden.

Aber er wollte sich das nicht nur vorstellen, er wollte es sehen. Ohnehin war es höchste Zeit, seinen Bestand an Handynummern gehörig zu erweitern.

Im Nachmittagsseminar gab Jona sich also ungewöhnlich gesellig. Scherzte mit einigen Mitstudenten, die ihn überrascht anlächelten, und half im Anschluss an das Seminar denen, die den Stoff nicht kapiert hatten. Verbiss sich dabei jede gehässige Bemerkung, obwohl ihn das fast körperlich schmerzte.

Als er das Institutsgebäude verließ, hatten vier Mitstudenten ihm ihre Handynummer aufgedrängt und im Gegenzug um seine gebeten. Ob sie sich melden könnten, wenn sie noch Fragen zum Stoff hätten?

Jona hatte gnädig genickt und sich innerlich prächtig amüsiert. Einem der Studenten, Hendrik, hatte er den Zettel in einem günstigen Moment ins Buch gesteckt. Für eine gewisse

Marlene – rundlich, mit strahlend grünen Augen – hatte er das Blatt klein zusammengefaltet und dann in ihre Handtasche gleiten lassen. Bei dem Chaos, das darin herrschte, würde sie die Nachricht wohl erst in einem halben Jahr finden, aber das machte nichts.

Mit bester Laune ging Jona gegen halb fünf nach Hause. Kein Pascal diesmal vor der Tür, was beinahe schade war. Jona hätte ihm zu gern davon erzählt, was er gestern Nacht beobachtet und heute tagsüber getan hatte.

Lieber jedenfalls, als sich von Kerstin knapp vor der Treppe abfangen zu lassen. »Mama hat mich zum Einkaufen geschickt. Du könntest so nett sein und mir beim Tragen helfen.«

Och nein. »Ich hab einiges für die Uni zu tun. Und überhaupt – wozu tragen? Warum nimmst du nicht das Auto deiner Mutter?«

Er wusste die Antwort, bevor Kerstin noch den Mund aufgemacht hatte. Keines der beiden Autos hatte eben in der Einfahrt gestanden.

»Weil«, begann sie, doch er unterbrach sie mit einer Handbewegung.

»Schon klar. Aber dann könnten doch auch deine Eltern die Einkäufe übernehmen, oder?«

»Tun sie ja normalerweise auch, aber heute haben sie mich gebeten, mich darum zu kümmern. Und du könntest mir ja helfen, dachten sie. Ist das jetzt so ein Akt, deiner Ansicht nach?«

Nein, das war es natürlich nicht. Nur, dass Jona es kaum erwarten konnte, Elanus loszuschicken. Wenn er die erste Tour noch bei Tag flog, konnte er die Drohne anschließend noch mal aufladen und ein zweites Mal losschicken.

Aber gut. Er musste noch länger unter diesem Dach leben, es war klüger, sich von einer möglichst sympathischen Seite zu zeigen. »In Ordnung, dann lass uns aber sofort losgehen.«

Er warf die Tasche zum Fuß der Treppe, schnappte sich zwei der Einkaufsbeutel, die neben der Tür bereitlagen, und ging nach draußen. Wartete drei Sekunden. Fünf.

»Was ist denn?«, rief er über die Schulter zurück und hörte selbst, wie genervt er klang.

Endlich kam Kerstin ihm nach. »Hey, mach keinen Stress. Ich muss sehen, ob ich das Portemonnaie dabeihabe ...« Sie wühlte in ihrer Handtasche. »Okay. Da ist es. Los geht's«

Nach einem kurzen Fußmarsch standen sie vor einem großen Supermarkt; Jona war beinahe sicher, dass es der gleiche war, über den Elanus gestern geflogen war, auf dem Weg zu dem Haus mit den roten Vorhängen.

Ob Jona dorthin finden würde? Ein Blick auf das Türschild würde ihm vermutlich eine Menge verraten. Wenn er die Straße ein Stück weiter ging und dann rechts abbog ...

»Oh verdammt.« Kerstin blieb vor dem Eingang stehen, eine Hand in ihrer Tasche vergraben. »Scheiße, aber echt.«

»Was ist los?«

»Ich habe mein Handy vergessen. Da ist die Nachricht mit der Einkaufsliste drauf, die Mama mir geschickt hat.« Sie funkelte ihn wütend an, verkniff sich aber, was ihr offensichtlich auf der Zunge lag. *Deine Schuld. Weil du mich so hetzen musstest.*

»Okay, dann gehen wir eben zurück«, sagte Jona und schluckte ebenfalls hinunter, was er Kerstin gern an den Kopf geworfen hätte. *In eurer Familie ist niemand besonders helle, oder?*

Nein, er musste mit den Helmreichs klarkommen. Obwohl das Studentenwohnheim als Alternative immer verlockender wirkte. Allerdings würde es dort viel schwieriger sein, Elanus zu verstecken. Und es gab deutlich mehr Leute, mit denen man es sich verscherzen konnte.

Als sie zum Haus zurückkamen, standen plötzlich beide Autos vor der Tür. Innerhalb von sechs oder sieben Minuten mussten sowohl Martin als auch Silvia heimgekommen sein, und wie Jona feststellte, hatten sie jemanden mitgebracht. Ein breitschultriger, leicht übergewichtiger Mann stand im Türeingang und sah Kerstin und ihm entgegen.

»Na, ihr beiden?«, dröhnte er und drückte Kerstin an sich, bevor er ihre leeren Taschen inspizierte. »Viel habt ihr nicht gekauft, wird ein kalorienarmes Abendessen.«

Er lachte laut, sehr laut, über seinen eigenen Witz, bevor er sich Jona zuwandte.

»Du bist das kleine Genie, stimmt's? Ich habe gehört, Schratter ist ganz heiß darauf, dich kennenzulernen. Und mit dir anzugeben natürlich.«

»Ist das so?«, erwiderte Jona. »In dem Fall lässt er sich aber Zeit damit.« Wobei er selbst, wie er sich eingestehen musste, heute überhaupt nicht daran gedacht hatte, noch einmal beim Büro des Rektors vorbeizuschauen. Er war viel zu beschäftigt damit gewesen, seine kleinen ausgedruckten Gifthäppchen zu verteilen.

Der Mann lachte erneut und streckte Jona die Hand hin. »Ich bin Peter Roginski. Wenn du mal gut essen gehen willst – mir gehören drei der besten Restaurants in Rothenheim.«

Hinter ihm tauchten jetzt Silvia und Martin auf, beide wirkten so, als mache Roginskis Besuch sie nicht unbedingt glücklich.

»Ihr wart schnell mit dem Einkauf«, sagte Martin, bemerkte

aber im nächsten Moment die leeren Tüten. »Oh. Was ist passiert? Geld vergessen?«

»Nein. Handy«, erklärte Kerstin knapp. »Und damit die Einkaufsliste. Wir sind also gleich wieder weg.«

Noch bevor er sich selbst zurückhalten konnte, hatte Jona ihr seine zwei Einkaufsbeutel in die Hand gedrückt. »Du bist gleich wieder weg. Jetzt kannst du ja ein Auto nehmen, oder? Dann brauchst du mich nicht.«

Er nickte beiden Helmreichs und auch diesem Roginski freundlich zu, dann schnappte er sich seine Tasche und lief die Treppe hinauf in sein Zimmer.

Tür zu. Schlüssel umdrehen.

Nur dummerweise konnte er Elanus nicht einfach fliegen lassen, solange Roginski noch da war und Kerstin sich nicht endlich zum Supermarkt aufmachte. Trotzdem holte er den Koffer schon unter dem Bett hervor und öffnete ihn.

Marlene würde sein erstes Ziel sein. Einfach, weil er sich von einem späteren Flug zu Linda spannendere Ergebnisse erwartete. Außerdem hatte er Lust, Marlene wiederzusehen – sie war eine von denen, die sich herzlich für seine Erklärungen bedankt hatten. Zudem war bei ihr sichtlich der Groschen gefallen, Jona hatte förmlich sehen können, wie ihr ein Licht aufging. Ein mathematisches.

Fehlte noch die SMS.

Hey, ich hoffe, ich konnte dir heute wirklich helfen. Falls du demnächst wieder Fragen hast – sehr gerne! Bis bald, Jona

Keine drei Minuten später kam die Antwort.

Das finde ich total nett! Danke! Was du erklärt hast, habe ich vollkommen verstanden. Ich bin eigentlich ziemlich klug, musst du wissen ;-)

Schönen Abend, Marlene

Also hatte er recht gehabt mit dem Licht. Zufrieden nahm Jona Elanus aus dem Koffer, öffnete das Fenster und warf einen prüfenden Blick hinaus.

Motorengebrumm. Unten fuhr ein weißer Lieferwagen davon, auf dem in großen roten Buchstaben *Roginski Catering* stand. Der Kerl war also weg und die Helmreichs mussten wieder ins Haus gegangen sein, von ihnen war keine Spur mehr zu sehen.

Über das Notebook programmierte Jona Marlenes Nummer für Elanus ein, dann warf er die Drohne ins Freie. Es war bewölkt, das war günstig. Bei Sonnenschein reflektierte die Metalloberfläche die Strahlen, was mit etwas Pech Aufmerksamkeit erregte, aber bei diesem Wetter war er so gut wie unsichtbar.

Elanus zog davon. Zur Uni, vermutete Jona, wahrscheinlich gehörte Marlene zu denen, die in einem der Studentenwohnheime wohnten.

Bei Tag waren die Bilder, die die Kamera einfing, glasklar und gestochen scharf. Jona zoomte näher an die Straße heran und stellte fest, dass er die Gesichter der Passanten erkennen konnte, obwohl Elanus wirklich schnell unterwegs war.

Geschätzt noch zwei Minuten, dann würde er am Campus sein, und er war gespannt …

Es klopfte. Jona fuhr herum. Das durfte doch nicht wahr sein, oder? Egal. Er würde so tun, als hätte er es nicht gehört, und später notfalls sagen, er hätte geschlafen. Ein Nickerchen gemacht.

Wieder Klopfen, lauter diesmal. »Jona?«

Ach Mist, das war Helmreich. Also, Martin. Der schweigsame Vater.

»Ist es wichtig?« Jona bemühte sich, seine Stimme erschöpft klingen zu lassen. »Ich habe mich eben ein bisschen hingelegt.« Drei Sekunden Pause. »Es dauert nicht lange. Ich möchte nur eine Kleinigkeit mit dir besprechen. Darf ich reinkommen?«

Mit einem unterdrückten Fluch auf den Lippen klappte Jona das Notebook zu, brachte mit wenigen schnellen Handbewegungen das Bett in Unordnung und schloss dann die Tür auf. »Natürlich«, murmelte er und gähnte demonstrativ. »Worum geht es denn?«

Martin Helmreich trat ein, und während Jona sich aufs Bett fallen ließ, setzte er sich auf den Schreibtischstuhl. Na großartig. Das bedeutete, es würde länger dauern. Wieder gähnte Jona, wie um zu demonstrieren, dass er wohl gleich einschlafen würde. Nicht sehr höflich, ja, aber das war besser, als Elanus erst wieder auf dem Rückflug beobachten zu können. Oder ihn vor dem Fenster stehen zu haben, während Martin immer noch dasaß und sich das graublond stoppelige Kinn rieb.

»Deine Eltern haben gestern angerufen«, begann er, »und wollten wissen, wie es so läuft. Gut, habe ich gesagt.«

Er sah Jona an, als habe der auf eine Frage nicht geantwortet.

»Danke, das freut mich«, beeilte er sich zu sagen. »Und meine Eltern hat es sicher beruhigt.«

»Ja, vermutlich.« Auch Martin wirkte ausgesprochen müde, allerdings gab er sich ziemliche Mühe, es zu verbergen. »Sie meinten, du hättest sie bisher erst ein Mal angerufen. Und sie haben gefragt, ob du dich bei uns am Familienleben beteiligen würdest.« Er wischte sich über die Augen. »Also, du bist ja noch nicht lange hier, aber ich habe den Eindruck, du bist am liebsten für dich, stimmt das?«

Ja, besonders jetzt wäre das fantastisch, dachte Jona mit wach-

73

sender Wut. War Martin wirklich hier, um mit ihm über sein Sozialverhalten zu sprechen? »Manchmal schon«, sagte er. »Aber am Wochenende habe ich doch praktisch die ganze Zeit mit euch verbracht, nicht wahr? Und ich werde mich sicher noch besser einleben und bin dann gern dabei, bei allem, was ihr so macht.« Er betete, dass man ihn nicht beim Wort nehmen würde.

»Das ist gut.« Martin lehnte sich zurück, verdammt, er lehnte sich zurück, statt aufzustehen. »Diese Sache heute, mit dem Einkaufen – ich glaube, Kerstin war nicht sehr erfreut darüber, dass du sie einfach hast stehen lassen. Ein bisschen mehr Beteiligung wäre schön, weißt du?«

»Ja. Natürlich.« Jona warf einen möglichst unauffälligen Blick auf seine Uhr, wieder unhöflich, aber notwendig. Sieben Minuten seit Abflug. Elanus war schon angekommen, keine Frage. *Oh bitte geh, Martin, geh, geh, geh …*

Hatte er eigentlich die Aufnahmefunktion aktiviert? Nein, oder? Das tat er normalerweise immer erst, wenn Elanus das Zielobjekt im Visier hatte. Na toll. Fehlte jetzt ja nur noch, dass der alte Langweiler ganz nebenbei den Deckel des Notebooks anhob. Jona wusste nicht, wie clever Martin war, aber mit ein bisschen Anstrengung würde er wahrscheinlich die richtigen Schlüsse ziehen.

»Ich könnte demnächst ja mal Silvia beim Kochen helfen«, startete er einen verzweifelten Versuch, den Mann endlich zufriedenzustellen. »Mein Chili ist eine ziemliche Sensation.«

Martin nickte, wirkte dabei aber irgendwie zerstreut. »Ein sehr guter Vorschlag«, sagte er. »Da freuen wir uns drauf.«

Ja, genauso siehst du aus. Noch einmal gähnte Jona und rang sich dann das freundlichste Lächeln ab, dessen er fähig war. »Es tut mir leid, ich bin gerade wirklich müde. Würde es dir etwas ausmachen, wenn wir uns später weiter unterhalten?«

Martin schien ernsthaft darüber nachzudenken. Doch schließlich nickte er wieder und stemmte sich langsam aus dem Drehstuhl. »Du hast recht. Wir reden ein andermal. Aber du fühlst dich wohl bei uns, ja?«

»Ja! Sehr!« Jona hätte zu allem Ja gesagt, auch dazu, noch am gleichen Abend Kerstin einen Heiratsantrag zu machen – wenn nur ihr Vater endlich aus dem Zimmer verschwand. Er ließ Elanus sonst nie aus den Augen, keine zwei Minuten. Und ganz sicher nicht zehn. In der Zwischenzeit konnten jede Menge Katastrophen passiert sein.

»Okay. Dann ruh dich aus. Wir sehen uns beim Abendessen.«

»Ja. Danke.«

Kaum war Martin aus dem Zimmer, sprang Jona aus dem Bett, versperrte hastig die Tür und klappte das Notebook wieder auf.

Elanus sendete noch, Gott sei Dank. Die Kamera war auf ein Stück Wiese mit Steinbänken gerichtet. Kein Anblick, der Jona bekannt vorkam. Und da war Marlene, auf einer dieser Bänke. Sie blickte mit aller Konzentration auf ihr Handy, dann hob sie den Kopf … und sah Jona direkt ins Gesicht. Legte den Kopf schief, blinzelte.

Ohne Zweifel, sie hatte Elanus entdeckt, wahrscheinlich schon vor Minuten. Sehr überrascht sah sie nicht mehr aus und nun hielt sie das Smartphone vor sich, nahm Jona ins Visier … oh Mist, sie schoss Fotos. Bestimmt nicht die ersten, die anderen hatte sie vielleicht schon verschickt oder auf Instagram gepostet …

In Windeseile stellte Jona auf manuelle Steuerung um und

ließ Elanus erst auf dreifache Höhe steigen und dann den Weg nach Hause einschlagen.

Er verfluchte Martin, aber noch mehr verfluchte er sich selbst für seine Dummheit. Sich auf den Autopiloten zu verlassen, war ein absoluter Anfängerfehler, der einen sehr leicht die Drohne kosten konnte. Elanus stand völlig ruhig in der Luft – es wäre kein großes Problem, ihn mit einem Stein abzuschießen, wenn man Lust darauf hatte.

Die Frage, ob Marlene im Lauf des Nachmittags den Zettel in ihrer Handtasche gefunden hatte, interessierte ihn jetzt nur noch am Rande.

Wem würde sie von der Drohne am Campus erzählen? Wenn die Nachricht die Runde machte, musste Jona in Zukunft noch viel vorsichtiger sein. Dann würden die Leute ihre Aufmerksamkeit nach oben richten, in den Himmel.

Und das alles für einen Flug, der nicht die geringsten Erkenntnisse gebracht hatte. Verdammte Ungeduld.

Jona öffnete das Fenster, um Elanus wieder hereinzulassen. Sein erster Impuls war, ihn sofort in den Koffer zu stecken und für heute nicht mehr herauszuholen, doch er wusste, dass er in zwei Stunden wahrscheinlich anders denken würde.

Also hängte er ihn ans Ladekabel, verbarg ihn unter dem Bett und ging dann nach unten. Ins Wohnzimmer. Zu den Helmreichs, um soziale Kontakte zu pflegen.

8

Dreiundzwanzig Uhr. Er hatte allen Ernstes gemeinsam mit diesen Spießbürgern eine Castingshow konsumiert und sich zweieinhalb Stunden lang minderintelligente Menschen beim Nicht-Singen-Können reingezogen.

Kerstin war irgendwann während des zweiten Werbeblocks nach oben verschwunden und hatte behauptet, sie müsse lernen, doch nun hörte er ihre gedämpfte Stimme durch ihre Zimmertür. Sie telefonierte oder skypte. Mit wem auch immer.

Hatte sie eigentlich einen Freund?

Jona öffnete und schloss seine Tür so leise wie möglich. Elanus war längst wieder voll geladen. Jetzt noch ein Flug? Zu Hendrik oder eventuell diesmal zu Sergej?

In Wahrheit wusste Jona ganz genau, dass es nur einen Grund für ihn geben konnte, seine Drohne heute noch einmal starten zu lassen. Linda.

Die Chancen, etwas Sehenswertes vor die Linse zu bekommen, waren nicht sehr hoch. Möglicherweise schlief sie schon, oder saß ebenfalls vor dem Fernseher, oder lag im Bett und las ein Buch.

Andererseits … gestern um diese Zeit war sie bestimmt noch nicht wieder im Studentenwohnheim gewesen. Und wenn sie den Zettel gelesen hatte …

Okay. War doch egal. Jona öffnete das Fenster und schickte

Elanus los. Er seufzte enttäuscht, als er sah, dass dieser die Richtung zur Uni einschlug.

Wieder der Flug über die nächtliche Stadt. Die gleichen Straßenzüge, die gleichen Hindernisse, die Elanus geschmeidig umkurvte. Allerdings hielt er nicht vor dem Fenster, hinter dem sich Lindas Zimmer befand, sondern nahm seine Schwebeposition in viereinhalb Metern Höhe neben einem dicht belaubten Baum ein.

Da stand sie. Mit einer Zigarette in der einen und ihrem Smartphone in der anderen Hand lehnte sie an der Mauer des Studentenwohnhauses.

Nicht gut, dachte Jona. Auch wenn Elanus leise war, in der Nacht, wenn die Umgebungsgeräusche gegen null gingen, würde man seine Rotoren hören können. Dann wäre Linda heute schon die Zweite, die ihn entdeckte. Gar nicht gut.

Er schaltete um auf Handbetrieb und veränderte die Flughöhe auf sechs Meter. Nun sollte der leichte Wind in den Blättern alle Laute übertönen, die Elanus verursachte.

Doch wie es schien, achtete Linda ohnehin nicht auf ihre Umgebung. Die Hand, in der sie die Zigarette hielt, zitterte, mit dem Daumen der anderen tippte sie auf dem Display ihres Handys herum. Hielt es sich dann ans Ohr.

Jona lächelte unwillkürlich. Wenn sie jetzt telefonierte, würde er jedes Wort hören. Er konnte vom Notebook aus die Ausrichtung und Empfindlichkeit des Mikrofons steuern, er konnte sogar Nebengeräusche eliminieren. Er würde …

»Hallo. Ja, ich bin's. Wieso hast du vorhin nicht abgenommen?«

Perfekt. Glasklarer Ton. Jona hatte schon vor zwei Minuten die Aufnahme gestartet, er konnte sich jetzt also entspannt zurücklehnen und würde sich die Szene anschließend ansehen können, so oft er wollte. Und das Telefonat anhören.

»Ich habe solche Angst.« Sie sprach jetzt leiser, aber immer noch sehr verständlich. »Nein, keine Ahnung, wer das war. Aber irgendetwas weiß er.«

Ihr Gesprächspartner antwortete, sie hörte zu und schüttelte immer wieder den Kopf. »Nein. Nein, nicht alles, sonst wäre längst die Hölle los. Aber irgendetwas.«

Unvermittelt brach sie in Tränen aus. Versuchte mehrmals weiterzusprechen, schaffte es aber nicht.

Du liebe Güte. Ging es da um Jonas Zettel? Diesen kleinen Text, der doch im Grunde harmlos war?

Er konnte es sich nicht vorstellen. Allerdings klang *irgendetwas weiß er* sehr danach, als würde Linda sich tatsächlich auf seine Botschaft beziehen.

Sie warf die fast zu Ende gerauchte Zigarette zu Boden und trat sie aus. Wieder mit einer dieser geschmeidigen, fast tänzerischen Bewegungen, an denen Jona sich nicht sattsehen konnte.

»Denkst du, das ist ein Erpressungsversuch?« Immer noch Schluchzer zwischen ihren Worten. »Aber das wäre doch verrückt! Es gibt hier so viele stinkreiche Leute.«

Sie verstummte, lauschte wieder ihrem Gesprächspartner und schüttelte erneut den Kopf, diesmal in kleinen, hektischen Bewegungen. »Oh Gott, nein. Sag so etwas nicht. Bitte. Wir schaffen das.«

Jona zoomte näher an ihr Gesicht heran. Die Laternen am Weg beleuchteten es immerhin so weit, dass er die dunklen Spuren sehen konnte, die Tränen und gelöste Wimperntusche auf ihren Wangen hinterlassen hatten.

»Vielleicht irre ich mich ja. Und selbst wenn nicht, wir können …«

Ihr Gesprächspartner musste sie unterbrochen haben, sie presste die Lippen zusammen und schüttelte wild den Kopf. »Wir stehen das durch, gemeinsam. Sag mir, wo du bist, und ich komme zu dir … doch! Besprechen wir es in Ruhe, vielleicht geht es ja um etwas völlig anderes.«

Sie wischte sich übers Gesicht, ließ sich an der Wand zu Boden gleiten, kauerte schließlich da, als wolle sie sich unsichtbar machen.

Jona identifizierte das unbehagliche Gefühl, das immer stärker von ihm Besitz ergriff, als schlechtes Gewissen. War es wirklich seine Nachricht, die eine solche Reaktion bei Linda ausgelöst hatte? Wenn ja, musste er ihr reinen Wein einschenken. Ihr erklären, dass sein Geschreibsel nur ein Schuss ins Blaue gewesen war, ein Spaß, ein Streich. Dass es keinen Anlass gab, deshalb so in Panik zu geraten.

Aber – vielleicht ging es ja gar nicht um sein dämliches Textchen und dann würde er sich mit einem solchen Geständnis endlos lächerlich machen. Das Telefonat war offenbar beendet. Linda hockte immer noch an der Wand und blickte nun verloren auf ihr Handy.

Na komm, sagte Jona sich. Du hast ihre Nummer, du kannst sie anrufen, jetzt, sofort. Du kannst sie sogar dabei beobachten und aufnehmen, wie du mit ihr telefonierst. Du kannst ihr eine schlaflose Nacht ersparen, vielleicht, und möglicherweise erklärt sie dir, was an deinen paar Zeilen so schlimm war.

Oder auch nicht.

Sein Geständnis würde die Runde machen, er würde einmal mehr das Arschloch sein. Linda hatte ihn gestern schon niedergemacht, er hatte wirklich keine Lust, das ein zweites Mal zu erleben.

Nein, er würde einfach noch bis morgen warten. Wahrscheinlich hatten sich dann alle Wogen längst geglättet, und wenn nicht, konnte er immer noch Klarheit schaffen. Vielleicht ließen sich die Tatsachen ja so hinbiegen, dass Jona sein Gesicht würde wahren können.

Er schaltete wieder auf Autopilot und beorderte Elanus nach Hause. Überlegte, ob er die eben gefilmte Aufnahme noch einmal abspielen sollte, und entschied sich dagegen.

Keine Lust auf noch mehr schlechtes Gewissen. Zudem würde er morgen, mit ein wenig Abstand, wahrscheinlich eher aus dem Gesagten schlau werden.

Elanus ließ den Campus hinter sich, flog über kaum noch beleuchtete Häuser und kaum noch befahrene Straßen.

Jona öffnete ihm das Fenster, wie er einem nach Hause kommenden Hund die Tür geöffnet hätte.

Einen kurzen, verrückten Moment lang beneidete er Linda. Er wünschte sich, es gäbe in seinem Leben jemanden, den er anrufen und ihm das Herz hätte ausschütten können.

Na gut, da waren seine Eltern. Die allerdings besser nicht erfuhren, dass ihr Sohn seine Mitmenschen per Drohne ausspionierte. Das war schon immer das Problem gewesen – sie waren einfach zu nett. Sie hätten jedes Recht auf ein nettes Kind gehabt, und ihm war schon sehr früh klar gewesen, dass diese Beschreibung irgendwie nicht auf ihn passte.

Nachdenklich strich Jona über Elanus' glatte Oberfläche. Vielleicht war es Zeit, sich ein paar neue Kompetenzen zuzulegen. Abseits von Wissen und Technik.

Er spürte sofort, dass etwas anders war, als er am nächsten Tag das Institutsgebäude betrat. Seine erste Vorlesung heute begann um zehn Uhr und für diese Tageszeit war es ungewöhnlich ruhig auf den Gängen. Keine Studenten, die an den Tischen in den Aufenthaltsbereichen saßen und arbeiteten, keine Grüppchen vor den Hörsälen, die auf den Beginn der nächsten Veranstaltung warteten. Dafür lag eine seltsam gedämpfte Spannung in der Luft. Nicht erwartungsvoll. Eher ... bedrückt. Gespräche wurden leise geführt, als wäre ein Schwerkranker im Nebenzimmer, den man keinesfalls wecken durfte.

Im ersten Stock dann ein weinendes Mädchen neben einem der blank polierten Fenster. Sie schluchzte verhalten in den Armen einer Freundin, die ihr den Rücken tätschelte, aber selbst verloren dreinsah.

Jona kannte keine der beiden. Er zögerte einige Sekunden lang und ging dann zu ihnen. Wandte sich an die Studentin, die die Rolle der Trösterin übernommen hatte. »Kann ich euch helfen?«

Das Mädchen schüttelte den Kopf. »Nein. Aber Marlies hat es eben erst erfahren. Ist es nicht furchtbar?«

Ein Gefühl, als senke sich ein schwerer Stein in Jonas Magen. Furchtbar.

»Was ist denn passiert?« Er war nicht sicher, ob er die Antwort wirklich hören wollte. Dachte an Linda und ihre zitternden Hände. An ihre Tränen. Was, wenn ...

Halt. Gedankenfehler. Linda studierte nicht an diesem Institut, unwahrscheinlich also, dass die Mädchen sie kannten.

»Du weißt es noch gar nicht?« Die Studentin, die bisher nicht geweint hatte, blinzelte nun doch Tränen weg. »Professor Lichtenberger ist tot. Er ist letzte Nacht gestorben.«

Jona musste seine Überraschung nicht spielen. Das war tatsächlich schlimm und tat ihm sehr leid. Gleichzeitig – und das war ein merkwürdig unpassendes Gefühl – erleichterte es ihn auch. Dieses Unglück hatte nichts mit ihm und seinen anonymen Nachrichten zu tun.

Ob es ein Herzinfarkt gewesen war? In der Vorlesung gestern hatte Lichtenberger vollkommen gesund gewirkt, aber manchmal kamen solche Dinge ja aus heiterem Himmel …

»Wisst ihr, woran er gestorben ist? War es ein Unfall?«

Die Mädchen schüttelten die Köpfe so synchron, als hätten sie es einstudiert. »Nein«, sagte diesmal die andere. »Nur, dass ihn heute Morgen eine der Reinigungskräfte gefunden hat, in Hörsaal 2b.«

»Es ist hier im Haus passiert?« Das überraschte Jona wirklich. In einem Hörsaal und offenbar am späten Abend oder in der Nacht, sonst wäre der Professor früher gefunden worden.

Wieder bejahte das Mädchen. »Ich war heute schon um halb acht da, weil ich in die Bibliothek wollte, und da war schon überall Polizei. Dann haben sie jemanden auf einer Trage aus dem Seiteneingang gebracht. Zugedeckt. Ich wusste erst nicht, wer es war, bis es mir … der Portier … verraten hat.« Die letzten Worte ertranken beinahe in neuen Tränen.

Jona lagen gefühlte hundert Fragen auf der Zunge, aber keine davon würden die Mädchen ihm beantworten können. Die Polizei wurde bei ungeklärten Todesfällen immer gerufen. Dass sie hier gewesen war, bedeutete noch lange nicht, dass Lichtenberger einem Verbrechen zum Opfer gefallen war.

Aber möglich war es. Möglich war alles.

Er verabschiedete sich hastig und lief zu seinem Hörsaal, in der Hoffnung, dort jemanden zu treffen, der ihm mehr erzählen konnte. Doch das Einzige, was er fand, war ein Zettel an der Tür, mit der Information, dass seine Vorlesung heute abgesagt war. Ohne Begründung, aber die konnte Jona sich auch selbst zusammenreimen. Vermutlich fanden an diesem Tag die meisten Veranstaltungen nicht statt. Weil Lichtenbergers Kollegen Gespräche mit der Polizei führten oder einfach zu betroffen waren, um sich auf den Unterricht konzentrieren zu können.

Obwohl er für sich selbst beschlossen hatte, keine Verbindung zwischen dem Tod des Professors und Lindas gestriger Verfassung herzustellen, drängte sich ein Bild immer wieder in seinen Kopf: Linda, wie sie an der Außenmauer des Studentenwohnheims kauerte und mit verzweifeltem Gesicht ihr Handy ans Ohr drückte.

Ich habe solche Angst, hatte sie gesagt. Und: *Denkst du, jemand will mich erpressen?*

Womit denn?, hatte er sich gestern flüchtig gefragt und mittlerweile keimte in ihm die Möglichkeit einer Antwort auf.

Er trat aus dem Institutsgebäude, durchquerte langsam den Campus. Von Linda nirgendwo eine Spur.

Rund um die anderen Institute herrschte das übliche hektische Treiben, es wurde gelacht, geplaudert und über Notebooks gebrütet. Die Nachricht schien sich noch nicht herumgesprochen zu haben – oder vielleicht doch, aber die Studenten hier hatten Lichtenberger eben nicht gekannt.

Anders als Linda. Schon an dem Tag, als Jona sie kennengelernt hatte, war der Name des Professors gefallen. Sie hatte damals gemeint, er wäre in letzter Zeit seltsam gewesen.

Na gut. Es gab eine Sache, die Jona ziemlich einfach herausfinden konnte, Zeit genug hatte er ja jetzt.

Er nahm den Bus nach Hause, fuhr aber eine Station weiter

als sonst. Dort vorne war der Supermarkt, den Elanus vor zwei Tagen überflogen hatte, und Jonas Ziel lag nicht weit davon entfernt. Er fand die Straße auf Anhieb, und danach dauerte es keine fünf Minuten mehr, bis er vor dem Haus mit den roten Vorhängen stand.

In der Einfahrt parkte ein silberfarbener Golf, an den er sich von Elanus' Aufnahmen her nicht erinnern konnte, aber das würde sich am Notebook ganz leicht überprüfen lassen. Daneben stand noch ein Wagen, ein weißer VW Passat. Auch er kam Jona nicht bekannt vor, aber an dem Abend hatte er auch nicht auf Fahrzeuge geachtet, er war nur begierig darauf gewesen, Linda zu sehen.

Die Vorhänge im Erdgeschoss waren wie beim letzten Mal zugezogen, das war einerseits schade, andererseits aber eine glückliche Fügung. Wenn man nicht reinsehen konnte, war es auch niemandem möglich, Jona hier draußen zu beobachten.

Er schlenderte den Zaun entlang. Suchte nach einem Namensschild irgendwo im Bereich des Eingangs, wurde aber nicht fündig.

Da, gleich daneben, hing der Briefkasten. Auch hier: kein Name. Das war ungewöhnlich, aber kein Grund aufzugeben. Jona sah sich schnell nach allen Seiten um, dann klappte er den Deckel hoch und schob Zeige- und Mittelfinger so tief in den Briefkasten, wie er konnte.

Er ertastete Papier, versuchte, es zwischen seinen Fingern einzuklemmen. Zog sie dann heraus, gemeinsam mit seiner Beute, die er hastig in die Jackentasche stopfte. Dann machte er kehrt und ging einige Schritte den Weg zurück, den er gekommen war. So weit, dass man ihn vom Haus her nicht mehr sehen konnte.

Die rüde Behandlung hatte dem Briefumschlag nicht gutgetan, er war zerknittert und an einer Stelle eingerissen. Aber das Adressetikett war einwandfrei lesbar. Jona schluckte. Manchmal fand er es ganz schön beschissen, recht zu haben.

Der Brief war für eine Beate Lichtenberger bestimmt. Wahrscheinlich gehörte ihr der silberfarbene Golf. Ebenso wahrscheinlich saß sie in diesem Moment hinter den zugezogenen Vorhängen und trauerte um ihren Mann.

Die Geschichte formte sich mühelos in Jonas Kopf, obwohl er sich mit aller Kraft dagegen wehrte, sie zu akzeptieren.

Linda hatte Lichtenberger besucht. Bei der männlichen Gestalt, die in dem schmalen Vorhangspalt zu sehen gewesen war, hatte es sich nicht um Aron gehandelt, sondern um den Dozenten. Dessen Frau nicht zu Hause gewesen war, weshalb da auch kein Golf vor der Tür gestanden hatte.

Lichtenberger und Linda hatten sich geküsst, waren an diesem Abend wahrscheinlich auch miteinander ins Bett gegangen.

Und am Abend zuvor ... ja, auch das teure Restaurant passte ins Bild. Wenn es auch ganz schön mutig von Lichtenberger gewesen war, sich dort Händchen haltend mit einer Studentin sehen zu lassen.

Wobei *Händchen haltend* nicht bewiesen war, Elanus hatte ja leider keine brauchbaren Bilder geliefert.

Ohne es wirklich zu merken, war Jona bis zum Haus der Helmreichs gegangen. Unschlüssig blieb er vor dem Eingang stehen. Es schien niemand zu Hause zu sein, und die Versuchung, sich einfach in seinem Zimmer zu verstecken und sich die Decke über die Ohren zu ziehen, war riesig. Obwohl er genau wusste, wie die Gedanken sich in seinem Kopf überschlagen und im Kreis drehen würden. Vielleicht war es besser …

»Jona!«

Er fuhr herum und sah Pascal in einem ausgeleierten T-Shirt und einer Jogginghose über die Straße sprinten.

»Hey, ist ja cool, dass du schon zu Hause bist. Ich schwänze heute die Schule – Physiktest, und ich habe keine Zeile gelernt.« Er grinste breit. »Kann ich zu dir mit reinkommen?«

Jonas erster Impuls war es, Nein zu sagen, ohne Umschweife und notfalls auch beleidigend deutlich. Was ihn zurückhielt, war das Flattern in seinem Magen, das möglicherweise zu einem ausgewachsenen Panikanfall werden würde. Wenn er alles zu Ende dachte …

Er musste wissen, wie Lichtenberger ums Leben gekommen war, doch wahrscheinlich würde das nicht öffentlich gemacht werden. Vielleicht besser. Dann musste er sich nicht der Frage stellen, ob er nicht doch zum Teil Schuld daran hatte und …

»Was ist denn jetzt? Gehen wir rein oder hast du gerade einen Schlaganfall?« Pascal sprang von einem Bein aufs andere, als mache er Aufwärmübungen. »Du hast so einen komischen, starren Blick.«

Wortlos zog Jona den Schlüssel aus der Hosentasche und sperrte auf. Er ging auf sein Zimmer, ohne sich darum zu kümmern, ob Pascal ihm folgte oder nicht, ließ sich aufs Bett fallen und schloss die Augen.

Dem Quietschen zufolge hatte Pascal sich auf den Drehstuhl gesetzt, er summte leise ein Lied, das Jona mit einiger Mühe als *Locked out of Heaven* identifizierte. Gar nicht unpassend.

»Du hast gesagt, ich soll ihnen eine richtig harte Nuss zu knacken geben«, murmelte er vorwurfsvoll. »Etwas, das sie beschäftigt.«

»Stimmt«, bestätigte Pascal fröhlich. »Und? Hast du?«

Jona atmete aus und dann tief wieder ein. »Ich habe ihnen … etwas gegeben. Nicht wirklich ein Rätsel. Aber es scheint sie beschäftigt zu haben. Nicht nur sie, vielleicht auch noch andere Leute. Die falschen Leute.« Es kostete ihn einige Kraft, nicht vorwurfsvoll zu klingen. Ja, es war Pascals Idee gewesen, aber seine eigene Ausführung, sein Text. Seine Verantwortung.

»Sieht nicht so aus, als hättest du großen Spaß an der Sache gehabt«, stellte Pascal nüchtern fest.

Jona richtete sich halb auf. »Einer meiner Dozenten ist heute Nacht gestorben. Und es könnte sein …« Er schluckte, er wollte es nicht aussprechen. Damit wurde es zu einer realen Möglichkeit.

»Was könnte sein?«, bohrte Pascal.

»Dass es da einen Zusammenhang gibt.« Er nahm innerlich Anlauf, dann schilderte er Pascal, wie er gestern drei Leuten Zettelchen in ihre Bücher und Taschen gesteckt hatte. Mit einer Anspielung auf etwas, das er beobachtet hatte und das Linda betraf.

»Und was war das?« Pascal hatte einen der Bleistifte vom Schreibtisch genommen und begonnen, daran herumzukauen.

»Sie war mit jemandem zusammen. Ich wusste nicht, mit wem, ich habe es nur durch einen schmalen Spalt im Vorhang sehen können.«

»Du bist ihr nachgeschlichen?« Es war schwer zu sagen, ob Pascals Tonfall beeindruckt oder verächtlich klang. Verblüfft jedenfalls.

»So kann man das nicht ausdrücken.«

»Na ja, aber du hast dich irgendwo vor dem Haus in die Büsche geschlagen und durchs Fenster geschaut.«

Jona hob die Schultern. »So … kann man das eigentlich auch nicht sagen.«

»Okay.« Erstaunlicherweise wirkte Pascal nicht genervt. »Dann formuliere es doch mal so, wie es deiner Meinung nach korrekt ist.«

Jona rang mit sich. Kein Mensch wusste bisher, was er in seinem Alukoffer verbarg, nicht einmal seine Eltern. Aber nach allem, was passiert war, hatte Jona das Gefühl, jemanden einweihen zu müssen, allein schon um den furchtbaren Druck in seinem Inneren loszuwerden. Pascal war in Ordnung und vor allem war er da.

»Ich habe Linda eine Drohne nachgeschickt und sie durchs Fenster mit einem Kerl gefilmt, von dem ich erst dachte, es wäre dieser Aron. Heute war ich noch mal da, und so wie es aussieht, gehört das Haus dem Dozenten.«

»Eine Drohne?«

»Ja.«

»Und das Haus gehört dem toten Dozenten?«

»Genau dem.«

Pascal schob die Unterlippe vor, das hatte Jona schon bei ihm beobachtet, letztens, als sie gemeinsam Mathe gemacht hatten. War wohl ein Zeichen für angestrengtes Nachdenken.

Einem plötzlichen Entschluss folgend, ging Jona vor dem Bett in die Hocke und zog den Alukoffer hervor. Öffnete ihn. »Das ist Elanus.«

Pascals Miene wandelte sich von nachdenklich zu höchst entzückt. »Meine Güte, das ist ja ein geiles Teil. Wo hast du das her?«

»Selbst gebaut.«

»Ernsthaft? Der komplette Wahnsinn. Und … wieso nennst du es Elanus?«

Jona klappte den Deckel des Koffers wieder zu. »Das ist der Name einer sehr seltenen Habichtart. Ich fand es passend – Elanus sieht messerscharf, ist schnell und wendig und bleibt an seinem Opfer dran bis zum Schluss.« Er zuckte mit den Schultern. »Oder jedenfalls so lange, bis der Akku am Ende ist.«

In Pascals Augen war eine ganz neue Art von Bewunderung getreten. »Und ich dachte, du kannst nur rechnen.«

»Im Moment wünschte ich, es wäre so. Dann hätte ich Elanus nicht hinter Linda hergeschickt. Und vermutlich auch nicht diese bescheuerten Briefe geschrieben.«

Pascal beugte sich vor. »Was zum Teufel steht denn da so Schlimmes drin?«

Jona wusste es noch genau, jedes einzelne Wort, aber er wollte keines davon aussprechen. Hätte er diese Nachrichten nicht geschrieben, wäre Lichtenberger jetzt vielleicht auch tot, aber Jona müsste sich nicht den Kopf darüber zerbrechen, ob er daran eine Mitschuld hatte.

Er ging zum Schreibtisch und klappte den Deckel des Notebooks hoch. Fragte sich gleichzeitig, wie es kam, dass er das alles einfach jemandem anvertraute, den er überhaupt nicht kannte. Lag möglicherweise daran, dass Pascal in allem, was er tat und sagte, so unbefangen wirkte.

Jona öffnete das Dokument mit einem Klick. Las, was er geschrieben hatte. Sie wieder schwarz auf weiß zu sehen, gab der Nachricht ein schauderhaftes Gewicht, sie las sich so viel bedrohlicher, als er sie gemeint hatte.

Du denkst, keiner weiß, was du tust.
Aber da irrst du dich.
Es kann dich kein Vorhang schützen, und sei er noch so
rot. Ich kenne dein Geheimnis. Vielleicht hast du Glück
und ich bewahre es.

»Wow.« Pascals Stimme klang belegt. »Ja, da hätte ich an deiner
Stelle auch Bauchschmerzen.«

Einerseits hatte Jona gehofft, Pascal würde die Sache runter-
spielen und ihm versichern, dass doch niemand so etwas ernst
nehmen würde. Andererseits war er froh, seine Sorge teilen zu
können.

»Du hast gesagt, du hättest drei dieser Zettel verteilt. Einen an
Linda – und die anderen zwei?«

Erst Pascals Frage machte Jona bewusst, dass auch die beiden
nach Lust und Laune versteckten Botschaften durchaus Folgen
gehabt haben konnten.

»An zwei Studenten aus der Vorlesung gestern. Marlene und
Hendrik. Ich kenne sie eigentlich nicht.«

»Trotzdem behauptest du, du kennst ihr Geheimnis? Kannst
du doch gar nicht.«

»Darum ist es mir auch nicht gegangen.« Es war Jona klar, in
welches Licht er sich gerade selbst rückte, aber da musste er
durch. Geschah ihm außerdem recht. »Jeder hat Geheimnisse.
Ist doch so. Welche, ist mir eigentlich ganz egal, ich wollte nur
ein bisschen Unruhe in diese Schafherde an der Uni bringen,
verstehst du? Ich wollte sehen, wie sie zappeln und sich ein bisschen unbehaglich fühlen. Wie sie rätseln, ob da wirklich jemand etwas weiß, und wenn ja, was.« Er betrachtete den Text
auf dem Computerbildschirm. Wieder war es nur die halbe

Wahrheit – bei Linda hatte er sich revanchieren wollen, für die Gemeinheiten, die sie ihm entgegengeschleudert hatte.

Er fühlte mehr, als er sah, wie Pascal den Kopf schüttelte. »Du bist vielleicht ein Freak. Wenn ich demnächst eine tote Kröte im Briefkasten finde, weiß ich dann ja wenigstens, wem ich dafür Hundescheiße durchs Fenster werfe.«

Jona unterdrückte den Impuls aufzulachen, dafür kicherte Pascal fröhlich vor sich hin. »Aber ich würde mir trotzdem nicht zu viele Gedanken machen. Angenommen, der tote Professor hatte wirklich etwas mit Linda, und nach deinem Brief kriegen beide Angst, dass sie auffliegen. Wie geht es dann weiter? Denkst du, der Prof kriegt vor lauter Panik einen Herzinfarkt? Oder er versucht, sich von Linda zu trennen, und die macht ihn kalt?«

Unschlüssig zuckte Jona mit den Schultern. »Nein, aber …«

Pascal unterbrach ihn. »Ist – oder besser gesagt, war der Kerl verheiratet?«

Der Umschlag in seiner Jackentasche fiel Jona wieder ein. *Beate Lichtenberger.* »Ja. War er. Ob er auch Kinder hatte, weiß ich nicht.«

Immer noch unbeeindruckt hob Pascal ein grünes Gummibärchen vom Teppich auf und steckte es in den Mund. »Na ja, dann hat ihn vielleicht seine Alte abgemurkst. Aber der hast du ja kein Briefchen überreicht, oder?«

Jona lächelte, das erste Mal, seit er von Lichtenbergers Tod erfahren hatte. Alles, was Pascal sagte, war logisch. Es war einfach Zufall gewesen. Affären zwischen Dozenten und Studenten waren ohnehin nur dann ein Problem, wenn ein Abhängigkeitsverhältnis bestand, und das war nicht der Fall gewesen, da Lichtenberger Linda nicht unterrichtet hatte.

Ein Teil des Gewichts, das seit Stunden auf Jonas Seele lag, hob sich. Dass er das Verteilen seiner Briefe mit dem Todesfall in Verbindung gebracht hatte, war wohl normal. Das lag daran, dass die beiden Ereignisse zeitlich so nah beieinanderlagen. Blieb Lindas Zusammenbruch, den Elanus gestern übertragen hatte. Jona würde sich die Aufzeichnung nachher noch einmal ansehen; ganz sicher fand sich auch für das, was auf dem Film zu sehen war, eine Erklärung, die nichts zu tun hatte mit *Ich kenne dein Geheimnis.*

Unten wurde die Tür aufgesperrt und fiel mit einem Knall zurück ins Schloss. Das klang stark nach Kerstin, die tatsächlich schon eine halbe Minute später den Kopf durch die Tür zu Jonas Zimmer hereinstreckte. »Na, da ist ja noch jemand früher zu Hause. Hat dich der Aufruhr am Campus auch vertrieben? Ach, und hallo, Pascal.«

»Aufruhr?« Jona schluckte trocken. Heute Morgen hatte es noch keinen Aufruhr gegeben. »Was ist denn passiert?«

»Jetzt sag bloß, du hast es nicht mitbekommen? Einer deiner Dozenten, dieser gut aussehende Mathelehrer, Lichtenberger – hast du das echt nicht gehört?«

»Doch. Er ist tot, das weiß ich. Deshalb sind auch meine Vorlesungen ausgefallen.«

Kerstin lehnte sich an den Türrahmen. »Stimmt. Aber weißt du auch, wie er gestorben ist?«

Jona war nicht sicher, ob er es hören wollte. Kerstins Blick glitzerte vor Sensationsgier. Das sprach nicht für einen Herzinfarkt.

Sie wartete seine Antwort ohnehin nicht ab. »Er hat sich umgebracht. Erhängt, in einem der Hörsäle. An dem Abschleppseil aus seinem Auto.«

Jona fühlte sein Gesicht heiß werden. Erhängt. Plötzlich war Zufall keine Möglichkeit mehr, an die er glauben konnte. Offenbar deutete Kerstin seinen Gesichtsausdruck falsch. »Tut mir leid«, sagte sie; es klang ehrlich. »Du mochtest ihn wahrscheinlich, oder? Ja, er war ziemlich beliebt. Aber wie es aussieht, nicht bei allen.« Sie gab sich Mühe, betroffen dreinzusehen, was ihr beinahe gelang. Sah erst Pascal, dann Jona in die Augen. »Es geht das Gerücht um, jemand habe versucht, ihn zu erpressen.«

9

Nach ihrer Eröffnung war Kerstin gegangen, sichtlich zufrieden mit der Wirkung ihrer Worte. Jona wusste nicht, ob er blass geworden war, aber er hatte seine Hände eine mit der anderen festhalten müssen, damit niemand sah, wie sie zitterten.

Pascal hatte sich ein paar Minuten später verabschiedet. »Du siehst nicht aus, als würdest du gerade großen Wert auf meine Gesellschaft legen«, sagte er im Hinausgehen. »Kann ich verstehen, aber mach dich nicht verrückt. Keiner, der noch drei intakte Gehirnzellen besitzt, würde sich wegen deines Briefchens den Strick nehmen. Ehrlich.«

Jona versuchte, ihm zu glauben, schaffte es aber nicht. Vielleicht war sein Text ja nur der letzte Tropfen gewesen, der das Fass zum Überlaufen gebracht hatte, aber das machte die Sache um nichts weniger schlimm.

Er konnte es fast bildlich vor sich sehen. Linda, wie sie aufgelöst zu Lichtenberger kam, ihm den Zettel zeigte. Dann ihn, wie er sie fortschickte, vielleicht wütend, vielleicht besonders liebevoll, auf eine Art, die sie ahnen ließ, dass es ein Abschied für immer war.

Jona schloss die Zimmertür ab, er konnte nicht riskieren, dass jemand hereinplatzte, dann öffnete er die Videodatei von gestern. Linda mit ihrer Zigarette und ihrem Handy vor dem Studentenwohnheim.

Er setzte Kopfhörer auf, wollte sichergehen, dass er jedes Wort deutlich verstehen würde.

»Hallo. Ja, ich bin's. Wieso hast du vorhin nicht abgenommen?« war das Erste, was Linda sagte.

Sprach sie da mit Lichtenberger? Dann hätte er zu diesem Zeitpunkt noch gelebt. 22 Uhr 43 war es da gewesen, laut der Zeitangabe, die Elanus mit den Bildern geliefert hatte.

»Ich habe solche Angst.«

Jona hielt den Film an, ging fünf Sekunden zurück. Wiederholte die Stelle.

»Ich habe solche Angst.«

Ja, das war es, was sie sagte, zweifellos.

»Nein, keine Ahnung, wer das war. Aber irgendetwas weiß er.«

Gestern hatte er noch Zweifel gehabt, heute war er absolut sicher. Linda sprach von ihm. Also, von dem Zettelschreiber.

Dummerweise irrte sie sich, er hatte zu dem Zeitpunkt nichts gewusst. Tat es genau genommen immer noch nicht. Ja, wahrscheinlich hatten Linda und Lichtenberger ein Verhältnis gehabt, aber ganz sicher sein konnte Jona sich nicht.

»Nein. Nein, nicht alles«, kam Lindas Stimme über die Kopfhörer. »Sonst wäre hier längst die Hölle los. Aber irgendetwas.«

Hier, dachte Jona, war die entscheidende Stelle im ganzen Gespräch. Das, wovor Linda Angst hatte, musste bedrohlicher sein als nur die Aussicht, dass ihre Beziehung zu Lichtenberger auffliegen könnte.

Er wandte seinen Blick keine Sekunde lang vom Bildschirm ab. Jetzt warf Linda die Zigarette zu Boden und trat sie aus.

»Denkst du, das ist ein Erpressungsversuch? Aber das wäre doch verrückt!«

Am liebsten hätte Jona den Film gestoppt, er fühlte sich mit jeder Minute schlechter. Wenn er auch nur einen Funken Anstand in sich hatte, musste er morgen zu Linda gehen und ihr reinen Wein einschenken. Ihr sagen, dass er es gewesen war, der den Zettel geschrieben und ihr zugesteckt hatte. Und dass es keine Erpressung, sondern nur ein schlechter Scherz hatte sein sollen. Eine kleine Revanche für die Gemeinheiten, die sie ihm an den Kopf geworfen hatte.

Doch ihm graute so sehr vor dem, was danach vielleicht kam. Was, wenn der Brief wirklich der Grund für Lichtenbergers Selbstmord gewesen war? Dann würde Linda ihm diese Wahrheit nicht ersparen, und Jona hatte keine Ahnung, wie er damit weiterleben könnte. Schuld am Tod eines Menschen zu sein …

»Oh Gott, nein. Sag so etwas nicht«, schluchzte die Linda auf dem Bildschirm in ihr Telefon. »Bitte. Wir schaffen das. Vielleicht irre ich mich ja. Und selbst wenn nicht, wir können …«

War es Lichtenberger, den sie zu beruhigen versuchte? War das ihr letztes Gespräch?

»Wir stehen das durch, gemeinsam. Sag mir, wo du bist, und ich komme zu dir … doch! Besprechen wir es in Ruhe, vielleicht geht es ja um etwas völlig anderes.«

Die Aufnahme war zu Ende, Jona klappte das Notebook zu. Er fühlte sich elend. Heute würde er Elanus nicht losschicken, schon gar nicht hinter Linda her – er hatte zu große Angst vor dem, was er vielleicht sehen oder hören würde.

Dafür kam ihm ein anderer Gedanke. Die Ehefrau. Beate Lichtenberger. In der Tasche von Jonas Jacke steckte immer noch der Briefumschlag, den er hatte mitgehen lassen.

Am besten brachte er ihn morgen zurück, bevor irgendjemand ihn durch Zufall bei ihm entdeckte.

Die Jacke hatte er vorhin achtlos auf den Boden geworfen, jetzt hob er sie auf und ertastete auf Anhieb das Kuvert. Zog es heraus.

Die Anschrift war mit der Hand geschrieben, in sehr gewissenhaften, kerzengeraden Buchstaben. Einen Absender gab es nicht. Der Umschlag fühlte sich dick an.

Jona versuchte, den Inhalt zu erfühlen. Ein Brief war das nicht. Außer, jemand hatte sehr, sehr viel zu erzählen gehabt.

Vielleicht … Fotos? Die Lichtenberger und Linda zusammen zeigten, in eindeutigen Situationen? In diesem Fall war es jedenfalls besser, den Umschlag nicht zurückzubringen, sondern samt Inhalt so zu entsorgen, dass niemand ihn zu Gesicht bekam.

Aber wie sollte er das entscheiden, wenn er nicht mit Sicherheit wusste, was wirklich drin war?

Jona kämpfte mit sich. Verlor. Er sagte sich, dass er nur deshalb gleich das Postgeheimnis verletzen würde, weil er Beate Lichtenberger weiteren Schmerz ersparen wollte, wusste aber genau, dass er sich selbst belog.

Trotzdem holte er seine Schere vom Schreibtisch und schlitzte das Kuvert mit einem Ruck auf. Zog den Inhalt heraus und konnte im ersten Moment nicht glauben, was er sah.

Es war Geld. Lauter Fünfhundert-Euro-Scheine, ein ganzer Stapel.

Jona setzte sich auf sein Bett und starrte die lilafarbenen Banknoten in seiner Hand an. Fing dann langsam an zu zählen. Zählte ein zweites Mal, um sicherzugehen.

Es waren insgesamt zwanzig Scheine.

Jemand hatte Beate Lichtenberger zehntausend Euro geschickt.

10

In dieser Nacht schlief Jona überhaupt nicht. Es war, als hätte man ihm mehrere Kilo Blei auf die Brust gelegt, die jeden Atemzug erschwerten. Als wäre alles andere nicht schon schlimm genug gewesen, hatte er nun auch noch dieses Geld, von dem er nicht wusste, was er damit anstellen sollte.

Es zurückzubringen, war die nächstliegende Lösung. Allerdings hatte er den Umschlag geöffnet – er konnte ihn nicht einfach wieder zukleben. Einen neuen nehmen, das war eine Möglichkeit, aber dann musste er ihn adressieren. Der Absender hatte die Adresse per Hand geschrieben, vielleicht tat er das öfter. Oder immer. Konnte ja gut sein, dass das hier nicht die erste Geldsendung dieser Art war.

Dann würde Beate Lichtenberger irritiert sein, wenn diesmal ein vorgedrucktes Etikett auf dem Umschlag klebte. Bei einer anderen Handschrift würde sie erst recht stutzig werden. Das Geld zu behalten, kam aber noch weniger infrage, nicht nur, weil es dann Diebstahl gewesen wäre, sondern weil Jona viel zu große Angst hatte, jemand könnte es bei ihm finden.

Wegwerfen?

Jona drehte sich auf den Bauch. Das war ja wohl die dämlichste Idee von allen. Zehntausend Euro in den Müll treten in dem Wissen, dass jemand das Geld früher oder später suchen würde. Nein, es musste zu Beate Lichtenberger zurück.

Am Ende entschied er sich für einen unbeschrifteten Umschlag. Obwohl dann natürlich die Gefahr bestand, dass die Frau eine Werbesendung als Inhalt vermutete und ihn ungeöffnet wegwarf.

Aber dann war sie es gewesen und nicht er.

Oder …

Vielleicht gab es einen Weg, mit einem Schlag reinen Tisch zu machen. Wenn er nämlich tat, was er schon seit seiner Ankunft hatte tun wollen: mit dem Rektor reden. Carl Schratter. Sie hatten ein paar Mails gewechselt, bevor Jona hier angekommen war, und Schratter hatte sehr weltoffen gewirkt. Jona traute ihm zu, dass er nicht sofort ausflippen würde, wenn er von Elanus erfuhr. Mit den Zettelchen war es vermutlich anders, und zuzugeben, dass er Post aus fremden Briefkästen klaute, die zu Häusern gehörten, die er zuvor ausspioniert hatte …

Nein. Doch keine gute Idee.

Jona wälzte sich wieder auf die andere Seite. Es blieb bei dem unbeschrifteten Umschlag. Von all den schlechten Lösungen war das immer noch die beste.

Mit zehntausend Euro in der Tasche herumzulaufen, war eine neue Erfahrung. Jona war zwar auch immer sehr aufmerksam, wenn er Elanus in dem Alukoffer mit sich herumtrug, aber ein einfacher Briefumschlag ging viel leichter verloren.

Die Frage, wie er ihn möglichst unauffällig in Beate Lichtenbergers Briefkasten stecken sollte, beschäftigte ihn den ganzen Vormittag lang. So sehr, dass er die Frage überhörte, die die Dozentin für Statistik an ihn richtete, und prompt eine entsprechende Ermahnung erntete.

In der Reihe vor ihm drehte sich Marlene um und musterte

ihn forschend. Er schaffte es kaum, ihren Blick zu erwidern – ahnte sie, dass die Drohne, die sie entdeckt hatte, ihm gehörte?

Unsinn. Sie konnte schließlich nicht hellsehen. Und man konnte ihm seine Gedanken nicht am Gesicht ablesen, sosehr es sich auch danach anfühlte.

Er senkte den Kopf, tat so, als lese er angestrengt in seinem Statistik-Buch, und wünschte sich nichts mehr, als dass die Vorlesung zu Ende wäre.

Sobald die Dozentin ihre Sachen zusammenpackte und zur Tür ging, sprang er auf und stürzte ebenfalls hinaus. In einer Stunde begann sein Informatik-Seminar, mit etwas Glück schaffte er es bis dahin zu Lichtenbergers Haus und wieder zurück.

So gern er die Sache auch hinter sich gebracht hätte, so unvernünftig wäre es allerdings gewesen, dabei in Eile zu sein. Unauffälligkeit war bei dieser Angelegenheit das Allerwichtigste. Er musste Zeit haben, den richtigen Moment abzuwarten.

Also setzte er sich auf eine freie Bank auf dem Campusgelände, hielt es dort aber nicht lange aus und begann, ziellos herumzugehen, den Blick meist zu Boden gerichtet, damit ihn ja niemand ansprach.

Irgendwann entdeckte er Linda, die Arm in Arm mit einer Freundin in Richtung Mensa ging. Sie hatte ihr Haar lose im Nacken zusammengebunden, das Tänzerische war aus ihren Bewegungen verschwunden. Kurz bevor sie das Gebäude erreichten, blieb sie stehen, machte sich von dem anderen Mädchen los und ging ein paar Schritte zur Seite. Lehnte sich gegen einen Baum, die Arme um den eigenen Körper geschlungen. Wenn Jona sich nicht sehr irrte, dann weinte sie.

Er horchte in sich hinein. Wollte er zu ihr gehen? Mit ihr reden, sie trösten?

Nein. Er hätte nicht gewusst, was er sagen sollte. Ihr zu gestehen, dass der Zettel in ihrer Tasche von ihm stammte, war jetzt, wo er Linda vor sich sah, noch unmöglicher als in seiner Vorstellung vergangene Nacht. Ihm fehlte der Mut. So einfach und gleichzeitig beschämend war das.

Jona zog die Schultern hoch und ging den Weg zurück, den er gekommen war. Vor dem Verwaltungsgebäude blieb er stehen. Vielleicht war jetzt ein guter Zeitpunkt, um mit Schratter zu reden. Der Rektor hatte ihn immerhin nach Kräften ermutigt, an die Victor-Franz-Hess zu kommen, damit gab es zumindest einen Menschen, dem etwas an Jonas Anwesenheit hier lag. Obwohl er natürlich nicht wusste, was er sich damit eingehandelt hatte.

Jona öffnete die große Glastür, atmete den künstlichen Orangengeruch des Putzmittels ein und ging die Treppe nach oben in den ersten Stock. Vielleicht hatte er Glück und Schratter war da. Im direkten Gespräch war es einfacher zu entscheiden, inwieweit Jona ehrlich mit ihm sein konnte.

Die Tür zum Sekretariat war nur angelehnt, trotzdem klopfte er, bevor er sie ganz öffnete.

Die Sekretärin drehte sich von ihrem Computerbildschirm weg und sah Jona ernst entgegen. »Hallo. Was kann ich für Sie tun?«

»Ich würde immer noch gern Dr. Schratter sprechen. Ich war schon einmal hier, vielleicht erinnern Sie sich – ich bin Jona Wolfram. Begabtenstipendium für Technomathematik.« Ihre Mundwinkel und ihre Augenbrauen hoben sich gleichzeitig. »Ach, richtig. Stimmt, wir hatten von Freitag gesprochen, aber

Dr. Schratter hat mich letztens erst gebeten, einen neuen Termin mit Ihnen zu vereinbaren, er möchte Sie natürlich auch endlich kennenlernen. Nur ist er im Moment leider wieder nicht hier, es ist sehr viel zu tun, nachdem –« Sie stockte. »Sie haben es ja sicher mitbekommen.«

Jona nickte. »Natürlich, Dr. Lichtenberger war einer meiner Dozenten. Ich habe es gar nicht glauben können.«

»Es war für uns alle ein riesiger Schock.« Die Frau nahm ihre Brille ab und rieb sich die Augen, vorsichtig, um ihr Make-up nicht zu verwischen.

Wie war noch mal ihr Name? Jona begegnete ihr nun schon zum dritten Mal, hatte aber noch nie auf das Schild neben der Tür geachtet. Er trat näher an den Schreibtisch heran und versuchte, einen Blick auf die Post zu werfen, die sich dort türmte.

Adressen auf Briefumschlägen, dachte er mit flauem Gefühl im Magen. *Das hat ja schon gestern toll geklappt.*

Doch soweit er es auf einen ersten, flüchtigen Blick lesen konnte, waren alle Briefe an Dr. Carl Schratter gerichtet. Auf dem hellblauen Plastikkärtchen, das am Fuß des Computermonitors lehnte und wahrscheinlich ein Zufahrtsausweis war, stand allerdings ein anderer Name. Andrea Gilles, Rektoratsassistentin.

»Was für ein Schock das erst für die Reinigungskräfte gewesen sein muss, die ihn gefunden haben«, nahm Jona das Thema wieder auf. In nachdenklichem Ton, fast, als würde er zu sich selbst sprechen.

»Ja.« Andrea Gilles – falls sie wirklich so hieß – setzte ihre Brille wieder auf. »Eine von ihnen hat sich krankgemeldet, sie war sogar für eine Nacht im Krankenhaus.«

Wundervoll. Noch mehr Stoff für Jonas schlechtes Gewissen.

Er bohrte sich die Nägel in die Handflächen. »Weiß man schon ... also, gibt es Hinweise darauf, warum Dr. Lichtenberger sich ... ich meine, warum er –«

»Es beschäftigt Sie, nicht wahr?« Gilles unterbrach sein Gestottere, indem sie aufstand und ihm eine Hand auf den Arm legte. »Das geht vielen unserer Studierenden so, aber selbst wenn wir etwas wüssten, dürften wir es nicht sagen.«

»Ja. Natürlich.«

»Es tut mir sehr leid, dass so etwas passiert ist, kaum dass Sie angekommen sind. Ich hätte Ihnen einen schöneren Start gewünscht.«

Kann natürlich auch sein, dass es passiert ist, *weil* ich angekommen bin, dachte Jona und merkte zu seinem Schrecken, dass er den Tränen nah war.

Gilles schien das ebenfalls mitbekommen zu haben. »Du meine Güte«, sagte sie mitfühlend. »Entschuldigung, ich hätte daran denken müssen ... Sie sind erst sechzehn, nicht wahr?«

»Siebzehn.« Als ob zwei, drei Jahre auf oder ab da eine Rolle gespielt hätten. Aber vielleicht war Andrea Gilles naiv genug, ihn einer simplen Zahl wegen nicht für voll zu nehmen.

»Keine Sorge, ich werde schon damit zurechtkommen«, murmelte er. »Es ist nur das erste Mal, dass so etwas mit jemandem passiert, den ich kannte.« Aufblicken, tapfer lächeln. »Wenn auch nicht besonders gut.«

Es ist auch das erste Mal, dass ich nicht schlafen kann aus Angst, jemanden auf dem Gewissen zu haben, fügte er in Gedanken an. *Und weil ich unabsichtlich zehntausend Euro geklaut habe, die ich jetzt in meiner Tasche mit mir herumtrage. Wollen Sie sie sehen?*

Beinahe hätte er aufgelacht, als ihm der Irrsinn der Situation in vollem Ausmaß bewusst wurde. Aber Lachen war an dieser Stelle eher ungeschickt, er wollte keinesfalls das nachdenkliche Mitgefühl aus der Miene der Rektoratsassistentin wischen.

»Am besten gehe ich jetzt wieder«, sagte er leise. »Wenn es Ihnen recht ist, komme ich morgen noch einmal vorbei ... oder –«, er tat, als käme die Idee ihm erst genau in diesem Moment, »oder Sie könnten mir eventuell die Handynummer von Dr. Schratter geben? Dann könnten wir direkt einen Termin ausmachen und wahrscheinlich die meisten Dinge schon am Telefon klären.«

Gilles schüttelte entschieden den Kopf. »Tut mir leid, aber das darf ich nicht. In dem Punkt hat der Rektor mir ganz klare Anweisungen gegeben. Allerdings könnten Sie ihn anmailen.« Sie nahm einen Zettel, auf dem sie eine Mailadresse notierte. »Hier. Damit können Sie persönlich mit ihm in Kontakt treten, das machen viele der Studierenden, und Dr. Schratter ist es lieber so.«

carl.schratter@hessuniversity.com

Jona nahm den Zettel und nickte, nach außen hin dankbar, innerlich verdrossen. Ja, er würde Schratter jetzt eine Mail schreiben können, das war immerhin etwas.

Ihm Elanus hinterherschicken konnte er allerdings nicht.

Das Seminar durchlebte er, ohne auch nur im Ansatz mitzubekommen, worüber der Dozent sprach; er war viel zu beschäftigt damit, seine nächsten Schritte zu planen.

Zuallererst musste er den Umschlag mit dem Geld zurückbringen. Der Briefkasten hing so, dass er das Kuvert im Vorbeigehen einwerfen konnte – wenn er sich einigermaßen geschickt anstellte.

Dann würde er allerdings keine Möglichkeit haben, sich vorher zu vergewissern, ob ihn nicht jemand aus dem Haus heraus beobachtete. Durch einen Spalt in den Vorhängen. Den roten Vorhängen.

Danach würde er durchatmen können und versuchen, mehr über Lichtenberger herauszufinden. Den wahren Grund für seinen Selbstmord, einen richtigen, schwerwiegenden Grund ...

Oder war der Mann einfach depressiv gewesen? Jonas Mutter hatte eine Freundin verloren, vor sechs oder sieben Jahren. Schwere Depression, dann eine Überdosis irgendwelcher Pillen.

Wenn sich herausstellte, dass Lichtenberger krank gewesen war ...

Dann war es umso wahrscheinlicher, dass das Wissen um diesen bescheuerten Zettel ihm den Rest gegeben hatte.

Jona vergrub das Gesicht in den Händen. Er kam aus dieser Sache nicht schuldfrei heraus. Auf keinen Fall.

Aber wenn es schon so war, dann wollte er wenigstens begreifen, was genau er angerichtet hatte. Er würde so viele Informationen sammeln, wie er konnte.

Kaum jemand war auf der Straße, nur eine grauhaarige Frau, die ihren Terrier spazieren führte. Jona näherte sich dem Haus der Lichtenbergers so vorsichtig, als könne es jederzeit in die Luft gehen. Die Hand mit dem Umschlag hatte er tief in die Jackentasche gesteckt.

Da vorne hing der Briefkasten. Mattes Alu, die Einwurfklappe geschlossen. Noch zwanzig Schritte ungefähr. Jona warf einen schnellen Blick über die Schulter. Niemand hinter ihm.

Zehn Schritte. Er zog den Umschlag aus der Tasche, im besten Fall gelang ihm die Rückgabe in einer einzigen, raschen Bewegung. Hand hoch, Klappe auf, Geld rein, Klappe zu, dabei nicht einmal stehen bleiben.

Jetzt. Mit dem Handrücken stieß er den Deckel des Kastens auf und ließ den Brief über der Öffnung fallen.

Leider ein wenig schief. Der Umschlag verfing sich am Rand des Schlitzes, kippte nach vorne und fiel zu Boden.

Jonas Schwung hatte ihn schon drei Schritte weitergetragen, nun drehte er sich hastig um, bückte sich, hob das Kuvert auf und beförderte es endgültig in den Briefkasten.

Idiot. Ungeschickter Idiot.

Sich selbst beschimpfen half nun allerdings auch nichts mehr. Jona sah hoch – niemand an den Fenstern. Das war dann wahrscheinlich doch Glück im Unglück ge–

»Was machst du denn hier?«

Er schoss herum, mit einem Aufschrei, als hätte jemand ihm einen Stromstoß versetzt. Vor ihm stand Marlene, mit gerunzelten Brauen und einem Blumenstrauß in der Hand, der noch im Papier steckte.

»Ich? Ich … bin, ich –«

Ihr Blick wanderte einmal an ihm hinunter und wieder hinauf. »Du hast doch eben etwas in den Briefkasten geworfen, nicht?«

Jonas Herz hämmerte immer noch wie verrückt, aber sein Gehirn begann wieder, mit der üblichen Geschwindigkeit zu arbeiten. Das Offensichtliche zu leugnen, würde ihn nur verdächtig machen.

»Ja«, gestand er also. »Das soll aber niemand wissen.«

Sie legte den Kopf schief, auf eine Art, die Jona sonst nur von Katzen kannte. »Warum nicht?«

Er seufzte. »Das zu erklären, würde einige Zeit dauern, und ich möchte eigentlich nicht hier stehen bleiben. Verstehst du?« Er hatte tatsächlich bereits eine Erklärung parat, die ziemlich einleuchtend war, solange Marlene nicht von Lichtenbergers Witwe erfuhr, was sich wirklich in dem Umschlag befand. »Und du?« Er deutete auf den Blumenstrauß. »Wem bringst du die?«

Sie blickte zu den Fenstern hinauf, genauso, wie Jona es vorhin getan hatte. »Die sind für Frau Lichtenberger, von der Studentenvertretung. Ich bin zwar noch ziemlich neu an der Uni, aber von den anderen wollte keiner. Sie dachten, sie schicken die Blumen mit Botendienst und einer Karte, aber ich fand das zu unpersönlich …«

Sagte sie die Wahrheit? Jona suchte nach Verlegenheit in diesen erstaunlich grünen Augen, entdeckte aber nichts dergleichen.

Immer noch musterte Marlene ihn eindringlich. »Möchtest du mit mir kommen? Oder bleibst du lieber bei deiner anonymen Anteilnahme per Posteinwurf?«

Sie dachte, er hätte eine Beileidskarte eingeworfen. Das war gut, sogar sehr gut, und nahe an der Lüge, die er ihr notfalls hatte erzählen wollen.

»Komm schon.« Sie ließ nicht locker. »Ich finde das hier auch alles andere als angenehm. Ich habe es mir leichter vorgestellt, als ich mich dazu bereit erklärt habe.« Ihr Blick wanderte zur Eingangstür. Sie seufzte. »Am liebsten würde ich mich umdrehen und wieder gehen, aber das wäre ein Versagenspunkt auf meiner Liste.«

Er musste völlig ratlos dreinsehen, denn sie schüttelte beschwichtigend den Kopf. »Klar verstehst du nicht, was ich meine, ist auch egal. Kommst du mit? Zu zweit ist es sicher weniger unangenehm.«

Jona wusste nicht genau, warum er zustimmte, und in dem Moment, als er nickte, tat es ihm bereits leid. War es aus schlechtem Gewissen? Aus dem Gefühl heraus, sich den Schmerz zumindest ansehen zu müssen, den er wahrscheinlich mitverursacht hatte?

Oder war es irgendeine Form von perverser Neugier?

Marlene kramte einen Kugelschreiber aus ihrer Handtasche und hielt ihn Jona hin. »Unterschreib noch auf der Karte.« Sie war bereits mit mindestens fünfzig oder sechzig Unterschriften vollgekritzelt; Jona suchte sich einen der wenigen freien Flecken und malte unbeholfen seine Initialen hinein.

Währenddessen drückte Marlene schon auf die Türklingel. Es dauerte lange. So lange, dass in Jona bereits die Hoffnung keimte, unverrichteter Dinge wieder abziehen zu dürfen, doch Marlene rührte sich nicht von der Stelle.

Nach einer gefühlten Ewigkeit wurde die Haustür einen Spalt weit geöffnet.

»Ja?« Die Frau, die im Türrahmen erschien, wirkte eher müde als von Trauer gezeichnet. Ihr graues T-Shirt hatte sie nachlässig nur halb in den Bund ihrer Jeans gesteckt, das dunkle Haar im Nacken zusammengebunden.

»Sind Sie Frau Lichtenberger?«

Ihr Blick wurde aufmerksamer. Wachsam. »Ja. Und wer sind Sie?«

»Ich heiße Marlene Dornik, ich war Studentin Ihres Mannes.« Umständlich wickelte sie das Papier von den Blumen, während sie die Treppen zur Tür hochstieg. Tiefviolette Lilien, dazwischen ein paar weiße Blüten und sehr viel Grün.

»Es tut uns allen sehr leid. Ihr Mann war ein wunderbarer Dozent, er … er wird uns wirklich fehlen.« Marlenes Stimme war zusehends leiser geworden. Sie reichte der Frau erst die Hand, dann hielt sie ihr den Blumenstrauß entgegen.

Beate Lichtenbergers Wachsamkeit war nicht verschwunden, eher im Gegenteil. »Danke«, sagte sie reserviert. »Gibt es einen besonderen Grund dafür, dass ausgerechnet Sie hergekommen sind?« Die Frage bezog Jona, der mittlerweile zwei der drei Stufen zur Tür hochgegangen war, nicht mit ein. Wenn er Lichtenbergers Blick richtig deutete, verstand er, warum. Er war keine Studentin. Kein Mädchen, auf das der Dozent es je abgesehen gehabt haben konnte.

»Warum ausgerechnet ich?« Die Frage hatte Marlene sichtlich auf dem falschen Fuß erwischt. »Äh, nein. Dafür gibt es keinen besonderen Grund.«

»Jedenfalls danke.« Die Frau warf einen Blick die Straße entlang, als wolle sie überprüfen, ob jemand die Szene beobachtete, dann betrachtete sie höflich anerkennend die Blumen. »Die sind sehr schön. Ich würde euch ja hereinbitten, aber …«

Hastig schüttelte Marlene den Kopf; Jona hatte sich ihr darin angeschlossen, fast ohne es zu merken. »Wir wollen Sie auf keinen Fall stören. Unser herzliches Beileid noch einmal.«

Sie gingen. Für Jona fühlte es sich eher wie eine Mischung aus Rückzug und Flucht an. Beate Lichtenberger sah ihnen nicht nach, sie hatte die Tür bereits wieder geschlossen.

11

Bis zur nächsten Kreuzung sprachen sie kein Wort. In Jona lieferten sich Verwunderung und Beklommenheit einen heftigen Kampf. Lichtenbergers Witwe schien nicht von Trauer gebeugt zu sein, aber das konnte natürlich täuschen – es gab auch Menschen, die nach innen trauerten, die es fast zerriss, ohne dass man es ihnen anmerkte.

Am eigenartigsten war der prüfende Blick gewesen, mit dem die Frau Marlene gemustert hatte. Als wollte sie fragen: Hast du auch mit ihm …?

Falls Jona sich in diesem Punkt nicht täuschte, wäre sein Brief noch weniger wahrscheinlich der Anlass für den Selbstmord des Dozenten gewesen – wenn seine Frau ohnehin über seine Eskapaden Bescheid wusste.

Trotzdem ließ sich das schlechte Gewissen nicht abschütteln. In einer Nacht beobachtete Jona Lichtenbergers Haus, in der darauffolgenden Nacht beging der Selbstmord. Und dazwischen lag dieser Geniestreich mit dem Briefchen. *Ich kenne dein Geheimnis.*

Unwillkürlich richtete sich Jonas Blick auf Marlene, die ein paar Schritte vor ihm lief. Ihr hatte er die gleiche Nachricht zugesteckt. Hatte sie sie überhaupt schon gefunden? Gelesen? Und wenn ja, wie hatte sie sie interpretiert?

»Wir gehen noch etwas trinken.« Marlene hatte sich zu ihm

umgewandt und lächelte ihn an. »Es gibt ein ganz nettes Café zwei Straßen weiter. Ich finde, ich bin dir was schuldig – du hast mich eben begleitet und vor zwei Tagen hast du mir mit dem Stoff geholfen.« Ihr Gesicht wurde mit einem Schlag ernst. »Das war nach Lichtenbergers letzter Vorlesung, ist dir das eigentlich klar?«

Sie wartete weder seine Antwort noch seine Zustimmung ab, sondern ging einfach weiter, und er folgte ihr benommen.

Das Café, in das sie ihn führte, sah tatsächlich nett aus. Ein bisschen, als würde darin ein Flohmarkt abgehalten – durcheinandergewürfelte Polstersessel und Sofas; Stühle, die nicht zusammenpassten, an den Wänden Bilder in allen Größen und Stilen. Marlene steuerte zielsicher auf ein grau-blau gestreiftes Sofa zu, das sich gemeinsam mit zwei hellgrün bezogenen Holzstühlen um ein rundes Tischchen gruppierte.

»Einen doppelten Espresso und ein Stück Himbeertorte«, rief sie der Bedienung im Vorbeigehen zu. »Und was möchtest du?«

Die Frage richtete sich an Jona, dem sich beim Gedanken an Kaffee und Kuchen der Magen umdrehte. »Wasser, bitte. Ein großes Glas.«

Marlene warf ihre Jacke auf das Sofa und sich direkt daneben. »Du bist günstig einzuladen, wie es scheint. Wasser!«

Jona zog sich einen der grün gepolsterten Stühle heran und setzte sich ebenfalls. Biss sich auf die Lippen, als er sah, wie Marlene ihre Handtasche auf den Schoß nahm und darin herumzuwühlen begann. Wenn sie jetzt seinen Zettel herauszog und ihm unter die Nase hielt, würde er einfach alles zugeben. Auch wenn ihm schleierhaft war, woher sie wissen konnte, dass er ihn ihr zugesteckt hatte. Sie war abgelenkt gewesen, er erinnerte sich noch genau.

Aber vielleicht hatte jemand anders ihm auf die Finger gesehen und Marlene einen Tipp gegeben?

Nach einigem Suchen förderte sie allerdings kein gefaltetes Papier, sondern ein kleines schwarzes Notizbuch aus den Tiefen ihrer Handtasche hervor. »So«, sagte sie zufrieden. »Für heute drei von vier Tasks erledigt.«

Mit einem roten Kugelschreiber malte sie einen fetten Punkt in das Buch, neben den Vermerk: *Komfortzone verlassen.*

»Was tust du da?« Jona hielt den Kopf schief, in dem Versuch, einen genaueren Blick auf Marlenes Notizen werfen zu können.

»Ich hake ab, was ich erledigt habe. Das ist das Beste an Listen, findest du nicht? Wenn man sieht, was man geschafft hat.«

Jona begriff. »Du hast dich freiwillig für die Blumensache gemeldet, damit du einen Punkt auf deiner Liste abarbeiten kannst? Komfortzone verlassen?«

Sie wiegte den Kopf hin und her. »In gewisser Weise. Außerdem fand ich es richtig, also zwei Fliegen mit einer Klappe.«

Noch nie hatte Jona jemanden mit einer so außergewöhnlichen To-do-Liste kennengelernt. »Denkst du dir da für jeden Tag etwas anderes aus?«

Sie antwortete nicht, da eben die Bedienung mit ihrer Bestellung an den Tisch kam. Das Stück Himbeertorte hatte gewaltige Ausmaße.

»Nein«, sagte sie nach dem ersten Schluck Kaffee. »Da sind Sachen drauf, die ich üben muss, und üben setzt immer Wiederholung voraus.« Jetzt war die Torte dran. »Ich bin sicher, du weißt das, auch wenn du als Genie nichts üben musst«, ergänzte sie mit vollem Mund.

Jona nippte an seinem Wasser. Das Konzept war wirklich originell, wenn man es nicht auf Lernstoff, sondern auf alltägliches

Zeug anwandte. »Du trainierst also, aus deiner Komfortzone hinauszutreten?«

»Genau. Damit sie nach und nach größer wird.«

»Und … was sonst noch so?«

Sie säbelte ein weiteres Stück Torte ab. »Auf der täglichen Liste steht zum Beispiel: Zu jemandem nett sein, den ich nicht mag. Mir eine bissige Bemerkung verkneifen. Eine Beleidigung an mir abprallen lassen. Von zwei Möglichkeiten die unbequemere wählen.« Sie schüttete den restlichen Kaffee in einem großen Schluck in sich hinein.

Jona musste sich eingestehen, dass er die Idee faszinierend fand. »Aber – was tust du zum Beispiel an einem Tag, an dem niemand dich beleidigt?«

Sie zuckte mit den Schultern. »Kommt vor, aber nicht allzu häufig. Wenn man nicht total stromlinienförmig aussieht, finden eine Menge Leute, dass man damit auch nicht mehr zu den Menschen gehört, denen gegenüber Höflichkeitsregeln gelten.«

Sie sah ihn an, merkte offensichtlich, dass er nicht begriff, was sie meinte. »Beleidigungen müssen ja nicht immer Beschimpfungen sein. Es reichen unbedachte Bemerkungen. Dickerchen. Nilpferd. Oder einfach nur: Kein Wunder, dass du so aussiehst, wenn du DAS in dich hineinfrisst.« Sie hob die Gabel, auf der das vorletzte Stückchen Torte steckte.

Jona hatte bisher nicht großartig auf Marlenes Äußeres geachtet, wenn man von ihren Augen einmal absah. Sie war kein Blickfang wie Linda, aber sie war auch keineswegs ein Nilpferd.

»Ich habe mir einige Zeit lang überlegt, welche Strategie besser zu mir passt«, erklärte sie kauend. »Die Erwartungen der Welt zu erfüllen oder sie einfach an mir abprallen zu lassen. Ich glaube, Zweiteres ist mehr Spaß.«

Ist es nicht, wollte Jona antworten. Ich erfülle die Erwartungen nicht, seit ich denken kann, und bisher lässt der Spaß auf sich warten.

Allerdings hatte er das mit dem Abprallenlassen bisher noch nicht versucht. Zurückschlagen, ja, Leute sprachlos machen, ihnen den Wind aus den Segeln nehmen, sie vor den Kopf stoßen. Darin war er gut. Aber – abprallen lassen?

Er konnte sich nicht vorstellen, dass er das zustande brachte. Er musste ja nur daran denken, wie sehr Lindas Abfuhr ihm zugesetzt hatte.

»Ziemlich spannender Plan, den du da hast«, sagte er. »Und ziemlich schwierig.«

»Ja. Ich mag schwierig.« Sie zielte mit der Kuchengabel auf ihn, als überlege sie sich, ihn aufzuspießen. »Was ist dein Plan?«

Mir einreden, dass Lichtenbergers Tod nichts mit mir zu tun hat, dachte er bedrückt. *Oder – ihn von mir abprallen lassen. Ich fürchte nur, das werde ich nicht schaffen.*

»Kein Plan«, sagte er also wahrheitsgemäß. »Leider.«

Marlene sah ihn forschend an. »Aber irgendetwas treibt dich um, nicht wahr? Etwas, das dich immerhin dazu gebracht hat, eine Beileidskarte für einen Dozenten zu schreiben, den du kaum gekannt hast. Und sie persönlich in den Briefkasten vor seinem Haus zu werfen.« Nun lächelte sie, in ihrem Blick lag etwas Herausforderndes. »Oder war es keine Karte? Hm? Was war es dann?«

So verlockend es Jona auch schien, Marlene einzuweihen, so unvernünftig wäre es gewesen. Er konnte sie noch überhaupt nicht einschätzen. Vielleicht war er ja für heute bloß derjenige, zu dem sie nett war, obwohl sie ihn nicht mochte. Nicht mehr als ein Punkt auf ihrer Liste.

Außerdem redete sie gerne. Gut möglich, dass sie sofort weitererzählte, was er ihr anvertrauen würde.

»Es war eine Karte«, sagte er also. »Du hast recht, ich kannte Lichtenberger nicht besonders gut, aber unser erstes Zusammentreffen war, glaube ich, ziemlich … unerfreulich für ihn. Durch meine Schuld. Deshalb war mir das mit der Karte ein Bedürfnis.«

Das war schauderhaft dick aufgetragen, aber Marlene nickte verständnisvoll. »Eine gute Idee. Für ihn spielt es keine Rolle mehr, aber dir wird es helfen.« Sie winkte der Bedienung und bat um die Rechnung. Dass sie auch sein Wasser zahlte, verschlimmerte Jonas schlechtes Gewissen. Er hatte sie nicht nur belogen, er hatte sie außerdem bespitzelt und ihr ein Briefchen mit unterschwellig bedrohlichem Inhalt zugesteckt.

Die Leute hatten recht. Er war ein Arschloch.

Bei den Helmreichs war niemand zu Hause, es schien allerdings, als sei Silvia ziemlich hastig aufgebrochen. Quer vor der Eingangstür stand die Schubkarre aus dem Garten, zwei Paar von Martins Schuhen waren aus dem Regal gefallen und nicht wieder zurückgeräumt worden und in der Küche stand noch das Frühstücksgeschirr auf dem Tisch.

Jona lächelte in sich hinein. Vermutlich hatte Silvia bisher versucht, vor ihm das Bild der perfekten Hausfrau aufrechtzuerhalten, und allmählich wurde ihr das zu mühsam. Als ob er auf so etwas je Wert gelegt hätte.

Er widerstand der Versuchung, sich sofort auf sein Bett zu werfen und sich tot zu stellen. Das hätte zwar gutgetan, für kurze Zeit, danach würde er sich aber umso mehr hassen.

Draußen begann es zu tröpfeln. Damit hatte sich auch die

Frage erledigt, ob er Elanus auf einen schnellen Flug losschicken sollte zu … Linda?

Er schob die Überlegung im Kopf hin und her wie einen schwer zu kauenden Bissen. Zu seinem eigenen Erstaunen stellte er fest, dass es ihn kaum noch kratzte, was sie tat. Oder mit wem sie es tat. Er wollte sie weder für sich gewinnen noch es ihr heimzahlen, das Drama rund um Lichtenberger tauchte alles in neues Licht. Hatte Jona vorhin der Mut gefehlt, mit Linda in Kontakt zu treten, so fehlte ihm nun das Interesse.

Er setzte sich vor sein Notebook und öffnete das Mailprogramm. Tippte *carl.schratter@hessuniversity.com* ins Adressfeld und lehnte sich dann zurück. Sein erster Impuls – den Rektor ins Vertrauen zu ziehen und ihm zumindest eine abgeschwächte Form der Ereignisse zu servieren – war in der Praxis gar nicht so leicht umzusetzen.

Sehr geehrter Herr Dr. Schratter!
Wir hatten ja bereits schriftlichen Kontakt, leider war es mir bisher nicht möglich, Sie auch persönlich zu treffen, obwohl ich es mehrmals versucht habe.

Klang das vorwurfsvoll? Nein, nur sachlich.

Ich wollte gern mit Ihnen über mein Curriculum sprechen – ich denke, ich könnte einige der Einführungsveranstaltungen überspringen, sehr gerne lege ich bei der nächsten Gelegenheit Prüfungen über die Inhalte ab. Aber das hat Zeit, ich kann mir vorstellen, dass Sie im Moment wichtigere Dinge um die Ohren haben.

Das wiederum wirkte ziemlich kumpelhaft, in Anbetracht der Tatsache, dass Jona und Schratter sich noch nie begegnet waren. Egal.

Genau diese Dinge beschäftigen mich derzeit auch stark. Der Tod von Dr. Lichtenberger lässt mich nicht los. Nicht nur, weil er sehr tragisch ist, sondern auch, weil ich einen Tag zuvor noch eine Beobachtung gemacht habe, von der ich mir vorstellen könnte, sie hat vielleicht mit Lichtenbergers Tat zu tun.

Keine Frage, er lehnte sich hier ganz schön weit aus dem Fenster. Mit etwas Pech würde Schratter sich seine Einmischung verbitten, ihn für jemanden halten, der anderen hinterherspionierte, um sich mit seinen Entdeckungen wichtigzumachen.

Okay, der erste Teil stimmte. Aber um sich in den Vordergrund zu spielen, brauchte Jona Elanus' Beobachtungen nicht. Das schaffte er ganz alleine.

Er überlegte genau, wie er es am besten formulieren sollte, um nicht wie ein Spanner zu wirken.

Ich habe zufällig Dozent Lichtenberger in sehr engem Kontakt mit einer Studentin gesehen, am Tag vor seinem Selbstmord. Wahrscheinlich hätte ich das auch längst wieder vergessen, wenn eben nicht so kurze Zeit später dieses tragische Ereignis eingetreten wäre.

So bescheuert hatte er sich noch nie ausgedrückt, da war Jona sich sicher.

Seitdem grüble ich ständig herum, ob ich jemandem davon erzählen soll oder nicht, aber es belastet mich nun so sehr, dass ich es nicht mehr für mich behalten möchte. Da Sie der Rektor dieser Universität sind, dachte ich, Sie sollten es wissen. Wahrscheinlich war alles harmlos und hat nichts mit Dozent Lichtenbergers Tod zu tun, jedenfalls hoffe ich das. Ich würde mich sehr freuen, wenn Sie mir einen Termin nennen könnten, an dem ich für ein persönliches Gespräch in Ihr Büro kommen darf. Noch einmal vielen Dank dafür, dass Sie sich so sehr für meine Aufnahme an Ihrer Universität und für die Bewilligung meines Stipendiums eingesetzt haben.

Mit herzlichen Grüßen
Jona Wolfram

Es las sich, alles in allem, nett und harmlos. Und er hatte Schratter gegenüber immer noch die Ausrede, erst siebzehn zu sein. Falls der Rektor auf Jonas Beobachtung schroff reagieren sollte, dann war eben alles ein Irrtum gewesen. Ein Missverständnis.

Er drückte auf *Senden*. Das mulmige Gefühl im Bauch verschwand – nun war es entschieden. Abgeschickte Mails ließen sich nicht zurückholen.

Danach legte Jona sich doch aufs Bett – vielleicht würde er ein wenig schlafen können. Dann war er ausgeruht, wenn er später doch noch beschließen sollte, Elanus auf die Jagd nach neuen Bildern zu schicken. Auf jeden Fall würde er bis nach dem Abendessen warten, das diesmal insofern interessant war, als Kerstin nicht aufhören konnte, sämtliche Gerüchte wiederzukäuen, die sich um Lichtenbergers Tod rankten.

»Jemand hat gesagt, er hatte Schulden, und zwar so richtig viele«, sagte sie und spießte ein Stück Rinderbraten auf ihre Gabel. »Angeblich wollte die Bank sein Haus pfänden, aber nun zahlt auch die Lebensversicherung nicht, weil es Selbstmord war.« Sie blickte in gespielter Nachdenklichkeit auf ihren Teller. »Seine Frau muss ganz schön verzweifelt sein.«

So hat sie nicht ausgesehen, dachte Jona. Ein bisschen gehetzt, das ja. Aber verzweifelt stellte er sich anders vor.

»Was sagen sie sonst noch?«, erkundigte sich Martin.

»Alles andere klingt irgendwie nach purer Fantasie.« Kerstin zuckte mit den Schultern. »Dass er sich gar nicht selbst getötet hat, sondern dass es jemand anders war. Aber er hat sich erhängt, das ist doch eine klassische Selbstmordmethode, nicht wahr?«

Jona nickte bestätigend, obwohl er in Wahrheit keine Ahnung hatte. In den Nachrichten hieß es in solchen Fällen oft: *keine Spuren von Fremdeinwirkung.* Ganz sicher würde Lichtenbergers Leiche untersucht werden und dann würde es klar sein.

»An allen Ecken und Enden des Campus haben sie heute geheult«, fuhr Kerstin fort. »Auch Mädels, die gar keine Vorlesungen bei ihm hatten. Aber er war ja so hübsch.« Sie verdrehte die Augen. »Na ja, nicht mein Typ.« Sie sah Jona fragend an.

»Denkst du, meiner?« Er schüttelte den Kopf. Kerstin ging ihm zunehmend auf die Nerven, so wie diese ganze Familie. Martin mit seinen Appellen an Jonas Familiensinn, Silvia mit ihrer Geistesabwesenheit, Kerstin mit ihrem Hang zum Tratsch.

Zu jemandem nett sein, den ich nicht mag, ging ihm durch den Kopf und er merkte, dass er lächelte. »Das Essen war wunderbar«, sagte er zu Silvia. Ein Punkt. »Und – spannendes Tischgespräch, fand ich.« Zweiter Punkt. »Kann ich euch beim Abräumen helfen?«

Als er fünfzehn Minuten später auf sein Zimmer ging, fühlte er sich tatsächlich beschwingt. Lag es daran, dass Marlenes Übungen wirklich halfen, oder tat es ihm einfach nur gut, etwas mit ihr gemeinsam zu haben?

Was sie jetzt wohl tat? Lernen? Mit Freunden einen gemütlichen Abend verbringen? Wo wohnte sie eigentlich? Hatte sie einen Freund?

Jona zog den Alukoffer unter dem Bett hervor. Elanus würde ihm einige dieser Fragen wahrscheinlich beantworten können, mit ein bisschen Glück. Aber … Es widerstrebte ihm, Marlene heimlich zu beobachten, obwohl er überhaupt nicht begriff, warum. Es lag jedenfalls nicht daran, dass er fürchtete, sie könnte Elanus ein weiteres Mal entdecken – diesmal würde er seinen Posten vor dem Notebook keinen Atemzug lang verlassen.

Doch er wollte, dass sie ihm freiwillig erzählte, was sie zu erzählen bereit war. So gerne er sich Linda gegenüber einen unfairen Vorteil erarbeitet hätte, so falsch kam ihm das bei Marlene vor.

Allerdings waren da ja auch noch andere potenzielle Zielobjekte. Dieser Hendrik zum Beispiel. Und … wie hieß noch mal der Student aus Russland? Sergej.

Jona öffnete seine sorgsam gepflegte Datenbank und fand die Handynummer sofort – gleichzeitig fiel ihm aber noch etwas anderes auf. Er hatte zwei neue Mails. Beide ließen sein Herz schneller schlagen, jede auf ihre eigene Weise. Die erste kam von Marlene. Die zweite von Rektor Schratter.

Keine Frage, welche von beiden ihm wichtiger war, er hatte Marlenes Nachricht bereits geöffnet, ohne eine Sekunde lang nachzudenken.

Hey, Hochbegabter!

Falls du immer noch keinen Plan hast, hier ein paar Vorschläge von mir. Für eine Liste, du weißt schon.

Einmal pro Tag jemand anderen klüger sein lassen.

Einmal pro Tag jemandem unter die Arme greifen, der es nicht zu schätzen weiß.

Einmal pro Tag die Wahrheit sagen, obwohl lügen so viel einfacher wäre.

Was hältst du davon?

Ach, und der nächste Kaffee geht auf dich. Die Torte natürlich auch.

Ciao, Marlene

Er wollte ihr zurückschreiben, sofort. Wusste aber nicht, was. Dass er ihren Vorschlag gut fand? Hm, da war er noch nicht so sicher.

Er überlegte kurz, dann begann er zu tippen.

Hallo Marlene!

Ich werde die Liste im Kopf behalten, dass ich sie in die Tat umsetze, kann ich dir aber nicht versprechen. (Aus der Kategorie: Einmal pro Tag die Wahrheit sagen, obwohl lügen so viel einfacher wäre.)

Selbstverständlich geht der nächste Kaffee auf mich, gerne auch der übernächste. Und die Torte sowieso.

Schönen Abend, bis bald,

Jona

Er schickte die Mail ab, bevor er zu dem Schluss kommen konnte, dass sie albern und dämlich war. Vielleicht würde Marlene ihm heute noch zurückschreiben. Falls sie am Computer saß und arbeitete. Dann konnten sie schon für morgen etwas ausmachen.

Es war merkwürdig. Noch vor Kurzem hatte er Lindas Bild ständig vor Augen gehabt – seit heute Nachmittag bekam er dafür Marlene nicht mehr aus dem Sinn. Stimmte etwas nicht mit ihm? Oder war das normal? Würde es in zwei Tagen wieder jemand anders sein?

Schwer vorstellbar. Weil das mit Marlene völlig neu für ihn war. Er wollte sie vor allem besser kennenlernen, Zeit mit ihr verbringen, mit ihr gemeinsam lachen und wissen, dass sie verstand, was in ihm vorging.

»Du hast einen Knall, Alter«, murmelte er und öffnete die Mail des Rektors. Schratter musste wirklich viel um die Ohren haben und lang im Büro sitzen; er hatte die Nachricht erst kurz nach halb zehn losgeschickt.

Lieber Jona!

Vielen Dank für Ihre Mail. Mir tut es ebenfalls leid, dass wir uns bisher noch nicht persönlich begrüßen konnten, aber ich bin sicher, das lässt sich nachholen. Ich bin durchaus neugierig auf Sie. Dass Sie ein interessanter junger Mann sind, wusste ich aus Ihrem Lebenslauf; Ihre Nachricht heute bestätigt das.
Natürlich finde ich es sehr bedauerlich, dass Ihre ersten Tage an unserer Institution von einem so tragischen Ereignis überschattet werden. Ich habe Dr. Lichtenberger

als ausgezeichneten Kollegen und wunderbaren Menschen schätzen gelernt. Sein Tod trifft mich auch ganz persönlich.

Umso mehr danke ich Ihnen dafür, dass Sie mir so viel Vertrauen entgegenbringen und mir von Ihrer Beobachtung erzählen. Könnten Sie dabei noch ein wenig konkreter werden? Wer war die Studentin, mit der Sie Dr. Lichtenberger gesehen haben? Und wo hat die Begegnung stattgefunden?

Ich werde Ihre Angaben natürlich mit aller Diskretion und Vertraulichkeit behandeln, aber mir liegt viel daran zu begreifen, warum mein Kollege diesen furchtbaren Schritt getan hat. Dazu könnte es nötig sein, mit der Studentin zu sprechen.

Was unser beider Gespräch angeht, so muss ich Sie leider noch um ein wenig Geduld bitten. Sobald sich die Wogen wieder geglättet haben, werde ich mich sehr freuen, Sie in meinem Büro begrüßen zu können.

In der Zwischenzeit wenden Sie sich bitte mit allen Anliegen an meine Assistentin, Andrea Gilles. Ich habe sie gebeten, Ihnen unter die Arme zu greifen, wann immer Sie Hilfe brauchen.

Herzliche Grüße
Carl Schratter

So freundlich die Nachricht auch war, sie weckte ein leises Unbehagen in Jona. Er hatte ganz absichtlich Lindas Namen verschwiegen und würde ihn auch nicht verraten. Würde vielleicht sagen, dass er das Mädchen nicht gekannt hatte, das war mehr als glaubwürdig, immerhin kannte er bisher kaum jemanden an der Uni. Er konnte sie ja beschreiben und dabei die Tatsachen ein bisschen verbiegen.

Diesmal keine Wahrheit. Obwohl sie einfacher gewesen wäre als jede Lüge.

12

Es war nach elf Uhr, als er Elanus auf die Reise schickte, um Sergej zu finden. Jonas Erwartungen waren nicht groß – im besten Fall erhoffte er sich einen kurzen Einblick in die Wohnräume der reichen Studenten. Mehr nicht. In Wahrheit rechnete er eigentlich wieder nur mit verschlossenen Vorhängen. Teureren diesmal.

Elanus nahm die übliche Route zum Campus, überflog ihn diesmal aber zur Gänze und hielt auf ein dreistöckiges Gebäude zu, das hinter einem kleinen Wäldchen lag. Bläuliches Licht strahlte von dem flachen Dach aus in alle Richtungen.

Weil es nicht einfach ein Dach war, wie Jona im Näherkommen feststellte. Sondern ein beleuchteter Pool. Auf dem Dach. Zwei Schwimmerinnen zogen darin ihre Bahnen, das empfindliche Mikrofon übertrug Wasserplätschern und Gelächter gleichermaßen.

Dann senkte Elanus seine Flughöhe und ging in Schwebemodus, hielt vor einem großen Fenster im zweiten Stock.

Es musste eine Art Aufenthaltsraum sein. Der Anblick ließ Jona an exklusive englische Herrenklubs denken. Voluminöse Ledersessel, Stofftapeten und in der Mitte ein riesiger Billardtisch, an dem Jona nun auch Sergej entdeckte. Er hatte den Queue in der rechten Hand, sein linker Arm lag um die Schultern eines hübschen Mädchens mit dunkelrotem Haar. Beide beobachteten einen groß gewachsenen, schwarzhaarigen Studenten, der mit einem sicheren Stoß die rote Kugel in eine der Ecktaschen beförderte.

Jona zoomte näher heran und startete die Aufnahme. Er hatte schon damit gerechnet, dass die Kommilitonen, die aus reichen Familien stammten, schicker wohnten als die anderen, aber der Kontrast war viel größer, als er es je vermutet hätte.

Das Gebäude war wie eine riesige Luxusvilla in einer eigenen Parkanlage. Jona schaltete auf Handsteuerung und begann, die Umgebung zu erkunden. Hinter dem Haus lagen Tennisplätze, eine ausgedehnte Poollandschaft für die warmen Monate des Jahres, ein Stück weiter entfernt gab es einen Parkplatz. Im Tiefflug ließen sich die Marken der Autos erkennen: Bentley, Jaguar, Maserati. Zwei Ferraris. Ein alter Aston Martin.

Jona ließ Elanus wieder höher steigen, zog mit ihm noch mal in sicherem Abstand über das Pool-Dach, wo eines der Mädchen gerade aus dem Wasser stieg und sich in ein Badetuch wickelte.

Mit dem Sinkflug begann er erst wieder, als er das Haus gut dreihundert Meter hinter sich gelassen hatte, flog dann aber doch noch einmal in einem weiten Bogen zurück. An der Schmalseite des Gebäudes hatte er noch etwas entdeckt, das er sich gern näher ansehen wollte.

Allerdings stellte es sich als unspektakulär heraus: zwei Lieferwagen mit der Aufschrift *Roginski Catering*.

Roginski. Der Freund der Helmreichs, Jona war ihm vor der Haustür begegnet, als er mit Kerstin unverrichteter Dinge vom Supermarkt zurückgekommen war. Sieh an, der Restaurantbesitzer verköstigte also offenbar auch die wohlhabenden Studenten. Wahrscheinlich gab es eine täglich wechselnde Karte

mit diversen Auswahlmenüs. Vegetarisch, vegan, kalorienredu-
ziert, Low Carb …

Dagegen kochten die Studenten in den anderen Unterkünften
selbst. Jona fragte sich, wo er lieber wohnen würde, falls man
ihn vor die Wahl stellte, und die Antwort fiel verblüffend ein-
deutig aus: Dort, wo auch Marlene wohnte.

Am nächsten Morgen überhörte er den Wecker und wachte untypisch spät auf – damit war sein Plan, die Mail des Rektors
noch vor dem Frühstück zu beantworten, schon im Ansatz ge-
scheitert. Hastig duschte er, zog sich an und brachte den Weg
zur Bushaltestelle im Laufschritt hinter sich.

Fünf Minuten vor Beginn der Vorlesung war er im Hörsaal.
Marlene saß direkt am Fenster und winkte ihm zu, der Platz
neben ihr war noch frei. Mit dem Gefühl, ungewöhnlich leicht
zu sein, legte er die wenigen Meter bis zu ihr zurück. »Darf
ich?«

»Na klar, setz dich her.« Sie hatte zwei Kugelschreiber und
drei Bleistifte vor sich liegen, parallel zueinander ausgerichtet.
»Ich habe gestern noch bis spätnachts an den beiden Beispielen
gearbeitet, die wir bis heute vorbereiten sollten. Willst du Ergebnisse vergleichen?«

Jona hatte nichts vorbereitet, das tat er nie, aber heute bedauerte er es zum ersten Mal. »Ich habe die Aufgabe nicht dabei«,
gestand er. »Aber ich sehe mir deine gern an.«

Sie betrachtete ihn einen Moment lang grüblerisch, dann zog
sie drei dicht mit Berechnungen beschriebene Zettel aus ihrer
Tasche und reichte sie ihm.

Er überflog das erste Beispiel, stellte fest, dass der Weg, über
den sie sich dem Ergebnis näherte, umständlich, die Lösung

aber korrekt war. »Hier ist alles richtig«, sagte er und gab ihr das Blatt zurück.

Die zweite Aufgabe war komplizierter gewesen und etwa in der Hälfte ihrer Berechnungen hatte Marlene einen Denkfehler begangen.

Jona starrte die entsprechende Stelle an. Bisher hatte seine Kritik immer einen überlegenen, gelegentlich auch höhnischen Unterton gehabt. Das wollte er diesmal auf keinen Fall, er wusste allerdings nicht, wie er es sonst angehen sollte.

»Ja?« Marlene musterte ihn von der Seite.

»Also, da ist ein Fehler.« Er wies mit dem Finger auf die betreffende Zeile. »Und zwar –«

»Warte, warte, ich will selbst dahinterkommen.« Sie stützte das Kinn in beide Hände und runzelte konzentriert die Stirn.

Er ließ ihr Zeit. Beschloss dann irgendwann, dass es gemein war, ihr nicht unter die Arme zu greifen. »Es ist –«

»Schhhhh.«

Die folgenden Minuten waren eine harte Geduldsprobe. Insgeheim hoffte Jona, dass die Dozentin gleich den Hörsaal betreten würde, aber die schien es heute mit der Pünktlichkeit nicht so genau zu nehmen.

»Ich habe es.« Marlene griff nach ihrem Kugelschreiber, strich einen Teil der Zeile aus und schrieb etwas anderes darüber. Das Richtige.

»Super.«

Sie grinste ihn an. »Du klingst irgendwie erstaunt.«

Bevor er beginnen konnte, das entrüstet abzustreiten, betrat die Dozentin den Raum. »Wir setzen fort, wo wir das letzte Mal aufgehört haben«, erklärte sie und stellte sich vor das Whiteboard. »Gibt es noch offene Fragen?«

Den Rest der neunzig Minuten verbrachte Marlene mit emsigem Mitschreiben und Jona mit verträumtem Vor-sich-hin-Starren. Den Stoff beherrschte er im Schlaf, dagegen waren die anderen Probleme, die ihn beschäftigten, weit schwieriger zu lösen.

Sollte er Marlene gegenüber den Zettel ansprechen? Irgendwann würde sie ihn in ihrer Handtasche finden, wenn sie das nicht schon längst getan hatte. Allerdings war klar, dass sie Jona dann mit anderen Augen betrachten würde. Als jemanden, der Leute belog und bedrohte, die er nicht einmal kannte. Wie weit war es dann noch bis zu dem Moment, an dem er ihr gestehen musste, dass auch Linda diesen Brief bekommen hatte, und in der Folge Lichtenberger? Wahrscheinlich? Und das einen Tag vor seinem Selbstmord?

Nein, das ging nicht. Das brachte Jona nicht über sich, schon gar nicht Marlene gegenüber, die so großen Wert auf Ehrlichkeit legte.

Oder konnte er genau deshalb mit einem solchen Geständnis bei ihr punkten?

»Jona Wolfram?«

Er spürte, dass alle Blicke auf ihn gerichtet waren, und fühlte einen leichten Schubs von Marlene. Wahrscheinlich rief die Dozentin ihn nicht zum ersten Mal auf.

»Ja?«

»Ich will Ihnen nicht zu nahe treten, aber Sie sehen so verwirrt aus. Haben Sie den Faden verloren? Soll ich im Stoff noch mal ein Stück zurückgehen?«

Unter anderen Umständen hätte er überheblich gegrinst, diesmal war ihm absolut nicht danach. »Nein … alles okay. Ich kenne mich aus.«

»Sind Sie sicher?«

»Ja. Danke.«

Sie sah ihn ein paar weitere Sekunden lang an, dann ließ sie den Blick durch den Raum schweifen. »Gibt es jemand anderen, der Bedarf an einer Wiederholung hat? Wenn niemand sich meldet, gehe ich weiter im Text.«

Es hoben sich Hände. Vier oder fünf. In der Schule, dachte Jona, hätte sich niemand gemeldet, aber das war eben doch etwas anderes.

»Sie kennt deinen Namen«, wisperte Marlene ihm zu, während Staber begann, Fragen zu beantworten. »Da bist du vermutlich der Einzige hier im Raum.«

Jona wusste nicht, ob das wirklich ein gutes Zeichen war. Man sprach über ihn, das war er gewohnt, aber zum ersten Mal schaffte er es nicht, sich in der Aufmerksamkeit seiner Umgebung zu sonnen.

Und da war auch noch die Mail an den Rektor. Er musste sie heute noch schreiben, sonst war das unhöflich. Wenn der sich schon die Zeit nahm, ihm zu antworten, obwohl nach Lichtenbergers Tod alles drunter und drüber ging.

Aber zuerst noch etwas Schönes. Etwas, worauf er sich freuen konnte.

»Du weißt: Der Kaffee heute geht auf mich«, sagte er, kaum dass die Vorlesung vorbei war.

Marlene strahlte ihn an. »Und die Torte.«

Sie bestand darauf, Jona ihr Lieblingscafé am Campus zu zeigen. Mit Bistrotischchen, Holzstühlen und angenehm leiser Hintergrundmusik.

Diesmal bestellte er ebenfalls Kaffee mit extra viel aufgeschäumter Milch und rührte mit einem langen Löffel in dem hohen Glas, während er Marlene dabei zusah, wie sie ihre Schokoladen-Bananentorte verschlang.

»Gab es in letzter Zeit eigentlich noch andere merkwürdige Vorfälle?«, fragte er wie nebenbei und blickte dabei aus dem Fenster.

»Welche Art von Vorfällen meinst du?«

Er hob die Schultern. »Weiß nicht. Irgendwas eben. Menschen, die sich komisch verhalten haben. Dinge, die sonst nicht passieren.«

Sie blinzelte ihn an, die Kuchengabel mit dem aufgespießten Schokotortenstück in halber Höhe zum Mund. »Du denkst an etwas Konkretes.«

»Nein, es interessiert mich nur, ob schon vor Lichtenbergers Tod –«

»Du hast dieses Ding auch gesehen«, unterbrach sie ihn und ließ die Gabel zurück auf den Teller sinken. »Ich habe recht, nicht wahr?«

Verdammt, hämmerte es in Jonas Kopf. *Verdammt, verdammt, verdammt.* »Was? Welches … Ding soll ich deiner Meinung nach gesehen haben?«

Sie durchbohrte ihn mit einem Blick aus diesen erstaunlich grünen Augen. »Du weißt, was ich meine.«

Einen Moment lang war er drauf und dran einzuknicken. Ja zu sagen. Aber dann hätte er sich noch weiter in Lügen verstricken müssen und so tun, als wüsste er nicht, wer Elanus ausschickte.

»Nein. Wirklich nicht …«

Marlene beugte sich ein Stück vor. »Du hast bemerkt, dass du beobachtet wirst. Los. Gib es zu.«

Erleichterung breitete sich in ihm aus. Zumindest das konnte er ohne jedes Problem abstreiten, ohne die Wahrheit verbiegen zu müssen. »Beobachtet? Nein. Ich glaube keine Sekunde lang, dass ich beobachtet werde. Warum auch.«

Nachdenklich führte sie ihren nächsten Bissen zum Mund und blickte aus dem Fenster. Suchte offenbar den Himmel ab. »Na, weil du hier ein Prestigeobjekt bist, damit sage ich dir doch nichts Neues, oder? Sie haben dich extra hergeholt, damit du hier deinen Doktor machst und den Namen der Victor-Franz-Hess in die ganze Welt hinausträgst.« Sie schob den Teller zur Seite, nahm einen Schluck von ihrem Espresso und holte ihr Handy hervor. Ein paar Wischer über die Oberfläche, dann drehte sie das Gerät so, dass Jona das Display sehen konnte.

Das Foto von Elanus war ausgesprochen gelungen. Gestochen scharf hob er sich gegen den Himmel ab.

»Eine Drohne«, sagte er tonlos.

»Richtig. Ich schätze, damit beobachtet die Uni die Studenten aus reichem Haus und ziemlich sicher auch dich.«

»Mich?«

»Klar. Wäre doch verständlich, dass sie mitbekommen wollen, was du so tust? Mit wem du dich herumtreibst? All diese Dinge. Es ist überhaupt nicht in Ordnung, aber nachvollziehbar.«

Jona schaute nun seinerseits zum Fenster hinaus, ebenfalls in den Himmel, obwohl er genau wusste, dass Elanus dort nicht auftauchen würde. »Mich zu beobachten, wäre unglaublich langweilig«, sagte er. »Alles, was an mir spannend ist, spielt sich in meinem Kopf ab, und da kann niemand reinsehen.«

Marlene verschränkte die Hände unter dem Kinn. »Schade eigentlich«, stellte sie trocken fest. »Aber weißt du was? Ich versuche es jetzt mal. Ich halte dich für ziemlich neugierig, trotzdem hast du mich bisher nicht gefragt, wieso ich glaube, dass wir beobachtet werden. Oder wie ich denn auf diese Idee komme. Deshalb denke ich, du weißt es schon, willst es mir gegenüber aber nicht zugeben.« Sie legte den Kopf schief. »Ich frage mich, warum.«

Von hier aus war es nur noch ein winziger Schritt bis zur Wahrheit. Den durfte sie keinesfalls machen. »Einfach weil ich meine, dass du dich irrst. Oder du verwechselst Security mit Bespitzelung. Bei so vielen Leuten aus schwerreichen Familien wäre es ja eigentlich logisch, dass Sicherheitsdienste hier patrouillieren. Speziell bei den Luxusquartieren. Weißt du eigentlich, wie die Jungs und Mädels dort wohnen? Mit Billardzimmer, beleuchtetem Pool am Dach, Jacuzzi vor der Tür – unglaublich.«

Marlenes Lächeln vertiefte sich. »Hört sich toll an, nicht wahr? Allerdings darf man dort als Normalo nicht rein, Zutritt gibt es nur mit eigener Codekarte oder speziell bewilligter Besucherberechtigung. Deshalb frage ich mich: Woher weißt du das alles?«

Mist. Damit hatte Jona nicht gerechnet, mit etwas Pech hatte er sich jetzt verraten, außer ihm fiel blitzartig noch eine gute Erklärung ein … und da war sie plötzlich.

»Von Sergej«, platzte er heraus. »Er lebt dort, er hat mich auf eine Party eingeladen und mir beschrieben, wie er und die anderen untergebracht sind.«

»Ah. Ja, das erklärt es natürlich.« Ungeachtet ihrer Worte wirkte Marlene nicht überzeugt. »Na gut. Danke jedenfalls für die Einladung, ich muss jetzt weiter. In die Bibliothek, recherchieren für die Seminararbeit.«

Der Unterton in ihrer Stimme war merklich kühler als zuvor. Ganz klar, sie glaubte ihm nicht.

»Ich würde dich gern begleiten«, schlug er hastig vor.

»Ich bin sicher, ich finde den Weg.« Sie nahm den letzten Schluck Kaffee aus ihrer Tasse. »Aber okay.«

Nachdem Jona die Rechnung bezahlt hatte, schlenderten sie gemeinsam in Richtung Bibliothek. Marlene hob immer wieder den Kopf und spähte nach oben, in die Baumkronen und den Himmel, doch da war nichts zu sehen. Natürlich nicht.

Vor dem Gebäudekomplex, in dem die Bibliothek sich befand, blieb sie stehen. »Na dann. Bis demnächst.«

Er würde sich nicht weiter aufdrängen, so schwer es ihm auch fiel. »Ja. Bis bald.« Er nahm ihre Hand – nur kurz und ziemlich ungeschickt, dann wandte er sich zum Gehen. Als er sich fünf Schritte später noch einmal umdrehte, war sie schon verschwunden.

13

Bis zur nächsten Veranstaltung war noch Zeit. Eventuell eine gute Gelegenheit, die Mail an Schratter hinter sich zu bringen – andererseits, wenn Jona schon am Campus war, konnte er ebenso gut im Rektorat vorbeischauen. Vielleicht hatte er ja ausnahmsweise mal Glück.

Andrea Gilles empfing ihn mit einem Lächeln und einem Winken, aber ohne Worte, da sie gerade mitten in einem Telefongespräch war. »Natürlich richte ich es ihm aus, und herzliche Grüße an Ihre Frau. Wir sind Ihnen beiden sehr dankbar und das Labor wird sicherlich seinesgleichen suchen … ja. Noch mal danke. Auf Wiederhören.«

Sie legte auf, tippte etwas in ihren Computer und wandte sich dann endgültig Jona zu. »Hallo! Sie sind sicher wegen Ihres Lehrplans hier, richtig? Dr. Schratter hat mich schon darüber informiert, dass Sie gerne ein paar Prüfungen vorziehen und ein bis zwei Semester überspringen würden. Wir können das gleich besprechen, wenn Sie wollen, er hat mir gesagt, ich soll mich darum kümmern.«

Jonas Blick heftete sich an die geschlossene Tür zum Büro des Rektors. »Er ist nicht da?«

»Nein, leider. Vor einer halben Stunde musste er weg. Aber das ist kein Problem: Wir sehen uns an, wie Sie es haben wollen, ich notiere das und er soll es bewilligen, wenn er zurück ist.«

Jona hatte darauf gehofft, Schratter die diffuse Beschreibung einer nicht existierenden Person geben zu können. Des Mädchens, mit dem er Lichtenberger gesehen hatte. Semester zu überspringen, war ihm in der Zwischenzeit überhaupt nicht mehr wichtig. Dann würde er Marlene kaum noch sehen.

»Es hat keine Eile«, sagte er schnell. »Wirklich nicht. Um ehrlich zu sein, im Moment fühle ich mich ganz wohl dabei, die Grundlagen noch einmal zu vertiefen.« Er zwang sich ein Lächeln ins Gesicht.

Gilles hob erstaunt die Augenbrauen. »Wirklich? Der Rektor meinte, sie hätten da einen sehr klaren Wunsch geäußert.«

»Ja. Aber ich habe auch geschrieben, dass all das noch Zeit hat.« Er betrachtete verlegen seine Schuhspitzen. »Und ich habe es mir noch einmal gut überlegt – im Moment können wir die Dinge einfach so lassen, wie sie sind.«

Die Rektoratsassistentin musste ihn für einen ausgesprochen launenhaften Typ halten. Hoffentlich buchte sie das auf das Konto seiner angeblichen Genialität.

»Wie Sie wollen. Ich werde das Dr. Schratter so weiterleiten.«

»Danke.« Jona ging ein paar Schritte näher, so, dass er Gilles die Hand schütteln konnte. Hoffte insgeheim wieder, dass er irgendwo die Handynummer des Rektors entdecken würde, doch da war nichts, und es musste allmählich auffallen, dass er den Schreibtisch ungewöhnlich lange betrachtete.

Als er draußen war, dauerte es immer noch eine halbe Stunde bis zur nächsten Vorlesung, dummerweise eine, die Marlene nicht besuchte.

Dafür lief ihm vor dem Hörsaal Sergej über den Weg. Ohne die hübsche Rothaarige. »Kommst du zu der Party?«, wollte er wissen.

»Ja. Gern.« Jona antwortete aus dem Bauch heraus, in dem sich unmittelbar danach ein mulmiges Gefühl ausbreitete. Er würde sich in diesem Umfeld nicht wohlfühlen, das wusste er jetzt schon. Er würde nicht mitreden können, weder wenn es um Autos ging, noch um Yachten, noch um Landhäuser in der Toskana. Nichts davon bedeutete ihm viel, aber das Gefühl, ein Alien unter lauter Andersgearteten zu sein, kannte er nur allzu gut und er verabscheute es aus vollem Herzen. Während der Vorlesung überlegte er sich, wen es heute noch zu beobachten lohnte. Allerdings würde er vor dem nächsten Flug noch eine unangenehme Pflicht erledigen müssen. Es war höchste Zeit für die Mail an Schratter.

Zurück in seinem Zimmer blickte Jona aus dem Fenster und suchte nach den richtigen Worten für den ersten Satz.

Sehr geehrter Herr Dr. Schratter!
Ich kann sehr gut verstehen, dass Sie den Namen der betreffenden Studentin gerne erfahren würden – leider weiß ich ihn aber nicht. Ich bin ja erst seit kurzer Zeit hier und habe bisher nur einige wenige Kommilitonen kennengelernt. Hinzu kommt, dass ich das Gesicht der Frau kaum gesehen habe, ich würde sie also auch nicht wiedererkennen, wenn sie mir am Campus begegnete.
Tut mir leid, dass ich Ihnen nicht weiterhelfen kann. Ich hoffe, dass die Umstände rund um Dr. Lichtenbergers Tod sich trotzdem bald klären werden.

Mit freundlichen Grüßen
Jona Wolfram

Das war überzeugend, fand er. Und stimmte insofern, als dass er Linda durch diesen schmalen Spalt im Vorhang wirklich nicht erkannt hätte, wenn Elanus ihr nicht gezielt gefolgt wäre.

Schratter würde es ihm glauben und das war dann das Ende dieser Angelegenheit.

Jona sandte die Nachricht eben ab, als es an seiner Zimmertür klopfte. Seine Laune sank sofort gegen null. Es war ihm egal, welcher der Helmreichs da draußen stand, er wollte keinen von ihnen sehen.

Neuerliches Klopfen, lauter. »Hey, Genius. Ich bin's, Pascal. Lass mich rein, sonst singe ich.«

Mit einem schnellen Blick überprüfte Jona, ob alles Verräterische außer Sicht war, bis ihm einfiel, dass Pascal der Einzige war, dem er nichts vormachen musste. Er schloss die Tür auf, Pascal schob sich an ihm vorbei und ließ sich sofort aufs Bett fallen. »Total überflüssiger Tag heute. Ich glaube, ich habe meine Englischarbeit versaut. Dabei bin ich normalerweise gut in Englisch.« Er seufzte dramatisch. »Es geht bergab mit mir.«

Er wartete Jonas Reaktion auf seine Eröffnung nicht ab, sondern deutete mit ausgestrecktem Zeigefinger auf ihn. »Und du? Neuigkeiten von der Spitzelfront?«

Wortlos schüttelte Jona den Kopf, wozu sollte er Pascal von dem Luxuswohnheim der reichen Studenten erzählen? Das konnte er immer noch tun, wenn er dort gewesen war. Nach der Party.

»Dann – tut sich was in der Liebe? Los. Sag schon.«

Seit einer halben Stunde spürte Jona ein leichtes Pochen hinter den Schläfen, nun wurde es schmerzhafter. »Ich kann dir nicht mehr bieten als ein gemeinsames Kaffeetrinken. Mit einer guten Freundin.«

Pascal stützte sich auf die Ellenbogen hoch. »Mit Linda?«

»Was? Wieso mit Linda? Mit Marlene.«

Verwundertes Stirnrunzeln. »Wer ist Marlene?«

Blitzschnell überschlug Jona, wie weit Pascal informiert war. Hatte er ihm von dem Geldumschlag erzählt? Nein. Dann hatte er auch keine Ahnung von der Begegnung vor Lichtenbergers Haustür.

»Ah«, platzte Pascal heraus, »ich weiß es doch! Das Mädchen, dem du auch einen deiner Drohbriefe zugesteckt hast. Und zur Belohnung geht sie mit dir Kaffee trinken? Oder hast du sie dazu erpresst?«

Jona rieb sich die Stirn. »Nein. Wir verstehen uns gut, sie ist … wirklich außergewöhnlich. Und sie hat keine Ahnung davon, dass dieser beschissene Zettel von mir ist. Möglicherweise hat sie ihn noch gar nicht entdeckt.«

»Ah.« In Pascals Miene trat ein genießerischer Ausdruck. »Lügen und Geheimnisse von Anfang an, das ist doch vielversprechend!«

Jona konnte sich ein Grinsen nicht verkneifen. »Halt die Klappe.«

»Okay. Dann halte ich eben die Klappe und erzähle dir nicht, dass heute ein paar Leute vor eurem Haus waren und es sich sehr, sehr interessiert angesehen haben. Kannst du dir vorstellen, warum? Wollen die Helmreichs eventuell verkaufen?«

Wenn ja, dann hatten sie Jona jedenfalls nichts davon erzählt. Ihm war es egal – oder sogar ganz recht, dann konnte er doch noch ins Studentenwohnheim auf dem Campus ziehen.

»Hast du mit ihnen gesprochen?«, erkundigte er sich.

»Nein, ich habe sie nur vom Fenster aus gesehen. Erst dachte ich, sie liefern etwas – es war ein großer Kastenwagen, aber es sind nur zwei Männer ausgestiegen, die sich das Haus angesehen haben. Sehr aufmerksam. Fünf oder zehn Minuten später kam dann ein dritter Mann in einem dunklen BMW, der mit den beiden gesprochen hat – ziemlich aufgebracht, fand ich –, und danach sind alle wieder gefahren.«

Jona versuchte, sich das Szenario vorzustellen. »Klingt, als hätten sie einfach etwas liefern wollen, sich aber in der Adresse geirrt.«

»Das kann natürlich auch sein.« Trotz seiner Worte wirkte Pascal nicht sehr überzeugt. »Dafür haben sie aber ziemlich umständlich rumgestanden. Sie hätten ja einfach auch an der Tür klingeln können, oder?«

Im Grunde war Jona das alles völlig egal, nur dass sich eben das Bild eines anderen Lieferwagens in sein Bewusstsein schob. »Sag mal – hatte der Wagen irgendeine Aufschrift? Roginski Catering oder so?«

»Catering?« Pascal lachte. »Keine Ahnung. Mir ist keine Aufschrift aufgefallen, sonst wäre ich rausgegangen und hätte um Kostproben gebettelt.«

An diesem Abend, lange nachdem Pascal gegangen war und Silvia ihr viel zu fettes Gulasch an die Familie verfüttert hatte, beschloss Jona, Elanus frei fliegen zu lassen. Ohne eine Zielperson, der er folgen sollte, einfach nur per Handsteuerung.

Er warf ihn nach draußen und schickte ihn zum Campus, in der diffusen und ziemlich unrealistischen Hoffnung, dass er dort rein zufällig Marlene sichten würde. Das letzte Mal hatte sie auch auf einer der Parkbänke gesessen, allerdings am frühen Abend.

Diesmal war keine Spur von ihr zu sehen, natürlich nicht, auch sonst war der Park menschenleer. Bis auf ein Pärchen, das in der Wiese saß und sich küsste. Sie kamen Jona nicht bekannt vor.

Er ließ Elanus knapp an den Fenstern des Studentenwohnheims vorbeifliegen, in dem Linda wohnte. Warf einen Blick in die Küche, wo ein Dreiergrüppchen gerade mit Geschirrspülen beschäftigt war und es dabei ziemlich lustig hatte. Keine vertrauten Gesichter darunter.

Hinter dem Gebäude lenkte er Elanus in eine lang gezogene Kurve und auf die Institutsgebäude zu, die fast alle im Dunkel lagen. Nur hinter manchen Fenstern brannte Licht, in der Bibliothek zum Beispiel. Und, wenn Jona nicht falschlag, auch im Verwaltungsgebäude. Wenn sein räumliches Vorstellungsvermögen ihn nicht im Stich ließ – und das tat es eigentlich nie –, war jemand im Rektorat.

Er warf einen prüfenden Blick auf die Uhr seines Notebookdisplays. 22 Uhr 48. Ziemlich spät für Büroarbeit, aber wenn Schratter den ganzen Tag über anderweitig beschäftigt war …

Jona lenkte Elanus auf den Lichtschein im ersten Stock zu, sah aber schon im Näherkommen, dass Gardinen die Sicht auf das Innere des Büros versperrten.

Das war zwar keine Tragödie, aber trotzdem schade. Jona hätte gerne wenigstens einen oberflächlichen Eindruck von Schratter gewonnen, bevor er ihm zum ersten Mal gegenübertrat. Er hatte nur einmal seine Stimme gehört, gleich nach seiner Ankunft hier – und da hatte Schratter einen seiner Mitarbeiter angebrüllt. Es war ein merkwürdiger Kontrast zu den freundlichen Mails gewesen.

Allerdings war es einfach, beim Schreiben einen höflichen Ton anzuschlagen, das gelang meist sogar Cholerikern. War Schratter so? Neigte er zu Wutausbrüchen?

Es machte ganz den Anschein, denn trotz geschlossener Fenster zeichnete Elanus Stimmen auf. Eine Stimme, um genau zu sein.

Allerdings so gedämpft, dass einzelne Worte kaum zu verstehen waren. Der Tonfall dafür umso mehr. Wut. Jemand brüllte einen anderen nieder. Eine andere? War Andrea Gilles in Schratters Fadenkreuz geraten? Auf Jona wirkte sie klug und kompetent – aber das war vermutlich bedeutungslos, wenn Schratter ein Ventil brauchte.

Er lenkte Elanus noch ein kleines Stück näher an das Fenster heran. Das war nicht ganz ungefährlich – Entfernungen im Zentimeterbereich ließen sich über die Kamera nur schwer abschätzen. Wenn einer der Rotoren mit der Scheibe in Berührung kam, machte das nicht nur einen Höllenkrach, sondern konnte Elanus zum Absturz bringen.

Immer noch waren es bloß gedämpfte Laute, die Jona über das Mikrofon empfing, aber er zeichnete sie auf. Mit einem seiner drei Audioprogramme würde es ihm vielleicht gelingen, etwas herauszufiltern, das verständlich war. Er wollte wirklich wissen, worüber Schratter so in Rage geriet. Keinesfalls würde er ihm unvorbereitet gegenübertreten.

Nach etwa zwei Minuten wurde in dem Büro das Licht ausgeschaltet. Nichts war mehr zu hören und Elanus würde bald die Energie ausgehen. Trotzdem flog Jona noch einen Schlenker an der Bibliothek vorbei und entdeckte dort tatsächlich Marlene. Den Kopf in beide Hände gestützt, mit voller Konzentration auf das Buch, das vor ihr lag.

Jona fand den Anblick schön und rührend zugleich. Sie strengte sich wirklich an für dieses Studium. Was ihm zu Bewusstsein brachte, dass er keine Ahnung hatte, ob sie zu den begaben oder den begüterten Studenten an der Victor-Franz-Hess gehörte. Nicht zu den Einheimischen, schätzte er, sonst wäre sie jetzt nicht mehr auf dem Campus gewesen.

Noch acht Minuten, höchste Zeit, Elanus auf direktem Weg nach Hause zu bringen. Jona schaltete um auf Autopilot, das Programm würde die kürzeste Strecke verlässlicher finden als er.

Nicht viel später öffnete er das Fenster, um seine Drohne in Empfang zu nehmen. Der Wind wurde allmählich kühler, man spürte den Herbst.

Nur zufällig richtete Jona seinen Blick nach unten. Stutzte. Hatte sich dort etwas bewegt? Jemand? Ein Schatten im Schatten der Bäume, vielleicht auch nur eine Täuschung, aber wenn nicht …

Es half nichts, er musste Elanus hereinholen, wenn er ihn nicht verlieren wollte. Hastig schaltete er das Licht im Zimmer aus. Jetzt würde der Beobachter – falls es ihn wirklich gab – nicht mehr genau sehen können, was sich an Jonas Fenster abspielte. Elanus flog hoch genug, damit sich das Licht der Straßenlaternen nicht auf seiner Oberfläche spiegelte.

Er war in der Dunkelheit nicht auszumachen, Jona musste selbst den Monitor im Auge behalten, um seine Ankunft nicht zu verpassen. Noch zweihundert Meter. Noch hundert. Elanus sirrte durchs Fenster und landete sicher in seiner Hand. Alles gut gegangen.

Als er das Fenster schloss, startete ein Stück weiter die Straße entlang ein Auto.

Jona beschloss, dass das nichts zu bedeuten hatte.

14

Das Wochenende war für Jona aus mehreren Gründen eine Qual. Erstens, weil er es furchtbar gern mit Marlene verbracht hätte, aber befürchtete, dass sie ihn abblitzen lassen würde. Zweitens, weil alle Helmreichs zu Hause waren und man plötzlich den Eindruck hatte, dass der Platz für vier Leute nicht reichte. Silvia wirkte nervös und gereizt, Martin abwechselnd müde und angespannt, Kerstin sichtlich von ihren Eltern genervt.

Jona ahnte, dass er keine Chance haben würde, sich einfach nur auf sein Zimmer zu verdrücken, also murmelte er etwas von Bibliothek und vergessenen Unterlagen und machte sich auf den Weg zum Campus.

Dort war es heute angenehm ruhig. Nur in den Cafés war noch mehr los als sonst.

Jona beschloss, es auf einen Versuch ankommen zu lassen und sich unter die anderen Studenten zu mischen. Vielleicht würde er Marlene in einem der Cafés entdecken. Und wenn nicht, kam er möglicherweise mit jemand Neuem ins Gespräch.

Das erste der Lokale war so voll, dass er kaum zur Tür reinkam. Er sah sich so gründlich um, wie es angesichts der Menge möglich war, und ging wieder.

Doch schon im zweiten Café entdeckte er Marlene. Sie saß an einem der Fenstertischchen, rührte in ihrem Kaffee und las völlig vertieft in einem Buch, dessen Titel Jona nicht erkennen konnte.

Er setzte sich ungefragt zu ihr an den Tisch. Sie schenkte ihm ein flüchtiges Lächeln und vertiefte sich dann wieder in ihre Lektüre. Einführung in die Informations- und Codierungstheorie.

»Hallo.« Seine Stimme hörte sich belegt an. »Ich will dich nicht stören. Nur fragen, ob du sauer auf mich bist.«

Sie ließ das Buch sinken, blickte aber nicht hoch. »Nein. Aber auch nicht mehr daran interessiert, mehr Zeit mit dir zu verbringen.«

Sie sagte es ganz freundlich, doch das machte es umso schmerzhafter. »Warum?«

Nun sah sie ihn doch an. »Weil es sich nicht lohnt. Meinetwegen bist du das Genie von uns beiden, aber du bist kein besonders guter Schauspieler. Man merkt dir an, wenn du lügst.« Sie klappte das Buch zu. »Ich glaube dir nicht, dass du eine Beileidskarte in Lichtenbergers Briefkasten geworfen hast. Das war etwas anderes. Und du wusstest sehr genau, wovon ich gesprochen habe, als ich meinte, wir würden beobachtet.«

Ihr jetzt die gleiche Lüge noch einmal zu verkaufen, war Jona nicht möglich. Dann würde sie ihn zu Recht verachten, und er sich selbst auch. »Das stimmt. In beiden Fällen. Aber die ganze Wahrheit kann ich dir leider trotzdem nicht sagen. Noch nicht.«

Halb und halb rechnete er damit, dass sie ihn davonscheuchen würde, doch das tat sie nicht. »Siehst du, diesmal glaube ich dir.« Sie lächelte ihn an. »Und jetzt lass mich weiterlesen.«

Dass sie ihn so überhaupt nicht ausquetschen wollte, brachte Jona beinahe dazu, ihr doch alles anzuvertrauen. Inklusive seiner Beobachtungen von gestern Nacht. Er ging ein paar Schritte zum Ausgang, machte aber noch einmal kehrt. »Hattest du schon einmal persönlich mit Schratter zu tun?«

Es wirkte, als müsse sie ihre Aufmerksamkeit mit Gewalt von den Zeilen ihres Buchs losreißen. »Ja, zweimal. Es waren aber keine sehr langen Gespräche.«

»Und – wie war er? Nett? Ungeduldig?«

Sie seufzte. »Du musst nicht nervös sein, er ist ein wirklich angenehmer Mann. Natürlich hochintelligent und sehr korrekt, aber auch freundlich und interessiert an den Studenten seiner Universität. Du wirst ihn mögen.«

Da war Jona nicht so sicher.

Auf dem Weg zum Campusausgang lief er Sergej über den Weg, der ihn überschwänglich begrüßte, in seiner Tasche kramte und einen Umschlag hervorzog. »In vier Tagen«, erklärte er strahlend. »Da drin ist die Einladung und die Zugangskarte. Nur gültig am Tag der Party, zwischen halb acht und halb neun Uhr abends, sei also pünktlich.« Er klopfte Jona auf die Schulter. »Freue mich darauf, dich meinen Freunden vorzustellen. Junggenie? Wie heißt das auf Deutsch? Wunderkind?«

»Ja, Wunderkind«, bestätigte Jona mit müdem Lächeln, schon halb zum Gehen gewandt, aber Sergej hielt ihn am Arm zurück. »Kannst du Kunststücke? So ... du weißt schon. Zehnstellige Zahlen im Kopf multiplizieren, Wurzelziehen, alles schneller als mit dem Taschenrechner?«

Ah, daher wehte also der Wind. Sergej hatte ihn als Partyclown eingeladen, als jemanden, der um Mitternacht auf den Tisch steigen und Gehirnakrobatik betreiben würde, zum Amüsement der anderen.

Im Prinzip war das okay. Jona hatte das schon mehrmals gemacht, meist auf Geheiß seiner Eltern, die nur zu gern Freunden und Verwandten demonstrierten, was für ein Genie doch ihr Söhnchen war.

»Klar kann ich das«, sagte er also.

»Super!« Sergej hielt beide Daumen hoch. »Ich freue mich!«

Jona grinste in sich hinein. Er hatte sich schon ein paarmal gefragt, welchem Umstand er diese Einladung zu verdanken hatte. Dass es nicht daran lag, dass er Sergej so rasend sympathisch war, wo sie doch kaum zwei Sätze miteinander gewechselt hatten, war ihm klar gewesen.

Jetzt wusste er, woran er war und dass er Spaß haben würde. Noch dazu war es eine Gelegenheit, richtig gute Kontakte zu knüpfen. Eine Hand wusch die andere.

Und vielleicht kannte man bei den *Reichen* auch ein paar Zusammenhänge, die den normalen Studenten verborgen geblieben waren. Zusammenhänge erforschen konnte er aber auch heute Nachmittag schon, vorausgesetzt die Helmreichs ließen ihn in Ruhe. Dann würde er nämlich versuchen, aus seinen Aufnahmen etwas Verständliches herauszufiltern. Hoffentlich war er anschließend schlauer.

Rauschen. …*tionen.* Danach wieder Rauschen.

Jona korrigierte das Verhältnis von Höhen und Bässen. Spielte die Stelle danach noch einmal ab, ein wenig langsamer.

… *unkoordinierte Aktionen …*

Ja, das hieß es wohl. Er notierte sich die beiden Worte auf seinem Schreibblock und ließ die Aufzeichnung weiterlaufen. Zwölf Sekunden fast reines Rauschen, aus dem er nur einmal das Wort *Unsinn* herauszuhören meinte. Dann plötzlich ein fast verständlicher Satz.

Natürlich wird … –ken, … nur eine Frage …

Neue Korrekturen. Wiederholen.

Natürlich wird jemand es merken, das ist nur eine Frage der Zeit.

Jona klickte auf das Pausezeichen und notierte sich auch diesen Satz. Nur eine Frage der Zeit, bis jemand es merken wird. Es. Er spürte, wie seine Anspannung wuchs. Vielleicht verriet Schratter sich im nächsten Satz. Oder im übernächsten.

Doch erst einmal wurde das Rauschen wieder übermächtig.

… kann man nicht mehr lange aufrechterhalten war der nächste verständliche Halbsatz. *Durch eure Dummheit!*

Hier war er wirklich laut geworden, das letzte Wort brüllte er förmlich heraus.

Sein Verhalten passte überhaupt nicht zu dem, was Marlene über Schratter gesagt hatte. Ein angenehmer, freundlicher Mann. Von wegen.

Allerdings hatte Jona in seiner eigenen Familie jemanden, dem man den Mistkerl auch nicht auf den ersten Blick ansah. Onkel Bernd. Arzt, erfolgreich und beliebt bei den Leuten, die ihn oberflächlich kannten. Hingegen machten die, die schon die Freude seiner näheren Bekanntschaft gehabt hatten, einen großen Bogen um ihn, wenn es sich einrichten ließ.

Unbeherrscht, ungerecht und keinen Widerspruch duldend, warf Onkel Bernd auch gerne einmal einen Stuhl durchs Zimmer, wenn ihm danach war. Jona hatte es miterlebt, er war damals sieben gewesen und hatte die ganze Autofahrt nach Hause über geweint. Er hatte sich danach jahrelang erfolgreich gegen eine weitere Begegnung mit dem brüllenden Bruder seines Vaters wehren können.

Vermutlich war Schratter ähnlich gestrickt. Freundlich, solange die Dinge nach seiner Vorstellung liefen. Und völlig irre, sobald sie es nicht taten.

… kann man nicht mehr lange aufrechterhalten, durch eure Dummheit …

Langsam formte sich in Jonas Kopf ein Verdacht. Etwas sollte aufrechterhalten werden. Was? Vermutlich ging es um den Ruf der Universität, das Vertrauen der Studenten und deren Eltern. Hm. Ziemlich sicher hatte Schratters Wut mit den Ereignissen der letzten Tage zu tun. War es etwa der Glaube daran, dass Lichtenberger Selbstmord begangen hatte, der aufrechterhalten werden musste?

Wenn der Dozent sich wirklich nicht selbst umgebracht hatte, begriff Jona nur zu gut, warum Schratter sich so aufregte. Ein Mord würde den guten Ruf der Victor-Franz-Hess sofort zerstören.

Da reichte eigentlich schon Totschlag.

Von jemandem begangen, der zu Zornausbrüchen neigte?

Stopp, sagte er sich, stopp, das ist alles viel zu voreilig. Immerhin hatte die Polizei Lichtenbergers Tod untersucht, und niemand war bisher an der Uni aufgetaucht, um in einem Mordfall zu ermitteln. Wäre es so gewesen, hätte Kerstin es hundertprozentig mitbekommen und stundenlang über nichts anderes mehr geredet.

An einer Universität sammelten sich jede Menge kluger Köpfe, aber einen Mord so als Selbstmord zu tarnen, dass weder Polizei noch Gerichtsmedizin dahinterkamen, war mehr als schwierig. Noch dazu, wenn es Selbstmord durch Erhängen war.

Jona ließ die Aufnahme weiterlaufen. Es kam eine halbe Minute lang nichts als Rauschen. Wahrscheinlich sprach gerade jemand anders, jemand, der bedauerlicherweise nicht zum Brüllen neigte. Doch dann war da wieder Schratters Stimme, nicht ganz so laut wie vorhin, aber ausreichend, um Jona mit einiger Mühe verständliche Worte herausfiltern zu lassen.

… dass sie mehr weiß, als uns lieb sein kann …

Sie. Eine Frau, die Einblick in das hatte, was tatsächlich geschehen war. Sofort kam Jona Lichtenbergers Witwe in den Sinn. Die zehntausend Euro – war das Schweigegeld gewesen? Wenn ja, waren sie ziemlich billig davongekommen. Würde eine Frau für diese Summe den Mörder ihres Ehemannes decken? Jona versuchte, es sich vorzustellen.

Wenn sie in großer Geldnot war – vielleicht.

Und wenn sie ihren Mann ohnehin nicht sonderlich gemocht hatte.

Beides konnte Jona nicht beurteilen. Er wusste nur, dass er in diese ganze Angelegenheit eigentlich nicht hineingezogen werden wollte. Was er sich definitiv hätte überlegen müssen, bevor er begonnen hatte, andere Leute per Drohne auszuspionieren.

Weiter. Rauschen. Rauschen. Und dann:

… konnte nie den Mund halten. Das wissen wir …

Wieder kein Anhaltspunkt dafür, von wem die Rede war. Vielleicht Beate Lichtenberger, vielleicht Andrea Gilles, vielleicht jemand völlig anderes.

Jona wusste nur eines: Er war heilfroh, dass er Schratter Lindas Namen nicht verraten hatte.

15

Jona hatte gehofft, sich so durchgängig wie möglich in seinem Zimmer verschanzen zu können, aber Martin zog ihn zu kleinen Reparaturarbeiten am Haus heran. Die Leiter halten beim Glühbirnenauswechseln. Ein kleines Loch in der Dielenwand flicken, aus dem sich Putz gelöst hatte. Laub im Garten zusammenrechen.

Jona bedauerte bitter, an einem der letzten Tage erklärt zu haben, dass er überhaupt nichts lernen musste, weil der Stoff so einfach war. Damit war ihm diese Ausrede jetzt verwehrt.

Er war mit dem halben Garten fertig, als es zu allem Überfluss auch noch zu regnen begann. Damit konnte er sich einen Spätnachmittagsflug für Elanus abschminken. Bevor Martin sich eine neue Beschäftigung für ihn einfallen lassen konnte, erklärte Jona kurzerhand, er habe Kopfschmerzen. Ja, schlimme Kopfschmerzen. Ob er eine Tablette wolle? Nein, auf Medikamente reagiere er oft mit merkwürdigen Nebenwirkungen. Er wolle einfach nur auf sein Zimmer. Ja, gleich. Nein, er brauche keinen Tee. Wieder die Tür hinter sich zu schließen, fühlte sich befreiender an, als er es sich hatte vorstellen können. Wie eine gelungene Flucht aus dem Kerker. Er sperrte ab und stand dann einen Moment lang nur im Raum, lauschte auf die Geräusche – Fernseher, Waschmaschine, Silvia –, die von unten bis zu ihm drangen, und war dankbar, dass ihn das alles nichts anging.

Seine ganze Studienzeit würde er keinesfalls bei den Helmreichs verbringen. Er zog sein Handy aus der Hosentasche und wählte.

»Hallo, Paps.«

»Jona! Hey!« Der typische Sound der Freisprechanlage, unterlegt von Motorgeräuschen. »Wie geht es dir?«

»So weit gut. Wohin seid ihr denn unterwegs?«

»Wir sind bei Rita und Tobias eingeladen. Ein letztes Mal grillen in diesem Jahr.«

»Oh. Hier regnet es.« Banaler ging es ja kaum mehr. »Hört mal, ich weiß, ihr fandet, das mit den Helmreichs war eine gute Idee, aber ich glaube, ich würde doch lieber auf dem Campus wohnen.«

Eine überraschte Pause, dann meldete sich seine Mutter. »Wieso denn, Schätzchen? Ist es nicht nett bei ihnen?«

»Wir passen einfach nicht zusammen.« Er seufzte, wusste bereits jetzt, was als Nächstes kommen würde.

»Aber das Problem ist doch nicht neu, Jona. Du bist schwer zufriedenzustellen, das sagst du selbst. Und es ist in einem Familienverband bestimmt einfacher als in einem Studentenwohnheim, wo du mit noch viel mehr Menschen zurechtkommen musst.« Sie wartete, vermutlich auf seine Entgegnung, und als die nicht kam, setzte sie fort: »Wir haben es so oft besprochen, weißt du nicht mehr?«

»Doch. Ich glaube allerdings nicht, dass es diesmal an mir liegt. Es gibt eine Menge Leute hier, mit denen ich mich toll verstehe.« Er schloss gequält die Augen. Eine Menge, klar. Zwei? Pascal und Marlene, die er belogen hatte und die ihn nun mied. »Ich bin sogar auf eine Party eingeladen.«

Super, nun hörte er sich an wie ein gemobbter Zwölfjähriger, der erstmals mit den anderen spielen durfte.

»Das ist schön, Schätzchen«, sagte seine Mutter milde. »Aber ganz allein in einem Studentenwohnheim zurechtzukommen, ist doch noch eine andere Sache. Besprechen wir das, wenn du achtzehn bist, ja? Bis dahin sind die Helmreichs sicher die bessere Lösung.«

»Finde ich auch«, warf sein Vater ein.

Jona kannte die beiden gut genug, um zu wissen, dass er heute mit jeder weiteren Argumentation gegen Gummiwände laufen würde. Sie hatten keine Lust, das Thema noch einmal aufzurollen.

Er erzählte ihnen ein paar Belanglosigkeiten aus den letzten Tagen, wünschte ihnen einen schönen Abend und legte dann auf.

Draußen regnete es immer noch.

Das Bedürfnis, irgendjemandem von seinen Beobachtungen rund um Schratter zu erzählen, war am nächsten Tag so stark, dass Jona beschloss, Pascal zu überfallen. Einfach so.

Er klingelte um halb zehn an dessen Haustür und eine Frau um die vierzig öffnete. Mit Pferdeschwanz, in Laufdress und gerade damit beschäftigt, die Oberarmtasche mit ihrem Handy festzuziehen.

»Du bist …?« Sie sah ihn aus großen grünen Augen an.

»Jona.«

»Und du willst zu …?

»Pascal.«

»Dachte ich mir.« Sie winkte ihn an sich vorbei ins Haus. »Er schläft noch, aber weck ihn ruhig. Frühstück steht auf dem Tisch.«

Nachdem Pascal bisher noch nie Hemmungen gehabt hatte,

sich einfach selbst einzuladen, fand Jona nicht, dass er groß Rücksicht nehmen musste. Er lief die Treppe hinauf, klopfte mehrmals kräftig gegen Pascals Zimmertür und öffnete sie schließlich.

Sein Klopfen hatte Pascal nicht geweckt. Er schlief auf dem Rücken, mit offenem Mund, und wachte erst auf, als Jona direkt neben seinem Ohr mit den Fingern schnippte.

Dann allerdings war er innerhalb von kaum fünf Sekunden voll da. »Hey«, strahlte er. »Großartige Idee, hier aufzutauchen. Gib mir ein paar Minuten, dann mache ich uns Kaffee.«

Das Frühstück bei Familie Bittner war deutlich abenteuerlicher als die Brot-Butter-Marmelade-Variationen, die Silvia täglich auftischte. Jona entdeckte Heringssalat ebenso wie eine halbe Ananas und ein Schüsselchen mit Marshmallows.

»Ausgewogen«, stellte er fest.

»Oh ja, da legt Mama Wert drauf«, grinste Pascal, während er erstaunlich routiniert Milch aufschäumte. »Irgendwo gibt es sicher auch noch selbst gepressten Saft. Wenn du Glück hast, ist es Orange, mit etwas Pech kann dir aber auch Sauerkrautsaft passieren.«

Jona griff nach Apfelspalten, einem gekochten Ei und einem rosa Marshmallow. Ob er hier unterkommen konnte? Hatte die Familie ein Gästezimmer?

»Wir könnten heute skateboarden gehen, ein paar Freunde von mir treffen sich am Skatepark. Lust?«

»Absolut nicht«, sagte Jona und steckte sich ein Stück Apfel in den Mund.

»Okay.« Pascal wirkte keine Spur beleidigt. »Was machen wir dann?«

»Mathe?« Ungerührt beobachtete Jona Pascals täuschend

echte Imitation eines Erstickenden, der vom Stuhl rutscht. »Und im Gegenzug erklärst du mir, wie ich mich mit einem Mädchen versöhne, das mich für einen verlogenen Feigling hält.«

Pascal rappelte sich wieder hoch. »Oh, das kannst du auch gratis haben, ganz ohne Mathe.« Er griff nach einer Scheibe Brot. »Im Ernst, wir haben Wochenende. Geht es um diese Marlene?«

»Ja.«

»Hast du sie denn wirklich belogen?«

Jona lachte auf. »Und wie. Ich habe einen Brief aus der Post der Lichtenbergers geklaut, und als sie mich dabei ertappt hat, wie ich ihn zurückgeben wollte, behauptet, es wäre ein Beileidsschreiben. Vor ein paar Tagen habe ich ihr Elanus hinterhergeschickt und sie hat ihn gesehen. Da habe ich nicht nur verschwiegen, dass die Drohne mir gehört, sondern auch völlig ungläubig getan, als Marlene meinte, sie fühle sich beobachtet.« Er überlegte einen Moment lang. »Ja, und außerdem hat sie ja einen dieser tollen Texte von mir bekommen, aber über den haben wir noch nicht geredet. Wahrscheinlich liegt er ungelesen und zerquetscht am Boden ihrer Handtasche.«

Je länger Jona gesprochen hatte, desto breiter war das Grinsen in Pascals Gesicht geworden. »Kompliment. Das ist ziemlich beachtlich. Ich schätze, da wird es nicht einfach, sie davon zu überzeugen, dass du *nicht* verlogen bist. Von hinterhältig ganz zu schweigen.«

Sehr ermutigend. »Und? Tipps?«

Bedächtig strich Pascal Butter auf sein Brot. »Charme und irgendwelche originellen Tricks werden da nicht reichen. Ich befürchte, dir bleibt nur eine Möglichkeit.«

»Na toll. Welche?«

Pascal richtete sein Buttermesser auf Jona, als wäre es ein Degen. »Totale Offenheit. Du musst ihr die Wahrheit sagen, auch wenn du dabei wie der letzte Idiot dastehst.«

Das war es nicht gewesen, was Jona hatte hören wollen. Obwohl es zweifellos stimmte. *Einmal pro Tag die Wahrheit sagen, obwohl lügen viel einfacher wäre …*

Wenn er durchzog, was Pascal ihm vorschlug, hatte Marlene ihn in der Hand. Sie musste ihn nur beim Rektor verpfeifen …

Apropos Rektor. »Sag mal, bist du eigentlich je Dr. Schratter begegnet? Du wohnst ja immerhin schon ewig hier.«

»Aber ich bin nicht an der Uni«, antwortete Pascal mit vollem Mund. »Ich habe nur das eine oder andere über ihn gehört.«

»Was denn zum Beispiel?«

»Dass er ziemlich genau und gewissenhaft sein soll. Es gibt einige hier, die ihn nicht mögen und gern wieder jemand anders im Amt hätten.«

»Sie mögen ihn nicht?«

Schulterzucken. »Niemand kennt ihn so richtig, er ist ja noch nicht lange hier. Aber es gibt merkwürdige Gerüchte. Mein Vater sagt, er hat bei ein paar Leuten den Eindruck, dass sie richtig Angst vor Schratter haben.« Pascal setzte eine gespielt wichtige Miene auf. »Und Papa sieht so was. Er ist Psychologe.«

Angst. Also doch. Das passte dann auch zu den Wutanfällen hinter den verschlossenen Türen und Fenstern seines Büros.

Jona bohrte nicht weiter. Er und Pascal verbrachten die nächsten zwei Stunden mit YouTube-Videos vor dem Computer, aber Jona war nicht bei der Sache. Die Vorstellung, Marlene die Wahrheit sagen zu müssen, war Angst einflößend. Da war es besser, den Kontakt abzubrechen.

Allein der Gedanke tat weh. Er hatte noch nie jemanden wie Marlene gekannt, und auch wenn er nicht in sie verliebt war – nein, er *war* nicht in sie verliebt –, wollte er nicht auf ihre Gesellschaft verzichten. Auf ihre Meinung. Ihre Sicht der Dinge.

Kurz nach Mittag verabschiedete er sich von Pascal, ging aber nicht nach Hause, sondern eine Runde spazieren. Er wollte in Ruhe nachdenken und merkte daher erst, dass er den Weg zum Haus der Lichtenbergers eingeschlagen hatte, als er fast schon dort war.

Sofort machte er wieder kehrt. Beate Lichtenberger kannte ihn und würde sich zu Recht fragen, was er hier schon wieder suchte.

Er verfiel beinahe in Laufschritt, so eilig hatte er es, wieder wegzukommen, obwohl er gleichzeitig gern gewusst hätte, was sich hinter den roten Vorhängen abspielte.

Angenommen, er bekäme Zugriff auf Beate Lichtenbergers Handynummer – würde er Elanus hier vorbeischicken?

Auf keinen Fall, sagte er sich, während er gleichzeitig voller Unruhe feststellte, dass er die Nummer gar nicht brauchte. Er konnte seine Drohne per Hand hierhersteuern, das war überhaupt kein Problem.

Hatte eigentlich die Beerdigung schon stattgefunden?

Vor der Haustür der Helmreichs zögerte Jona erneut. Am liebsten wollte er reingehen, sich in seinem Zimmer verschanzen und dort in Ruhe seine nächsten Schritte überlegen. Aber was, wenn Martin ihn abfing und ihm wieder irgendwelche Schwachsinnsarbeiten übertrug? Der zweite Teil des Rasens war noch nicht vom Laub befreit …

Die Entscheidung wurde Jona abgenommen, denn die Tür

sprang auf und Kerstin kam heraus. »Oh, hi«, sagte sie und drehte sich wieder um. »Er ist jetzt da, Mama, also keine Sorge mehr. Dafür bin ich weg, kann spät werden!«

Er hätte Kerstin mit Freuden erwürgt; das war es also gewesen mit dem unauffälligen Nach-Hause-Kommen. Aber er konnte immer noch behaupten, die Kopfschmerzen wären zurückgekehrt, falls Silvia mit ihm gemeinsam Kuchen backen wollte.

Tatsächlich erwartete sie ihn gleich hinter der Tür. »Ich habe ein paarmal versucht, dich anzurufen. Warum gehst du nicht ans Handy?«

»Das habe ich nicht gehört.« Er zog das Telefon hervor und ihm fiel wieder ein, dass er es lautlos gestellt hatte, als er bei Pascal gewesen war. »Tut mir leid. War es wichtig?«

»Es war … na ja.« Sie schien unsicher. »Ich muss doch wissen, wo du bist und was du tust. Immerhin bin ich für dich verantwortlich, deinen Eltern gegenüber.«

Das war jetzt aber albern. »Ich bin siebzehn. Kein Krabbelkind mehr.«

»Das weiß ich. Trotzdem.«

Sie sah mitgenommen aus, das musste aber andere Gründe haben, da war Jona sicher. Er war keinem Mitglied der Familie Helmreich so sehr ans Herz gewachsen, dass ein paar Stunden Abwesenheit am helllichten Tag für Aufregung sorgen würden.

»Tut mir leid, ich habe nicht vor, mich hier an- und abzumelden. Das war so nicht abgesprochen und meine Eltern würden es auch niemals verlangen.«

Silvia wischte sich über die Stirn. »Das … kann ich ja verstehen. Aber es wäre in unserer ersten gemeinsamen Zeit wirklich hilfreich. Wenigstens eine oder zwei Wochen lang, hm?«

Entschieden schüttelte Jona den Kopf. »Nein. Tut mir leid,

daraus wird nichts. Ich treibe mich nicht nächtelang herum, so viel kann ich versprechen, aber alles andere …« Er ließ den Satz im Nichts enden und ging zur Treppe.

»Weißt du, Jona –«, begann Silvia erneut, aber er fiel ihr ins Wort. »Ich muss mich auf ein paar wichtige Dinge morgen vorbereiten. Termine.« Er ging die ersten Stufen hoch, drehte sich dann aber, einer plötzlichen Eingebung folgend, um. »Sag mal, bist du eigentlich Rektor Schratter schon einmal begegnet?«

Silvia prallte förmlich zurück, legte dabei unwillkürlich eine Hand vor den Mund. Wieso denn das? Hatte sie ihn falsch verstanden?

»Dr. Carl Schratter.« Jona sprach diesmal besonders deutlich. »Der Rektor. Ich wollte bloß wissen, ob du ihn kennst.«

»Nein.« Kein Zweifel, Silvia war deutlich blasser geworden. Und sie log. »Ich … habe ihn nur ein paarmal aus der Entfernung gesehen, aber nie … richtig mit ihm gesprochen. Warum?«

Viel spannender: Warum verstört dich meine Frage so?, dachte Jona. Sagte es aber natürlich nicht. »Nur, weil ich demnächst einen Termin mit ihm haben werde und gern gewusst hätte, wie er so tickt. Aber – kein Problem. Ich bekomme das auch so hin.«

Er nutzte Silvias sichtliche Verwirrung dazu, die restlichen Treppenstufen hinaufzulaufen, immer zwei auf einmal. Meine Güte, die Frau hatte vielleicht einen Knall.

Oder, dachte er, während er wieder einmal seine Tür absperrte, sie weiß etwas über Schratter, das sie sofort die Nerven verlieren lässt, sobald sein Name fällt.

Gab es eine Verbindung zwischen ihm und ihr? Was machte die Vorstellung, jemand könnte denken, sie würden einander kennen, für Silvia so furchtbar?

Okay, eine naheliegende Erklärung gab es natürlich, aber Jona konnte sich nicht vorstellen, dass Schratter großen Wert auf eine Affäre ausgerechnet mit jemandem wie Silvia Helmreich legen würde. Die Frau war weder unterhaltsam noch besonders klug. Durchschnittlich hübsch für ihr Alter, ja – aber reichte das?

Jona stellte sich ans Fenster und sah hinaus. Es konnte ihm im Grunde doch völlig egal sein, ob Silvia etwas mit Schratter hatte.

Vielleicht gehörte sie ja auch nur zu den Leuten, die sich vor ihm fürchteten, obwohl Jona wirklich nicht begriff, aus welchem Grund. Und er würde sich auch nicht weiter den Kopf darüber zerbrechen, er hatte gerade eine viel wichtigere Frage zu lösen. Marlene. Wenn es wenigstens nur eine einzige Lüge gewesen wäre, die er zu gestehen hatte.

Er starrte aus dem Fenster auf die Straße, auf die Bäume, deren Äste sich im immer stärker werdenden Wind bewegten.

Eine halbe Stunde später hatte er sich durchgerungen. Die Vorstellung drehte ihm zwar beinahe den Magen um, aber er würde Marlene die Wahrheit sagen.

Nein, mehr noch: Er würde sie ihr zeigen.

16

Am nächsten Morgen verließ er das Haus deutlich bepackter als die Woche zuvor. In seinem Rucksack hatte er das Notebook verstaut, aber Elanus konnte er nur im Koffer transportieren. Am liebsten hätte er ihn mit Handschellen an sich festgekettet. Doch weder im Bus noch auf dem Campus schenkte ihm irgendjemand besondere Aufmerksamkeit. Es gab genug andere Studenten, die ähnliche Koffer mit sich trugen.

Trotzdem suchte er sich im Hörsaal einen Platz ganz am Rand und stellte den Koffer zwischen seinen Stuhl und die Wand. Er war früh dran, außer ihm waren nur acht andere Studenten da, die ihm zur Begrüßung zwar zunickten, ihn aber ansonsten nicht beachteten.

Marlene belegte diesen Kurs auch, Jona hoffte, sie würde ihm zumindest so weit verziehen haben, dass sie sich neben ihn setzte.

Aber sie kam nicht. Der Hörsaal füllte sich, fünf Minuten nach der offiziellen Beginnzeit war er voll und Marlene immer noch nicht da. Widerwillig gab Jona den Versuch auf, den Platz neben sich freizuhalten.

Möglichst unauffällig checkte er sein Handy, das erwartungsgemäß keine neuen Nachrichten anzeigte. Logisch. Als ob Marlene ihm Bescheid geben müsste, wenn sie eine Vorlesung verpasste.

Vielleicht würde er ein paar Punkte bei ihr sammeln, wenn er mitschrieb? Und ihr bei nächster Gelegenheit perfekte Unterlagen zur Verfügung stellen konnte?

Jona holte sein Notebook aus dem Koffer und klappte es auf. Zu Hause hatte er vorsorglich alle Programme geschlossen, damit auch nicht die geringste Gefahr bestand, dass jemand die Elanus-Software zu Gesicht bekam. Nun öffnete er die Textverarbeitung und begann mitzutippen, was der Dozent von sich gab. Er konzentrierte sich aufs Wesentliche – Marlene musste sich wirklich nicht mit dem ausschweifenden Gelabere belasten, das der Typ zur Verwirrung aller in seinen Vortrag packte.

Sie tauchte bis zum Ende der Lehrveranstaltung nicht auf. Jona bezweifelte, dass sie verschlafen hatte. Viel eher war sie krank. Oder – *war ihr am Wochenende etwas zugestoßen?*

Ich habe echt einen Vogel, dachte er, während er seine Sachen zusammenpackte. *Ich kenne die Frau praktisch nicht. Warum, zum Henker, geht sie mir nicht aus dem Kopf?*

Die Antwort, die er sich selbst darauf gab, war ebenso kurz wie traurig: Weil sie besonders war, ja, aber auch, weil es sonst niemanden hier gab, mit dem er sich auch nur annähernd auf einer Wellenlänge befand. Von Pascal abgesehen, aber der lebte in einer völlig anderen Welt.

Toll, jetzt versank er auch noch in Selbstmitleid.

Energisch schnallte Jona sich den Rucksack um und griff sich den Alukoffer. Eine Stunde Zeit bis zur nächsten Vorlesung. Er würde ins Café gehen. Ein bisschen im Netz surfen. Vielleicht ein paar andere Leute kennenlernen.

Der Tisch, an dem er beim letzten Mal mit Marlene gesessen hatte, war frei und Jona setzte sich ganz automatisch wieder dorthin. Er bestellte und holte das Notebook heraus.

Acht neue Mails. Vier davon Werbung, zwei von Mitgliedern des Technikforums, in dem er gelegentlich schrieb. Eine von seiner Mutter. Eine von Carl Schratter.

Jona klickte auf die Mail des Rektors, halb erwartungsvoll, halb beklommen.

Lieber Jona!
Wenn Sie kurzfristig Zeit finden, würde ich mich freuen, Sie heute um 17.30 Uhr im kleinen Besprechungsraum des Rektorats zu treffen. Sehr gerne beantworte ich Ihnen dann alle Fragen rund um Ihren Lehrplan, etwaig vorverlegte Prüfungstermine und alles, was Ihnen sonst noch auf dem Herzen liegt.
Der Raum befindet sich im gleichen Gang wie mein Büro und hat die Nummer 2.14. Ich bitte um kurze Bestätigung bzw. Absage des Termins.

Mit freundlichen Grüßen
Dr. Carl Schratter

Jona spürte jetzt erst, dass er sich auf die Unterlippe biss, ziemlich fest. Also würde er Schratter endlich kennenlernen. Sich ein eigenes Bild von diesem Mann machen können, vielleicht sogar herausfinden, warum Silvia so bestürzt gewesen war, bloß bei der Nennung seines Namens.

Er schrieb zurück, dass er sich freue, und bestätigte die Uhrzeit. Erst nachdem er die Mail abgeschickt hatte, erkannte er sein Dilemma. Sein Nachmittagsseminar endete erst um fünf Uhr – er würde nicht genug Zeit haben, um Elanus nach Hause zu bringen und pünktlich wieder zurück zu sein.

Das bedeutete, er würde den Koffer bei dem Gespräch mit Schratter dabeihaben müssen. War es denkbar, dass der Rektor ihn bat, einen Blick hineinwerfen zu dürfen? Schwer vorstellbar. Aber nicht unmöglich. Vielleicht tickte Schratter ja wirklich seltsam.

Den Koffer irgendwo anders zu deponieren, kam jedoch erst recht nicht infrage. Das Seminar zu schwänzen, ebenfalls nicht – Quatsch, worüber machte Jona sich eigentlich Gedanken? Er würde Schratter die Hand schütteln, ein paar Minuten mit ihm plaudern und einen guten Eindruck hinterlassen. Mehr nicht.

Er war zu früh dran. Erst siebzehn Uhr zwanzig. Jona stand vor der Tür des Besprechungsraums, unschlüssig, ob er anklopfen sollte. Von drinnen waren keine Stimmen oder Geräusche zu hören, wahrscheinlich war der Raum leer. Auch der Gang lag verlassen da, das Sekretariat war seit fünf Uhr nicht mehr besetzt.

Dann näherten sich Schritte. Nicht der Rektor, wie Jona mit einem schnellen Blick feststellte, sondern – Aron. Ausgerechnet.

Er war noch ganz am anderen Ende des Gangs und schien Jona bisher nicht erkannt zu haben. Der traf seine Entscheidung schnell, öffnete die Tür und schlüpfte ins Besprechungszimmer. Aron jetzt zu begegnen, war keine gute Idee. Mit ein bisschen Pech würde Schratter sie beide dann mitten in einem heftigen Streit erwischen. Jona kannte sich selbst gut genug, um zu wissen, dass er seine ganze Vernunft über Bord werfen konnte, wenn man ihn nur ausreichend reizte.

Der Raum war tatsächlich leer. Jona hörte draußen Arons

165

Schritte, die kurz vor der Tür verharrten – wollte er etwa hereinkommen? –, sich dann aber schnell entfernten.

Alles in allem war es gar nicht schlecht, als Erster hier zu sein. Jona konnte den Koffer mit Elanus unter dem Tisch deponieren, so würde Schratter ihn erst gar nicht sehen und daher auch keine Fragen stellen.

Sieben Minuten vor halb. Genug Zeit, ein paar Patiencen auf dem Handy zu legen, dafür reichte der Akku auf jeden Fall noch. Jona spielte, gewann zweimal, verlor einmal – aber die Patience war unlösbar gewesen.

Mittlerweile war es drei nach halb – sieh an, Schratter verspätete sich. Nicht sehr, allerdings näherten sich jetzt wieder Schritte. Jona legte sein Handy beiseite und stand auf, doch die Tür öffnete sich nicht. Es gab nur ein kurzes, metallisches Geräusch, dann hörte er wieder Schritte. Die sich diesmal entfernten.

Jona war unschlüssig stehen geblieben. Dieses Geräusch – hatte jemand die Tür abgesperrt? Er ging hin, legte die Hand auf die Klinke, drückte sie hinunter und hätte beinahe losgelacht. Tatsächlich. Abgeschlossen. Wenn das kein guter Witz war.

Seufzend kehrte er zu seinem Stuhl zurück und setzte sich wieder. In ein paar Minuten würde Schratter da sein, der bestimmt einen Schlüssel für das Besprechungszimmer besaß.

Zwei Patiencen später war vom Rektor aber immer noch keine Spur zu sehen. Jona hörte zu spielen auf, er würde jedes bisschen Akku brauchen, falls Schratter den Termin vergessen hatte.

Was merkwürdig gewesen wäre – immerhin hatte er ihn selbst vorgeschlagen, und zwar erst heute. So schlecht konnte sein Gedächtnis nicht sein.

Einmal mehr bedauerte Jona, dass man ihm Schratters Handynummer nicht gegeben hatte. Diesmal hätte er sie ganz vorschriftsmäßig benutzt. Um anzurufen.

Um sechs Uhr war der Rektor immer noch nicht da und der Akkustand des Handys nur noch bei fünf Prozent. Wenn Jona jetzt nicht aktiv wurde, hatte er später vielleicht keine Chance mehr dazu.

Er rief Kerstin an, bei der nach dem vierten Läuten die Sprachbox ansprang. Shit. Ein Anruf bei Silvia lieferte das gleiche Ergebnis. Das konnte alles nur ein schlechter Scherz sein.

Vier Prozent noch. Jona wog seine Möglichkeiten ab und beschloss, das zu tun, was er sich schon seit heute Morgen wünschte. Auf die Gefahr hin, dass Marlene genervt sein oder es für einen miesen Trick halten würde.

Aber immerhin ging sie ran, Gott sei Dank.

»Oh. Hi.« Begeistert klang sie allerdings nicht.

»Es tut mir total leid, dass ich dich störe, aber du musst mir bitte helfen. Ich bin eingeschlossen.«

»Du bist was?« Sie hörte sich wirklich seltsam an. Als hätte sie geweint. Oder –

»Bist du erkältet?«

»Na und wie. Nase zu, Nebenhöhlen zu, das ganze Programm.«

»Oh. Meinst du, du kannst mir trotzdem helfen? Ich sitze in einem Besprechungsraum in der Nähe von Schratters Büro, das Zimmer hat die Nummer 2.14. Schratter hätte vor einer halben Stunde hier sein sollen, um mich zu treffen, aber ich fürchte, er kommt nicht mehr.« Er sprach nun immer schneller. »Jemand hat den Raum von außen zugesperrt und mein Handy hat auch gleich keinen Saft mehr. Ich möchte nicht so gerne hier übernachten.«

Marlene hustete ins Telefon. »Hör mal«, sagte sie heiser, »wenn das ein Witz ist, hast du anschließend ein Problem.«

»Kein Witz. Ich schwöre.«

»Okay. Ich kümmere mich darum.« Sie legte auf. Jona warf einen Blick auf sein Handy. Zwei Prozent waren noch geblieben. Warum hatte er nicht daran gedacht, ein Ladekabel mitzunehmen?

Dafür hatte er sein Notebook dabei. Falls Marlene nichts ausrichtete, konnte er versuchen, über Facebook Hilfe zu holen. Irgendjemand, den er kannte, würde wohl online sein.

Ein Geräusch ließ ihn hochfahren. Ein Quietschen wie von einer sich öffnenden Tür. Dann leise Schritte auf dem Gang.

Jona sprang auf und lief zur Tür. »Hallo? Hallo, hören Sie mich? Ich bin versehentlich hier eingesperrt worden.«

Die Schritte näherten sich. Verharrten vor der Tür.

»Ich bin Jona Wolfram, ich war hier mit dem Rektor verabredet. Hallo? Können Sie bitte jemanden suchen, der einen Schlüssel für den Raum hat?«

Keine Reaktion, aber Jona war fast sicher, draußen jemanden atmen zu hören. Das durfte doch nicht wahr sein. Wieder hämmerte er gegen die Tür, mit aller Kraft. »Holen Sie bitte Hilfe.«

Immer noch kein Ton von der anderen Seite. Nichts, was darauf schließen ließ, dass dort jemand stand. Trotzdem wusste Jona es, mit aller Sicherheit. Nicht nur deshalb, weil er niemanden weggehen gehört hatte, sondern auch, weil er die Anwesenheit des anderen fast körperlich spüren konnte.

Sollte das ein Streich sein? Oder war es …

»Dr. Schratter?«, fragte er unsicher. »Sind Sie das?«

Diesmal war nur ein gedämpftes Auflachen zu hören. Dann nichts mehr. Stille.

Plötzlich war die Situation nicht mehr unangenehm, sondern schlichtweg unheimlich. »Wer immer da auch draußen ist«, sagte Jona und kämpfte darum, seine Stimme fest klingen zu lassen, »ich finde das nicht witzig. Holen Sie bitte jemanden, der aufsperren kann, falls Sie das nicht können.«

Immer noch nichts. Dann etwas wie … ein Kratzen. Wie von Fingernägeln, die langsam über das Türblatt gezogen wurden.

Jona wich zurück. Da stimmte etwas ganz und gar nicht. Er hätte gern an einen dummen Streich seiner Mitstudenten geglaubt – immerhin war Aron vorhin erst hier rumgelaufen –, aber dass Schratter sich für so etwas einspannen ließ, war absolut undenkbar. Er stellte sich ans Fenster und sah nach unten. Da war nur ein kleiner Lichthof, nicht der Campus, er konnte also auch nicht nach draußen rufen.

Was er konnte, war Elanus starten. Ihn in diesem Hof hochsteigen und dann übers Dach fliegen lassen. Auf der anderen Seite die Flughöhe senken – nein. Dann würde er zwar durch die Fenster mancher Büros spähen können, aber trotzdem nicht sehen, wer da im Gang vor seiner Tür stand und versuchte, ihn einzuschüchtern. Denn darum ging es, keine Frage.

Zehn Minuten, seit er mit Marlene gesprochen hatte. Wie lange würde sie brauchen? Wahrscheinlich musste sie erst aufstehen und sich anziehen – sonderlich eilig würde sie es nicht haben. Warum auch.

Jona schlich zur Tür. Presste vorsichtig sein Ohr dagegen; der Typ auf der anderen Seite sollte nichts davon mitbekommen. Mit angehaltenem Atem lauschte Jona auf jedes kleinste Geräusch, doch er hörte nichts außer dem Rauschen seines eigenen Blutes und dem Pochen seines Herzens.

Das Gefühl, dass in unmittelbarer Nähe jemand anwesend

war, hatte sich verflüchtigt. Kein Atmen da draußen. Kein Kichern. Aber eingebildet hatte er sich das vorhin nicht, nein, natürlich nicht, es hatte ja auch jemand an der Tür gekratzt …

Ein Schlag. Ein Krachen, aus dem Nichts. Die Tür erbebte, als hätte jemand einen harten Gegenstand dagegengedroschen, Jona schrie auf. Er konnte es nicht verhindern, ebenso wenig wie er das Rasen seines Herzens im Zaum halten konnte.

Er wich bis zur gegenüberliegenden Wand zurück, gleich würde die Tür zersplittern, und wer auch immer es war, der dann zu ihm hereinkommen würde, er hatte nichts Freundliches im Sinn. Hektisch sah Jona sich um – gab es hier irgendetwas, womit er sich verteidigen konnte?

Der Alukoffer. Jona konnte dem Angreifer den Koffer inklusive Elanus um die Ohren hauen, in der Hoffnung, dass der Drohne dabei nichts passierte.

Doch es blieb bei dem einen Schlag, und wenn Jona sich nicht täuschte, waren nun Schritte zu hören. Die sich entfernten.

Trotzdem ging er nicht wieder näher an die Tür heran. Noch nicht. Der Schock von eben saß ihm noch zu tief in den Gliedern.

Andererseits – wenn der Schlag eben nur ein Ablenkungsmanöver dafür gewesen war, dass gleichzeitig aufgesperrt worden war? Langsam und so lautlos wie möglich kehrte er zur Tür zurück. Packte die Klinke, drückte sie nach unten.

Verschlossen. Nach wie vor.

Wer, zum Teufel, tat ihm das hier an? Und warum?

Vielleicht würde nun gleich jemand kommen. Dieser Krach musste durchs ganze Gebäude zu hören gewesen sein, da musste doch jemand nachsehen, was passiert war.

Aber es blieb totenstill.

Jonas Handy hatte sich mittlerweile ausgeschaltet, Marlene war immer noch nicht da – wenn sich das innerhalb der nächsten zehn Minuten nicht änderte, würde er versuchen, jemanden per Twitter oder Facebook über seine Lage zu informieren.

Doch so weit kam es nicht. Knapp drei Minuten später klopfte es an der Tür. Kräftig, aber nicht so, als wolle jemand sie einschlagen.

»Jona? Bist du da drin?« Marlene. Endlich. Die Türklinke wurde heruntergedrückt, mehrmals. »Da ist echt abgesperrt.«

»Ja. Danke, dass du gekommen bist. Aber sei bitte vorsichtig. Siehst du sonst noch irgendjemanden? Kann auch sein, dass er sich versteckt.«

»Was?« Sie klang nur ungläubig, nicht genervt. »Wovon redest du, Jona?«

»Egal. Hol mich bitte raus. Hier stimmt etwas ganz und gar nicht.«

»Gut. Ich bin in ein paar Minuten zurück.«

Jona atmete tief durch. Diesmal würde er sich ablenken. Er holte sein Notebook aus dem Rucksack und loggte sich ins WLAN ein. Checkte seine Mails.

Nein, da war keine Absage von Schratter. Was für ein mieser Typ. Erst einen so kurzfristigen Termin vorschlagen und ihn dann nicht einhalten, das war nicht die feine Art. Auf irgendeine Weise würde Jona ihm das auch klarmachen, Rektor hin oder her.

Marlene war innerhalb von fünf Minuten wieder zurück. Ein Schlüssel drehte sich im Schloss und ein älterer Mann in Jeans und Turnschuhen winkte Jona heraus.

»Das ist Herr Markowski, unser Hausmeister«, erklärte Marlene. »Ich habe ihn zum Glück gleich gefunden.«

»Das nächste Mal machst du dich bemerkbar, wenn du hörst, dass jemand absperrt«, brummte Markowski. »Braucht ihr sonst noch etwas?«

»Nein. Vielen Dank.« Marlene schüttelte dem Mann die Hand.

Jona tat es ihr nach. »Doch«, sagte er, »ich hätte noch eine Frage. Sie waren es nicht, der hier abgeschlossen hat, oder?«

»Nein. Ich schließe nur dort ab, wo es etwas zu klauen gäbe, aber hier …« Er ließ seinen Blick durch den kahlen Raum schweifen. »Nein.«

»Wer könnte es dann gewesen sein? Wer hat einen Schlüssel?«

Der Hausmeister überlegte kurz. »Na ja, außer mir noch Dr. Schratter, die beiden Vizerektoren, und einer hängt im Sekretariat. Den kann sich jeder nehmen und damit von innen absperren, wenn er bei einer Besprechung ungestört sein will.«

Na toll. Das machte es praktisch unmöglich, den Kreis der infrage kommenden Personen einzuschränken. »Danke. Und tut mir leid, wenn ich Umstände gemacht habe.«

Markowski winkte ab und ging.

»Und wie wäre es mit: Danke, Marlene?« Sie hatte sich an die Wand gelehnt und die Arme vor der Brust verschränkt. Erst jetzt bemerkte Jona, dass sie wirklich mitgenommen aussah. Geschwollene Nase, rot geäderte Augen.

»Das wäre das Nächste gewesen, was ich gesagt hätte.« Sollte er ihr anbieten, sie nach Hause zu bringen? Oder war sie immer noch sauer auf ihn?

»Was schleppst du da eigentlich mit dir rum?« Sie deutete auf den Alukoffer. »Den habe ich bisher noch nicht bei dir gesehen.«

Jona blickte auf den Koffer, als wäre er ihm selbst unbekannt, um wenigstens ein paar Sekunden Zeit zu gewinnen. Er hatte ihn mitgenommen, um Marlene Elanus zeigen zu können, aber das war für den Moment undenkbar. Er fühlte sich nicht sicher genug, nicht nach dem, was heute Abend vorgefallen war.

»Ich zeige es dir«, sagte er. »Versprochen. Aber nicht jetzt, okay?«

Sie nickte, als hätte sie nichts anderes erwartet. »Sieht aus, als hätte ich einen Punkt von deiner Liste für dich abgearbeitet«, sagte sie. »Einmal pro Tag jemandem unter die Arme greifen, der es nicht zu schätzen weiß.«

Damit drehte sie sich um und ging.

»Hey«, rief Jona ihr nach. »Bitte. Ich meine es genau so, wie ich es sage. Ich habe El– …, also, das hier extra für dich mitgenommen, aber –« Er lief ihr ein Stück nach. »Darf ich dich noch begleiten? Bis zu deinem Wohnheim?«

Marlene blieb stehen. »Darfst du nicht. Ich gehe jetzt dahin, wo ich hätte bleiben sollen. In mein Bett. Und wenn du mich nicht richtig sauer machen willst, dann lässt du mich für heute in Ruhe, klar?«

Für heute. Das war zumindest keine Abfuhr für immer.

»Okay. Aber es war nur nett gemeint, ehrlich.«

Sie sah ihn prüfend an. »Das glaube ich dir sogar. Bis bald.«

Jona sah ihr nach. Er dachte nicht einmal im Ansatz daran, ihr heimlich nachzugehen – so gerne er auch gewusst hätte, in welchem der Gebäude sie wohnte, aber irgendwie befürchtete er, sie würde aus unerfindlichen Gründen wissen, dass er ihr folgte.

17

Er nahm den Bus und war kurz nach halb sieben zu Hause. Als Erster – keines der beiden Autos stand vor der Tür und hinter sämtlichen Fenstern war es dunkel.

Im Grunde war Jona froh. Silvia oder Kerstin zu ertragen, wäre jetzt über seine Kräfte gegangen. Er hatte keine Ahnung, ob es ungewöhnlich war, dass sie um diese Zeit noch unterwegs waren – sollte in einer Stunde immer noch niemand zu Hause sein, würde er es noch einmal mit Anrufen versuchen.

Dass etwas nicht stimmte, wurde ihm allerdings sofort klar, als er sein Zimmer betrat. Auf den ersten Blick sah alles normal aus, unverändert. Aber jemand war hier gewesen und er hatte Spuren hinterlassen. Die Vorhänge waren weiter zugezogen als heute Morgen. Die Stifte auf dem Schreibtisch lagen anders und jemand hatte das Bett ein Stück von der Wand weggerückt, ohne es danach exakt wieder so zurückzuschieben, wie es gestanden hatte. Das ließ sich ganz leicht an den Abdrücken im Teppich feststellen.

Jona drehte sich einmal um die eigene Achse, registrierte weitere Details. Die Bücher im Regal waren nach vorne gerückt worden, einige von ihnen aber nicht wieder vollständig zurück an die Wand. Sein ungebetener Besucher hatte es eilig gehabt – und er hatte nach etwas gesucht.

Mit einem mulmigen Gefühl im Bauch öffnete Jona den

Schrank. Auch an seiner Kleidung hatte sich jemand zu schaffen gemacht. Der Stapel mit den Sweatern sah jetzt ordentlicher aus als vorher und die Hemden hingen enger an der Stange. Weiter links außerdem.

War das jemand von den Helmreichs gewesen? Oder ein Fremder? Der wusste, dass niemand zu Hause war. Und der, um sicherzugehen, Jona in einem Besprechungszimmer einsperrte.

Vermutlich waren sie zu zweit gewesen. Einer, der sicherstellte, dass Jona nicht plötzlich auftauchen würde, und einer, der das Zimmer durchsuchte.

Wonach, war völlig klar. Jonas Finger packten den Griff des Alukoffers fester. Dann war die Gestalt, die er letztens im Dunkeln auf der gegenüberliegenden Straßenseite gesehen hatte, doch kein harmloser Passant gewesen. Sie hatte Elanus beim Nachhausekommen beobachtet. Und ihn heute nur deshalb nicht gefunden, weil Jona Punkte bei Marlene hatte sammeln wollen.

Er setzte sich langsam aufs Bett. Was sollte er jetzt tun? Konnte er Elanus überhaupt wieder fliegen lassen, von hier aus? Jedenfalls war klar, dass er ihn von nun an nicht mehr einfach unter dem Bett verstecken durfte, wenn er zur Uni ging. Er musste ihn entweder mitnehmen oder sich ein wirklich gutes Versteck einfallen lassen.

Fürs Erste stellte er ihn in den Schrank und beschloss gleichzeitig, den Umstand zu nutzen, dass die Helmreichs nicht hier waren. Gut möglich, dass sich im Haus ein akzeptables Versteck fand. Eine Ecke, in die nie jemand sah, vielleicht auf dem Dachboden oder im Keller …

Er lief nach unten. Die Kellertür befand sich in der Diele, direkt neben dem Schuhregal – und sie war versperrt. Der Schlüssel steckte nicht, sondern hing vermutlich zwischen den dreißig anderen Schlüsseln an dem Board neben der Tür. Kein einziger davon war beschriftet.

Jona dachte nicht daran, sie alle einzeln auszuprobieren und dabei vielleicht von Kerstin erwischt zu werden. Oder gar von Silvia, die ihm vielleicht unterstellen würde, er wolle sich an ihre tiefgefrorenen Vorräte heranmachen.

Also zum Dachboden. Die Treppe, die hinaufführte, war mehr eine Leiter, und um ihn betreten zu können, musste man eine Klappe entriegeln und hochdrücken.

Immerhin gab es einen Lichtschalter und eine Glühlampe, die von einem Kabel an der Decke hing und alles in schwaches Licht tauchte. Alles, das waren hauptsächlich alte Möbel. Ein geblümtes Sofa, ein wackeliges Tischchen, drei hässliche Stehlampen, ein Kinderbett. Rechts von Jona lehnte ein Ölgemälde, das eine kaum bekleidete Frau zeigte, die mit einem Krug Wasser aus einer Quelle schöpfte. Kitsch pur. Ein solches Bild hätte Jona ebenfalls auf dem Dachboden versteckt, allerdings mit der bemalten Seite zur Wand.

Er fuhr mit dem Zeigefinger über die Oberfläche eines hölzernen Couchtischs, auf dem sich alte Bücher stapelten. Ja, staubig. Hier hatte lange niemand mehr geputzt. Vermutlich kamen Silvia und Martin nur dann hier rauf, wenn sie überflüssigen Kram aus dem Weg schaffen wollten.

Gleich links von Jona stand eine Scheußlichkeit in rosa Plastik: eine Kinderküche, erstaunlich groß, mit Herdplatten und Backrohr und Geschirrspüler. Und dahinter – ein Wickeltisch. Die ebenfalls verstaubte Auflage zeigte lila Bärchen auf rosa Hintergrund, die babyblaue Luftballons hielten. Selten hatte

Jona etwas so brechreizerregend Hässliches gesehen, aber das spielte keine Rolle, denn der Wickeltisch hatte einen kleinen, eingebauten Schrank. Zur Aufbewahrung von Windeln und ähnlichem Kram, schätzte Jona. Er öffnete ihn und schob den Alukoffer hinein. Passte perfekt. Das hier war also eine Möglichkeit, wenn auch eine ziemlich unbequeme. Er würde sie nur nutzen, wenn er Elanus für längere Zeit verstecken wollte, denn jeden Tag diese Leiter rauf- und wieder runterklettern zu müssen, war eine Zumutung. Und auffällig war es obendrein.

Das Knirschen von Reifen im Kies der Einfahrt riss ihn aus seinen Gedanken. Zumindest einer der Helmreichs war im Begriff, nach Hause zu kommen. Hastig schaltete Jona das Licht aus und stieg die Treppe nach unten. Den Koffer in einer Hand zu halten und mit der anderen die Klappe über sich zu schließen, ohne dabei abzustürzen, erwies sich als akrobatischer Akt. Aber er schaffte es, in seinem Zimmer zu sein, bevor er den Schlüssel im Schloss hörte. Der Koffer mit Elanus verschwand unter dem Bett und Jona schlenderte gemütlich hinunter ins Erdgeschoss, wo Martin in der Diele gerade dabei war, seine Jacke an den Haken zu hängen.

»Guten Abend.« Jona lächelte betont freundlich. »Ich dachte schon, es kommt gar keiner mehr und ich habe sturmfreie Bude.«

Martin wirkte müde, wie eigentlich immer, aber heute fiel es Jona besonders deutlich auf. »Tut mir leid«, murmelte er. »Kerstin und Silvia haben einen Termin, aber ich denke, sie werden bald da sein. Ich schätze, wir werden heute einfach kalt essen.« Sein Blick wanderte durch die Diele, hinüber zur Tür ins Wohnzimmer. Fiel ihm auch etwas auf? Dass jemand hier gewesen war?

Wenn ja, erwähnte er es jedenfalls nicht. Sie schwiegen beide, während Martin Brot aufschnitt und Jona den Tisch deckte.

Seine Gedanken waren zu Schratter zurückgekehrt, zu diesem seltsamen Treffen, das nicht zustande gekommen war, deshalb hätte er es gar nicht bemerkt, wäre die Katze nicht aufgetaucht. Doch plötzlich stand sie vor ihm, weiß mit schwarzen Flecken, und sah erwartungsvoll zu ihm hoch.

Die Helmreichs hatten keine Katze, woher also …

Jetzt spürte er auch den Luftzug und wandte sich um. Die Terrassentür stand einen Spalt offen. Martin hatte sie nicht geöffnet, das hätte Jona bemerkt, also konnte sie vorher nur angelehnt gewesen sein. Damit war geklärt, wie der Eindringling – oder die Eindringlinge – hereingekommen waren.

»Wir haben Besuch«, sagte Jona mit belegter Stimme.

Martin fuhr herum, sichtlich erschrocken. Ein bisschen *zu* erschrocken für den Anlass. »Was?«

Jona deutete auf die Katze. »Die ist gerade hier reingekommen. Die Terrassentür war auf.« Er ließ Martin nicht aus den Augen, sah genau, wie sich Erleichterung auf dessen Zügen ausbreitete. »Ach, das ist Prisko, der Kater von Frau Schachner. Der kommt immer wieder mal vorbei, und gelegentlich vergisst Silvia, die Tür zum Garten zu schließen. Setz ihn einfach raus, ja?«

Jona hob den Kater hoch, der sich das widerstandslos gefallen ließ, und brachte ihn vor die Tür. Kraulte ihn ein wenig unter dem Kinn und fragte sich, warum die Ankündigung von Besuch Martin so sehr erschreckt hatte.

Sie begannen zu essen, nachdem Silvia sich gemeldet und erklärt hatte, sie und Kerstin würden sich unterwegs eine Kleinigkeit holen.

Sosehr Jona Kerstins Gequatsche und Silvias Hektik ansonsten auf die Nerven gingen, sosehr wünschte er sie sich jetzt herbei. Alles war besser als Martins hilflose Versuche, Konversation zu betreiben. Es war unübersehbar, dass er in Gedanken anderswo war.

»Nicht ungefährlich, Türen offen stehen zu lassen, wenn niemand zu Hause ist«, sagte Jona in eine längere Gesprächspause hinein. »Gegenden wie diese sind das perfekte Revier für Einbrecher. Habt ihr eigentlich eine Alarmanlage?«

»Wir … nein.« Das Thema war Martin sichtlich unangenehm. »Es ist schon lange her, dass in der Straße so etwas zum letzten Mal passiert ist.«

»Hm.« Jona rollte ein Blatt Schinken zu einer Röhre zusammen. »Kann es sein, dass heute jemand im Haus war? Ich bin nicht sicher, aber ich habe das Gefühl, in meinem Zimmer waren einige Dinge … anders.«

»Unsinn.« Martins Antwort kam viel zu rasch. »Wenn, dann wird das eher daran liegen, dass Silvia aufgeräumt hat.«

»Das tut sie aber nie. Wir haben vereinbart, ich kümmere mich selbst um das Zimmer, um Staubsaugen und Wischen und alles.«

Auf Martins Stirn erschien eine steile Falte. »Vielleicht kümmerst du dich ja nicht ausreichend und sie hat dir ein wenig unter die Arme gegriffen. Denkbar?«

In Jona breitete sich ein vertrautes Gefühl aus, eine Mischung aus Wut und der unbändigen Lust, ihr freien Lauf zu lassen. Am besten stand er jetzt auf und ging einfach, sonst würde er Dinge sagen, die ihm später leidtaten.

»Wenn es war, wie du sagst«, begann er, »hat sie aber ziemlich versagt. Es ist nämlich keine Spur sauberer in meinem Zimmer, es sind nur ein paar Sachen verschoben worden. Unter anderem das Bett, unter dem aber trotzdem niemand gesaugt hat.«

Er wusste, was jetzt kam, schon bevor Martin den Mund aufgemacht hatte.

»Dann bildest du dir einfach etwas ein.« Mit etwas zu viel Schwung schenkte er sich frisches Wasser ins Glas, das prompt überschwappte. »Es sind ein paar Sachen verschoben – meine Güte. Ich weiß schon, du bist klug, aber auch du wirst dich nicht genau an die Position jedes einzelnen Bleistifts auf deinem Schreibtisch erinnern.«

Doch, das tat Jona. Er bemerkte, wenn Muster sich änderten, aber darüber würde er jetzt ganz bestimmt nicht diskutieren.

»Wenn du meinst«, sagte er kalt. »Du verstehst aber, dass ich dein mangelndes Interesse an einem möglichen Einbruch in deinem Haus nicht wirklich begreife?«

Martins Hand knallte auf die Tischplatte. »Da war kein Einbruch! Was ist denn los mit dir? Warum machst du solche Panik bloß wegen einer schlecht geschlossenen Terrassentür?«

Diesmal verkniff Jona sich, was ihm auf der Zunge lag. *Und warum wirst du so aggressiv wegen einiger harmloser Fragen?*

»Ich glaube, wir sind heute beide ein wenig müde«, sagte er stattdessen und stand auf. »Tut mir leid, wenn ich übertrieben habe.« Er räumte sein Geschirr in die Spülmaschine und lächelte Martin noch einmal zu, bevor er nach oben ging.

Er hätte zu gerne gewusst, ob jemand von der Familie ahnte, dass es Elanus gab. Ob einer von ihnen nach ihm gesucht hatte, vielleicht sogar Martin selbst.

Dass man Jona heute in der Uni eingesperrt hatte, war sicherlich kein Zufall gewesen und auch kein Versuch, ihn einfach zu quälen und zu erschrecken – nein, man wollte sicherstellen, dass er nicht überraschend nach Hause kommen würde. Hatte Silvias und Kerstins lange Abwesenheit den gleichen Grund? Die beiden trafen kurz vor zehn ein. Jona hörte noch gedämpfte Gespräche aus dem Erdgeschoss und dann Kerstins schnelle Schritte auf der Treppe. Wartete noch die unwahrscheinliche Möglichkeit ab, dass sie bei ihm reinsehen würde, und seufzte erleichtert, als sie an seiner Tür vorbeiging.

Er war gerade mal knappe zwei Wochen hier und hatte diese Familie schon so satt, dass er es kaum beschreiben konnte.

Bevor er sich schlafen legte, surfte er noch ein wenig auf seinem Notebook herum, ziellos und gedankenverloren. Fragte sich, wie es Marlene wohl ging. Wie gerne er ihr morgen etwas vorbeigebracht hätte – Honigbonbons oder Tee –, was aber leider nicht ging, da er ihren Wohnort nicht kannte und auch das Gefühl nicht loswurde, dass es Marlene lieber so war.

Zwischendurch trat er immer wieder ans Fenster und sah hinaus, doch nirgendwo entdeckte er nächtliche Beobachter.

18

Der nächste Tag begann so merkwürdig, wie der vorhergehende Abend aufgehört hatte. Jonas »Guten Morgen« wurde von Silvia nicht erwidert. Sie wischte mit fahrigen Bewegungen in der Küche herum und blickte nicht einmal hoch.

Weinte sie? Jona sah genauer hin. Ihr Rücken bebte leicht und jetzt wischte sie sich hastig mit dem Handrücken über die Augen.

»Ist alles in Ordnung?«, fragte er vorsichtig.

»Ja. Natürlich. Warum denn nicht?« Nun blickte sie hoch, allerdings an ihm vorbei. »Ich bin nur ein wenig verschnupft. Das geht rum im Moment, ich muss mich bei jemandem angesteckt haben.« Wie zur Bestätigung holte sie ein Taschentuch aus der Box und putzte sich ausgiebig die Nase.

Jona war kein Genie in puncto Menschenkenntnis, aber dass Silvia log, hätte jeder Vierjährige durchschaut. Einen Moment lang war er versucht, nicht lockerzulassen. Sie wirkte, als sei sie mit den Nerven am Ende. Wenn er jetzt beharrlich war und immer weiter und weiter fragte, würde sie vielleicht einknicken und ihm sagen, was los war.

Doch dann siegte sein Mitgefühl. Und der Gedanke, dass es sich nicht gut machen würde, wenn Martin gleich auftauchte und seine Frau völlig aufgelöst vorfand. Also beließ er es dabei, aß sein Müsli und tat so, als würde er gleichzeitig Nachrichten auf seinem Handy checken, während er in Wahrheit Silvia kaum aus den Augen ließ.

Das Zittern hatte ein wenig nachgelassen. Sie trank Kaffee in kleinen Schlucken, lehnte dabei an der Anrichte und starrte die Wand an.

Vielleicht hatte es gestern noch Krach zwischen ihr und Martin gegeben. Wenn das der Grund war, musste es aber heftig gewesen sein.

Jona verwarf diese Theorie wieder, als Martin hereinkam, seine Frau umarmte und ihr einen Kuss aufs Haar drückte. Zärtliche Gesten dieser Art hatte Jona zwischen den beiden bisher noch nie beobachtet. Er aß schnell auf, verabschiedete sich und ging in die Diele – mit ein bisschen Glück würden sie miteinander sprechen. Er begann, lautstark die Treppe hinaufzulaufen, nur um sofort wieder zurückzuschleichen. Auf halber Höhe blieb er stehen. Es drangen tatsächlich Stimmen aus der Küche. Leise, aber verständlich.

»Ich weiß nicht, wie ich das länger aushalten soll.« Das war Silvia.

»Nur eine Woche noch. Das schaffst du, da bin ich sicher.«

»Mir kommt jede Minute wie eine Ewigkeit vor. Ich dachte wirklich, wir hätten es überstanden, und jetzt –«

Martin murmelte etwas, es klang zärtlich und beruhigend, trotzdem schluchzte Silvia auf. »Am liebsten würde ich einfach abhauen. Ich habe solche Angst, wenn du wüsstest, was ich heute Nacht geträumt habe …«

»Ich verstehe das«, unterbrach Martin sie. »Aber wir müssen noch ein bisschen durchhalten. Und bitte, versuch, es dir nicht so anmerken zu lassen. Es dauert nicht mehr lange.«

Die beiden schienen am Ende ihres Gesprächs angekommen

zu sein und Jona ging auf Zehenspitzen den Rest der Treppe hinauf.

Er begriff nicht, was er gehört hatte. Was passierte in einer Woche? Was war dann überstanden?

Es hatte beinahe gewirkt, als wäre Silvia krank und würde auf einen Befund warten, der über Leben und Tod entschied.

Trotzdem ging Jona die offene Terrassentür nicht aus dem Kopf. Und der Gedanke, dass Silvias Ängste ganz direkt etwas damit zu tun hatten.

»Ich würde wirklich gerne Rektor Schratter sprechen.« Jona stand mit verschränkten Armen vor Andrea Gilles, den Rucksack über der Schulter, den Koffer zwischen seinen Füßen am Boden abgestellt. Er hatte keine Gelegenheit gefunden, ihn unbeobachtet auf dem Dachboden zu verstecken, und es nicht über sich gebracht, Elanus im Haus zurückzulassen. Nicht nach dem Vorfall mit dem verschobenen Bett und der Terrassentür. Nun bemühte er sich, nicht allzu vorwurfsvoll zu wirken.

Gilles hatte eben das Telefon aufgelegt und notierte etwas auf einen Zettel. »Sie haben ihn leider wieder knapp verpasst, vor zehn Minuten war er noch …«

»Er hat mir für gestern einen Termin vorgeschlagen.« Mit einer schnellen Bewegung legte Jona das Notebook auf den Tisch und klappte es auf. »Sehen Sie diese Mail? ›Wenn Sie kurzfristig Zeit finden, würde ich mich freuen, Sie heute um 17.30 Uhr im kleinen Besprechungsraum des Rektorats zu treffen.‹ Ich hatte Zeit, habe den Termin auch bestätigt, aber Dr. Schratter ist weder aufgetaucht, noch hat er abgesagt.«

Gilles runzelte die Stirn und zog den Computer näher an sich heran. »Davon hat er mir gar nichts gesagt.« Sie las die Mail ebenso schnell wie aufmerksam und schüttelte den Kopf. »Wahrscheinlich ist ihm etwas dazwischengekommen und er hat nicht mehr an Ihre Verabredung gedacht.«

Sie riss einen Zettel von ihrem Notizblock und kritzelte etwas darauf. »Wissen Sie was? Ich gebe Ihnen meine Handynummer. Wenn Dr. Schratter das nächste Mal einen Termin mit Ihnen vereinbaren will, rufen Sie mich schnell an, dann werde ich ihn anschließend daran erinnern. Oder Ihnen Bescheid geben, falls es doch nicht klappt.«

Sie drückte ihm das Stück Papier in die Hand. Jona warf einen Blick darauf und erkannte sofort, dass das nicht die Nummer war, die er letztens »erbeutet« hatte, als er hier im Büro gewesen war. Logisch eigentlich. Warum sollte Gilles sich ihre eigene Telefonnummer an den Monitor heften?

»Danke. So ist es vermutlich am besten.« Er steckte den Zettel ein, obwohl sich die Zahlenfolge bereits in sein Gedächtnis gebrannt hatte.

»Ich bedaure es wirklich sehr, dass die Dinge nicht runder laufen. Und Dr. Schratter geht es genauso, das weiß ich.« Sie lächelte Jona an und schüttelte ihm die Hand. »Einen schönen Tag noch.«

Die Chancen darauf standen nicht allzu gut, fand Jona. Marlene war sicher noch krank – sie hatte gestern wirklich mitgenommen ausgesehen. Und nun kreuzte auch noch Linda seinen Weg.

Sie kam ihm kurz vor seinem Institutsgebäude entgegen, die Geschmeidigkeit ihrer Bewegungen war zurückgekehrt, aber trotzdem wirkte sie, als sei sie nur zur Hälfte anwesend. Er sah sie zum ersten Mal alleine, seit Lichtenberger tot war.

»Hallo, Linda.«

Sie schrak zusammen und blieb abrupt stehen. Starrte ihn an, als sähe sie ihn zum ersten Mal. Oder zum letzten. »Hallo, Jona.«

»Du siehst ein wenig blass aus. Wie geht es dir?«

Es schien, als würde sie darüber lange und ernsthaft nachdenken. »Nicht so gut. Sehr viel ... Stress.«

Das glaubte Jona ihr aufs Wort.

»Aber da ist nichts, womit du mir helfen könntest«, setzte sie hastig hinterher. »Ich brauche nur ein bisschen Ruhe, schätze ich. Und jetzt muss ich weiter. Ich habe gleich –«

Sie ersetzte das letzte Wort durch eine unbestimmte Geste und ging. Blieb dann aber noch einmal stehen und drehte sich um. »Hör mal, sei vorsichtig mit dem, was du so tust. Ich weiß zwar nicht genau warum, aber es gibt da ein paar Leute, die etwas gegen dich haben.«

»Gegen mich haben? Wie meinst du das? Welche Leute?«

Sie schüttelte hastig den Kopf. »Frag mich nicht. Ich habe nur nebenbei etwas aufgeschnappt, vielleicht habe ich es auch missverstanden. Ich dachte mir nur, ich sage es dir lieber. Soviel ich weiß, hast du ja Spaß daran, anderen auf die Füße zu treten.«

Wieder wandte sie sich zum Gehen, doch Jona lief ihr nach und stellte sich ihr in den Weg. »Ist Aron einer von diesen Leuten? Komm, du weißt doch mehr, als du mir sagst!«

Sie versuchte, sich an ihm vorbeizudrängen. »Nein, tue ich nicht. Aber falls du deine Nase in fremde Angelegenheiten steckst – hör auf damit. Glaub mir einfach, dass es besser ist. Gesünder.«

Als er ihr immer noch nicht Platz machen wollte, schubste sie ihn kurzerhand beiseite und lief davon, ohne sich noch einmal umzusehen.

Nein, es war nicht schwer, hier zwei und zwei zusammenzuzählen: Sie spielte auf Lichtenberger an. Es war naheliegend, dass sie mehr über seinen Tod wusste als die meisten anderen – schließlich hatten sie eine Affäre gehabt. Nur hatte Lichtenberger sich umgebracht. Oder doch nicht? War sein sogenannter Selbstmord ein verkappter Mord gewesen?

Dinge wie diese fand die Polizei normalerweise heraus. Aber … das hier war eine Universität, da sollten schlaue Köpfe eher die Regel als die Ausnahme sein. Und wenn die sich zusammentaten …

Von der Vorlesung bekam Jona praktisch kein Wort mit. Wieder und wieder ging er Lindas Worte im Kopf durch. *Sei vorsichtig mit dem, was du so tust.*

Wusste wirklich jemand von Elanus? War die Drohne tatsächlich der Grund für die merkwürdigen Spuren in Jonas Zimmer, für die Falle im Besprechungsraum …?

Nur, wenn das so war, dann gehörte auch Rektor Schratter zu den *Leuten*, von denen Linda gesprochen hatte. Und das war eigentlich undenkbar.

Sobald er wieder auf dem Campus war, zückte Jona sein Handy und rief Andrea Gilles' Nummer auf.

Danke für das nette Gespräch vorhin, schrieb er. Ich bin froh, dass ich jetzt eine verlässliche Anlaufstelle für meine Anliegen habe. Liebe Grüße, Jona Wolfram

Es dauerte länger, als ihm recht war, aber gut, Gilles arbeitete und checkte ihr Handy vermutlich nicht alle zwei Minuten auf neue Nachrichten. Nach einer halben Stunde dann endlich der vertraute Dreiklang, der das Eintreffen einer SMS signalisierte.

Gern geschehen. Schönen Tag! LG, AG

Damit war die Spyware installiert. Jona hatte gewissermaßen

einen Fuß im Rektoratsbüro. Klar, er konnte Elanus auch manuell dorthin steuern, aber so war es deutlich praktischer. Und vielleicht auch aufschlussreicher, wenn er nicht auf Beobachtungen rund ums Büro angewiesen war.

Besser, viel besser wäre natürlich Schratters Nummer gewesen, doch da war vielleicht Geduld der Schlüssel.

Immer noch hatte Jona sein Smartphone in der Hand. Er überlegte kurz, stellte zu seiner eigenen Überraschung fest, dass er nervös war, begann dann aber trotzdem zu tippen.

Hallo Marlene, ich hoffe, heute geht es dir schon besser. Danke noch mal für deine Hilfe gestern. Wenn du wieder fit bist, würde ich gern mit dir sprechen, es passieren merkwürdige Dinge um mich herum. Ich kann sie nicht einordnen und das bin ich nicht gewohnt.

Außerdem wollte ich dir eigentlich etwas zeigen. Erinnerst du dich?

Hab einen möglichst schönen Tag. Ich gehe jetzt und greife jemandem unter die Arme, der es nicht zu schätzen weiß :-)

Er drückte auf *Senden*, bevor er es sich noch anders überlegen konnte. Behielt das gesamte letzte Seminar des Tages über sein Handy im Blick, in der Hoffnung, Marlene werde sich melden, doch das tat sie nicht.

Erst am Abend, während des Essens mit den Helmreichs, hörte Jona den vertrauten Nachrichtenton. Er hatte das Telefon in der Hosentasche und zwang sich mit aller Kraft, es auch dort zu lassen. Die Stimmung bei Tisch war ohnehin geladen genug und er traute Martin jederzeit eine Diskussion über mangelnde Manieren zu – schon allein, um Dampf abzulassen. Sowohl er als auch Silvia wirkten, als hätten sie es bitter nötig.

Sogar Kerstin bemerkte, dass dicke Luft herrschte. »Habt ihr euch gestritten, oder was?«, erkundigte sie sich, ohne dabei allzu interessiert zu wirken.

»Nein.« Martin schob seinen halb vollen Teller zur Seite. »Was mich betrifft, so bin ich einfach müde. War ziemlich anstrengend heute im Büro.«

Jona versuchte sich zu erinnern, woraus Martins Job eigentlich bestand – es war irgendetwas gähnend Langweiliges. Heizungstechnik? Ja, das konnte hinkommen.

Silvia hatte mittlerweile ein angestrengtes Lächeln aufgesetzt und versuchte, das Gespräch in Gang zu halten, indem sie abwechselnd Kerstin und Jona über ihren Tag an der Uni ausfragte, zu ihren Antworten aber nur geistesabwesend nickte.

So schnell es ging, verzog Jona sich nach oben und stellte enttäuscht fest, dass die angekommene SMS nur Werbung enthielt. Er drehte das Licht in seinem Zimmer nicht auf, sondern stellte sich ans Fenster und sah nach unten. Lindas Warnung ging ihm immer noch nicht aus dem Kopf. *Falls du deine Nase in fremde Angelegenheiten steckst – hör auf damit.*

Ganz im Gegenteil, dachte er. *Ich habe noch nicht einmal richtig angefangen.* Seine ursprüngliche Idee, Elanus heute hinter Gilles herzuschicken, war vielleicht gar nicht so clever. Oft lag das Gute ja wirklich näher, als man dachte.

Er wartete. Zehn Minuten später hörte er Kerstins Schritte auf der Treppe. Danach ihre Zimmertür, die geöffnet und wieder geschlossen wurde.

Unten lief kein Fernseher, das machte ihm Hoffnung. So, wie Martin und Silvia heute drauf gewesen waren, würden sie sowieso keinen Kopf für irgendwelche Filmchen haben. Aber vielleicht wollten sie in Ruhe reden, und dann …

Früher als erwartet hörte Jona noch jemanden nach oben kommen. Martin, dem langsamen Schlurfen nach zu urteilen. Er ging ins Badezimmer und kam wenig später wieder heraus. Etwas weiter den Gang entlang fiel eine Tür ins Schloss – die des Schlafzimmers.

Kaum zehn Minuten später folgte Silvia, ebenfalls nach einem kurzen Abstecher ins Bad. Jona atmete durch. Er gab Silvias Nummer in die Drohnensoftware ein, holte Elanus aus dem Koffer und warf noch einen prüfenden Blick aus dem Fenster. Niemand.

Der Anflug war diesmal nicht der Rede wert. Sechs Meter die Hausmauer entlang; Silvia nahm ihr Handy immer mit ans Bett.

Hinter den grün-weiß gemusterten Vorhängen brannte Licht. Ein Blick ins Innere war unmöglich, worüber Jona nicht unglücklich war – er hatte kein Bedürfnis, seine Gasteltern in Pyjama und Nachthemd zu sehen. Und ohne noch viel weniger.

Aber – das Fenster war gekippt. Genau darauf hatte er gehofft. Er schaltete auf manuelle Steuerung um und flog Elanus so nah an die Scheibe heran, wie er es wagte.

Stimmen, ja. Nur leider so gedämpft, als würden die beiden gemeinsam im Bett liegen und sich nur leise unterhalten – was vermutlich der Fall war. Jona setzte die Kopfhörer auf und spielte an den Mikrofonreglern der Software herum, versuchte, die Empfindlichkeit zu erhöhen, aber er ahnte schon jetzt, dass er trotz einer anschließenden Bearbeitung der Tonspur wohl nur Einzelworte aus dem Rauschen würde isolieren können.

»… soll das weitergehen?« Silvia, plötzlich so laut, dass Jona die Ohren dröhnten. Hektisch regelte er die Empfindlichkeit wieder nach unten. »Wie hast du dir das gedacht, Martin? Wie konntest du diesem bescheuerten Deal je zustimmen, und das, ohne mich zu fragen?«

Etwas polterte. Hatte Silvia ein Buch vom Nachttisch gefegt?

»Ich hatte doch überhaupt keine Wahl«, entgegnete Martin. Nicht ganz so laut wie seine Frau, aber immer noch gut verständlich. »Im Grunde genommen ist einzig und allein Schratter daran schuld. Und du weißt doch, was für uns auf dem Spiel steht, wir müssen eben auch einen Beitrag leisten, aber wir sind ja nicht allein in dieser Sache.«

Silvia lachte auf. »Ja, das haben wir gestern gesehen. Sie haben auf der ganzen Linie versagt, alle!«

»Das war Pech.«

»Pech? Das war Unfähigkeit!« Silvias Stimme erreichte ein neues Schrillheits-Level. »Jedenfalls mache ich das nicht mehr lange mit. Er muss weg hier. Egal, auf welche Weise.«

»Natürlich.« In Martins Stimme lag gleichzeitig Gereiztheit und Erschöpfung. »Denkst du, das weiß ich nicht? Erich hat gesagt, er kümmert sich darum. Und Erich weiß, was er tut. Ein paar Tage noch, dann sind wir ihn los. Er ist ein Profi. Er hinterlässt keine Spuren.«

Jona konnte nicht fassen, was er da hörte. Gleichzeitig bemerkte er aus den Augenwinkeln das Näherkommen von Scheinwerfern, die die Bäume vor seinem Fenster erhellten. Ohne lang nachzudenken, ließ er Elanus höher steigen, zehn Meter, vierzehn …

Tatsächlich hielt der Wagen. Jemand öffnete eine Autotür, kurz darauf fiel sie wieder ins Schloss. Das Auto blieb stehen, bei laufendem Motor.

Es kostete Jona seine ganze Beherrschung, nicht ans Fenster zu treten und nachzusehen, ob jemand das Haus beobachtete.

Oder gar ihn. Vielleicht auch darauf wartete, dass etwas aus dem Zimmer hinaus- oder wieder hineinflog …

Ein Blick auf den Computer. Immerhin war noch Zeit, siebenunddreißig Minuten. So lange konnte Elanus über dem Haus stehen, hoch oben. Selbst wenn jemand gezielt nach ihm Ausschau hielt, würde er Mühe haben, ihn zu entdecken.

Nur, dass Jona das Gespräch nicht weiter mit anhören konnte, dieses Gespräch darüber, wie man ihn am besten loswerden konnte …

Zehn ewig scheinende Minuten lang lief der Motor vor dem Haus. Dann wurde wieder die Autotür geöffnet, wieder zugeworfen und der Wagen fuhr davon.

Jetzt wagte Jona den Blick nach draußen. Alles ruhig. Trotzdem schlug sein Herz wie verrückt, die ganze Zeit über schon. So schnell wie möglich steuerte er Elanus zurück vor das Fenster der Helmreichs, in der Hoffnung, mehr zu hören und vielleicht zu begreifen, was los war. Warum sie sich ihn so dringend vom Hals schaffen wollten.

Doch vor dem Schlafzimmer war es nun ruhig, obwohl drinnen immer noch Licht brannte. Aus der Nähe erkannte Jona auch, warum. Das Fenster war geschlossen worden. Wahrscheinlich des laufenden Motors wegen.

Was für ein beschissenes Pech.

Er muss weg hier. Egal, auf welche Weise.

Konnten sie wirklich ihn meinen? Hatte er ihnen etwas getan, das ihm nicht bewusst war, oder etwas gesehen, das er nicht hätte sehen dürfen? Es hatte nicht geklungen, als wäre Jona ihnen einfach nur lästig. Eher so, als hätte Silvia Angst vor ihm. Aber warum? Und warum warfen sie ihn dann nicht einfach unter einem Vorwand hinaus? Das konnte doch wirklich kein

Problem sein. Ein Anruf bei seinen Eltern, dass er es nicht schaffte, sich einzugliedern, dass er das Familienleben störte, und die Sache wäre erledigt. Mama und Paps würden keine Sekunde daran zweifeln, dass da was dran war. Probleme mit dem Sozialverhalten, wieder mal.

Doch so, wie Silvia es gesagt und Martin darauf geantwortet hatte, war es nicht genug, dass er demnächst einfach auszog. Stattdessen würde ein gewisser Erich sich um ihn kümmern. Der ein Profi war und keine Spuren hinterließ.

Jona überprüfte, ob er seine Zimmertür auch wirklich abgesperrt hatte, dann rollte er sich auf dem Bett zusammen.

Das alles hatte mit Elanus zu tun, eine andere Erklärung gab es nicht. Sie wussten, dass es die Drohne gab und dass er sie verschiedenen Leuten hinterhergeschickt hatte. Sie vermuteten, dass er dabei Dinge erfahren hatte, die ihnen auf irgendeine Art gefährlich werden konnten.

Du weißt, was für uns auf dem Spiel steht.

Aber nicht nur für sie, denn sie waren in dieser Sache ja nicht allein, wie Martin betont hatte.

Was Jona gehört hatte, war wie eine Bestätigung für das, was Linda heute gesagt hatte. Offenbar war er jemandem auf die Füße getreten, ohne es zu bemerken.

Es musste auf irgendeine Weise mit Lichtenbergers Tod zu tun haben. Das war das Einzige, was Jona zumindest im Ansatz logisch erschien. Vielleicht hatte jemand Elanus vor dem Haus der Lichtenbergers gesehen, und kurz darauf Jona selbst, wie er Post aus dem Briefkasten fischte. Und nun dachte derjenige, dass er daraus Schlüsse gezogen hatte – immerhin war er ja ein Genie. Von wegen.

Er presste die Lider zusammen. Ein Genie. Die waren ja be-

kannt dafür, labil zu sein. Manchmal depressiv. Oft verhaltens-
auffällig. Und vielleicht sogar … selbstmordgefährdet?

War es das, was Martin und Silvia im Sinn hatten? Einen
Selbstmord à la Lichtenberger? Hatte dieser Erich, der keine
Spuren hinterließ, bei dem Dozenten etwa ein wenig nach-
geholfen?

Jona krallte die Finger in seine Decke. Er würde mit seinen
Eltern telefonieren. Gleich morgen. Und ihnen klarmachen,
dass sie ihm ein Zimmer im Studentenwohnheim beschaffen
mussten, egal, welche Bedenken sie auch vorbringen mochten.
Was für ein elender Mist, dass er noch nicht achtzehn war und
sich nicht selbst darum kümmern konnte.

Doch selbst wenn er es schaffte umzuziehen – war er damit in
Sicherheit? Gab es eine Garantie dafür, dass dieser Erich ihn
nicht auch dort erwischen würde?

Jona wälzte sich die halbe Nacht schlaflos im Bett herum.
Wenn er sich hier nirgendwo mehr sicher fühlen konnte, musste er sein Studium an der Victor-Franz-Hess eben aufgeben. Es
gab unzählige Hochschulen, die sich die Finger nach ihm le-
cken würden.

Aber … davonlaufen? In Jonas Innerem lieferten sich Stolz
und Angst ein heißes Gefecht. Er war verdammt noch mal klug,
klüger als jeder andere, dem er bisher begegnet war. In logisch-
mathematischer Hinsicht, ja, aber das Prinzip der Logik musste
sich auch auf die seltsamen Ereignisse hier anwenden lassen.

Und – Jona hatte den großen Vorteil, dass seine Gegner ihn
für ahnungslos hielten, also zumindest in Bezug darauf, dass er
aus dem Weg geschafft werden sollte.

Er würde herausfinden, wer Erich war. Und er würde versuchen, hinter die Umstände von Lichtenbergers Tod zu kom-

men. Was hatte es beispielsweise mit diesem Zehntausend-Euro-Umschlag auf sich?

Draußen ging fast schon die Sonne auf, als Jona endlich einschlief, doch als zweieinhalb Stunden später sein Wecker läutete, war er sofort hellwach. Er hatte viel zu tun.

19

»Hallo, Paps, gibt's was Neues bei euch?« Unbeschwerter Ton, fröhlicher, als seine Eltern es gewöhnt waren.

»Jona! Schön, dass du anrufst. Nein, hier ist alles wie immer. Ach, Oma war vor zwei Tagen mit einer Nierenkolik im Krankenhaus, aber es geht ihr schon wieder besser.«

»Oh, gut. Grüß sie von mir, ja?«

»Gerne. Und, wie läuft es bei dir?«

So, jetzt bloß nicht zu dringlich klingen. »Mir geht es toll. Viel besser, als ich es mir vorgestellt hatte. Ich habe richtig Spaß hier. Mit ein paar von den anderen Studenten bin ich schon echt gut befreundet.« Kurzes Auflachen, damit es nicht zu ernsthaft wirkte. »Also, jedenfalls für meine Verhältnisse.« Er durfte nicht zu sehr übertreiben.

Auch sein Vater lachte erleichtert. »Wirklich? Das ist toll, Jona. Ich habe mir immer gedacht, dass es besser laufen wird, wenn du mit Leuten zu tun hast, die ähnliche Talente haben wie du.«

»Da hattest du ganz recht.« Paps war guter Laune, das erhöhte Jonas Chancen erfahrungsgemäß. »Deshalb würde ich auch gerne mit denen zusammenwohnen, das wäre einfach viel spaßiger. Wirklich, Papa, ich glaube, ich bin so weit.«

Schweigen am anderen Ende der Leitung. Dann: »Das hatten wir doch besprochen. Solange du noch nicht achtzehn bist, halten Mama und ich es für besser, du lebst bei einer Familie. Bei jemandem, der sich um dich kümmert.«

Beinahe hätte Jona gelacht. Oh ja, dachte er, die werden sich um mich kümmern. Und wie. Sie und Erich.

»Aber das ist überhaupt nicht mehr nötig. Außerdem tun sie kaum etwas, wenn man mal davon absieht, dass ich zwei Mahlzeiten pro Tag bekomme. Und die kriege ich im Wohnheim auch hin, da gibt es eine Küche, alle kochen gemeinsam – ich fände das viel schöner.« Er hoffte, dass er den lockeren Ton hinbekam, den er aufzusetzen versuchte.

»Aha.« Plötzlich war jede Wärme aus der Stimme am anderen Ende der Leitung verschwunden. »Dann sollte ich vielleicht einmal mit Martin Helmreich reden. Er hat mir damals versichert, dass sie dich in den Familienverband aufnehmen werden, dass er gemeinsame Aktivitäten plant. Wenn er sich daran nicht hält …«

»Nein, ruf ihn nicht an«, fiel Jona seinem Vater ins Wort. »Das will er wahrscheinlich demnächst tun – so lange bin ich ja noch nicht hier. Die Frage ist eher, ob ich es möchte.«

»Aha«, wiederholte sein Vater. »Ja, so habe ich mir das gedacht. Weißt du, Jona, dann ist das einmal eine Herausforderung der anderen Art für dich. Kein mathematisches Problem, sondern ein zwischenmenschliches. Versuche, es zu lösen.« Nun klang seine Stimme wieder wärmer. »Mama und ich schlafen einfach besser, wenn wir wissen, dass da jemand ist, der auf dich achtet.«

Das war wirklich ein guter Witz. Blitzschnell überschlug Jona seine Möglichkeiten. Wenn er auf seinem Wunsch beharrte, würde Paps vermutlich doch bei den Helmreichs anrufen und Andeutungen darüber fallen lassen, dass sein schwieriger Sohn

mehr Zuwendung brauchte. Dass er sich nicht so richtig wohl-
fühlte, dass er wegwollte.

So, wie Silvia und Martin derzeit drauf waren, würden sie
dann Verdacht schöpfen – den richtigen Verdacht –, und das
war das Letzte, was Jona gebrauchen konnte. Dann wäre sein
Vorteil verspielt.

Oder seine Eltern würden beschließen, dass es doch noch zu
früh für ihn war, das heimatliche Nest zu verlassen. Sie würden
ihn zurückholen. In dem Fall war er zwar in Sicherheit, aber ...

Ja, was aber, eigentlich? Wieso fand er den Gedanken so
schlimm?

Weil es ein Schritt zurück wäre. Aufgeben. Und außerdem ... das Rätsel nicht lösen. Für immer mit der Frage leben
müssen, was in Rothenheim tatsächlich los gewesen war.

Und bei Tageslicht betrachtet, fühlte er sich gar nicht so be-
droht.

»Bist du noch dran?« Paps wirkte gleichzeitig gehetzt, besorgt
und genervt. »Komm, Trotz ist jetzt echt nicht angebracht.«

»Stimmt. Okay, meinetwegen machen wir es eben so. Bis ich
achtzehn bin.« *Falls ich achtzehn werde*, meldete sich eine hä-
mische kleine Stimme in seinem Kopf.

»Danke, dass du einsichtig bist.« So ganz konnte Paps seine
Verwunderung nicht verbergen. »Du wirst sehen, du lebst dich
schnell bei den Helmreichs ein.«

»Ja, vermutlich.« Jona dachte an Silvias steinernes Gesicht
vorhin beim Frühstück und biss sich auf die Lippen. »Bis bald.«

Wieder nahm er Elanus und das Notebook mit in die Uni,
und erst als er bereits im Bus saß, fiel ihm ein, dass heute der
Dreiundzwanzigste war. Der Tag der Party.

Natürlich kam er zu spät. Nach der letzten Vorlesung war er noch einmal nach Hause gerast, hatte Elanus im Wickeltisch auf dem Dachboden versteckt und hoffte nun inständig, dass die Musik, die dröhnend aus Kerstins Zimmer drang, wirklich laut genug gewesen war, um seine Aktivitäten zu übertönen.

Im Wohnzimmer saß Silvia vor dem Fernsehapparat. Es lief eine Kochshow, doch sie sah gar nicht richtig hin. Trotzdem wirkte sie, als würde ihr von dem, was sich in der Sendung abspielte, übel werden.

»Ich gehe noch fort. Bin auf eine Party eingeladen. Kann sein, dass es spät wird.«

Sie nickte geistesabwesend.

»Eventuell übernachte ich auch dort. Falls ich den letzten Bus verpasse.«

Nun blickte sie doch hoch. »Du meinst, du kommst nicht nach Hause?« Es klang ausgesprochen hoffnungsvoll.

»Na ja, unter Umständen. Wie gesagt.«

»Wann weißt du das genau?«

Er zögerte. Jede Wette, sie wollten wieder sein Zimmer durchsuchen. Silvia, Martin … oder dieser Erich. »Kann ich nicht sagen. Ich schreibe dir eine Nachricht, sobald ich es weiß. Okay?«

Sie sank wieder ein Stück in sich zusammen. »Okay.«

Jona rannte den Weg zur Haltestelle, verpasste den Bus aber trotzdem. Fünfzehn Minuten warten. Er überprüfte noch einmal, ob er die Einladung und den Zugangspass zu den Wohneinheiten der Reichen wirklich eingesteckt hatte, bevor er sich auf die Bank setzte.

Er sah auf seine Schuhe hinunter. No-name-Sneakers. Trotz Eile hatte Jona versucht, das Beste aus seinem Kleiderschrank herauszuholen, aber er wusste, er würde zwischen den anderen aussehen wie eine Krähe unter Pfauen.

Egal.

Schlimmer war der Gedanke, dass die Helmreichs sich jetzt vielleicht schon auf die Suche nach Elanus machten. Oder sein Zimmer verwanzten. Oder …

Er war knapp davor, die Party sausen zu lassen und doch zurückzulaufen, als der Bus um die Ecke bog. Jona nahm das als Zeichen und stieg ein.

Das Wohnheim war vom Campus aus nicht zu sehen, er fand es nur, weil er den Weg von den Bildern kannte, die Elanus ihm von seinem Flug geschickt hatte.

Das Tor zu der Parkanlage war geschlossen, wurde aber nach innen gezogen, als er darauf zuging. Zwei hochgewachsene Männer in Security-Uniformen traten heraus. »Name?«

»Jona Wolfram.«

Der breitere von beiden checkte sein Clipboard. »Steht auf der Liste. Lass mich trotzdem deine Einladung sehen. Und den Passierschein.«

Jona zog das Gewünschte aus seiner Hosentasche und reichte es dem Mann. »Wollen Sie auch einen Ausweis sehen?«

Es war der andere, der lachte. »Warum nicht, wenn du es schon erwähnst?«

Schließlich ließen sie ihn ziehen. Er ging schnell davon, während er sein Handy aus der Tasche zog. Die Party hatte vor zwanzig Minuten begonnen, und er hatte keine Ahnung, wie Pünktlichkeit bei den Reichen gehandhabt wurde. War es chic, später zu kommen? Oder einfach nur ein Zeichen von mangelndem Benehmen?

Er lachte leise auf. Als ob Benehmen je etwas gewesen wäre,

worum er sich gekümmert hätte. Was war eigentlich los mit ihm? Egal, wie viel diese Söhne und Töchter auf dem Konto liegen hatten – Intelligenz ließ sich nicht in Geld aufwiegen und in dem Punkt würde ihm niemand das Wasser reichen können.

Ein weiterer Security-Mann stand am Eingang, er allerdings prüfte Jonas Einladung nur kurz und begrüßte ihn dann mit einem breiten Lächeln und einem festen Händedruck. »Herzlich willkommen, Herr Wolfram. Sie werden schon erwartet.«

Die Eingangshalle hatte etwas von der eines Luxushotels. Hellgrauer Marmor, dunkelgraue Teppiche. An einer der Wände ein riesiges abstraktes Gemälde in Grau- und Rottönen.

Wie in einem Hotel gab es auch hier einen Empfang. Der Mann, der dort hinter dem Tresen stand, trug zwar keine Livree, aber immerhin einen dunklen Anzug.

»Herr Wolfram, ja? Bitte die Treppe hinauf in den ersten Stock. Sie sind Gast von Herrn Bessonow?«

»Ja. Sergej Bessonow.«

»Vermutlich finden Sie ihn im Salon. Wenn Sie nach oben kommen, der erste Raum gleich rechts.«

Jona nickte und begann, die Treppe hochzugehen. Von irgendwoher dröhnte Musik und auf dem ersten Absatz kam ihm ein Mädchen entgegen. Kurzer Rock, lange Beine und Haare, die so glatt waren, als hätte man sie gebügelt. Der Blick, den sie ihm zuwarf, war kurz und desinteressiert.

Die anderen Leute, denen er auf dem Gang und bei der Tür zum Salon begegnete, reagierten genauso auf ihn, wenn überhaupt. Als wäre er Luft.

Jona registrierte im Vorübergehen teure Parfums, diamantbesetzte Uhren, Jeans, die mehr kosteten, als manche Menschen im Monat verdienten. Er betrachtete die Schuhe des Jungen genauer, an dem er sich gerade vorbeidrängte, und stellte fest: Er empfand keinen Neid. Zumindest nicht auf die Sachen. Auf den Status schon eher, auf den Respekt, den die Welt Leuten mit Geld entgegenbrachte.

Davon hätte er gern ein Stück gehabt, aber nicht von –

»Jona!« Eine Hand legte sich auf seine Schulter. »Du bist wirklich gekommen. Ich freue mich!«

Sergej, in weißem Pulli und blauen Hosen, als wäre er eben von seiner Jacht an Land gegangen. Er legte einen Arm um ihn und führte ihn in den Salon. Jetzt traten die anderen zur Seite.

»Ich stelle dir mal meine Freunde vor, ja? Das hier ist Zoe Burlington, ihrem Vater gehören zwei Schlösser in England. Zoe, das hier ist Jona. Und hier …« Er schob Jona vor sich her, zu einem Studenten mit asiatischen Zügen, der wie höchstens dreizehn wirkte, »das ist Han Jin-su, seinem Vater gehört ein sehr bekanntes südkoreanisches Elektronikunternehmen. Und hier …«

Jonas Lächeln war wie in sein Gesicht eingraviert. Er schüttelte Hände, ließ sich einen Erben nach dem anderen vorstellen. Er konnte von ihren Mienen deutlich ablesen, dass sie ihn in fünf Sekunden schon wieder vergessen haben würden. Sergej präsentierte ihn jedes Mal mit seinem unüberhörbaren russischen Akzent und den Worten »Das ist Jona Wolfram, von dem wirst du noch viel hören«. Niemand fragte nach, warum. Nur einer der amerikanischen Studenten erkundigte sich nachlässig, ob Jona vielleicht Polo spiele? Sie bräuchten noch jemanden für ihre Mannschaft. Als er verneinte, ging der Polospieler nahtlos wieder dazu über, seine hellblond gefärbte Freundin zu küssen.

Sergej zog Jona weiter. »Pierre, ich möchte dir einen neuen Freund vorstellen, das ist …«

»Wie geht es Kolja?«, fiel Pierre ihm ins Wort. »Ich sehe ihn hier nirgendwo. Ist er immer noch –«

Ein Schatten zog über Sergejs Gesicht. »Immer noch im Krankenhaus, immer noch nicht wieder aufgewacht. Die Ärzte sagen, es braucht Geduld, sie haben seinen Eltern davon abgeraten, ihn zurück nach Moskau fliegen zu lassen.« Er blickte zur Seite. »Zu gefährlich, meinen sie.«

Sie unterhielten sich weiter über Kolja, den Jona nicht kannte, der aber offenbar einen Unfall an einer Baugrube gehabt hatte. Dann ging Pierre, ohne ein Wort mit Jona gewechselt zu haben. Sergej zog ihn bereits weiter, quer durchs Gedränge.

Eine halbe Stunde, sagte er sich. Dann gehe ich einfach. Vielleicht wird mir ja schlecht, das könnte ich mir gut vorstellen. Oder ich sehe mir genauer an, was die Bar so hergibt …

»Und das«, erklärte Sergej mitten in seine Gedanken hinein, »ist Marlene Dornik. Ihr Vater ist ein weltbekannter Wissenschaftler und hat ein Vermögen mit einigen chemischen Patenten verdient …«

Jona begriff es erst, als sie ihm die Hand entgegenstreckte und ihre strahlend grünen Augen ihn amüsiert musterten. »Freut mich sehr, dich kennenzulernen … äh –«

»Jona, das ist Jona Wolfram«, beeilte sich Sergej zu ergänzen. »Von ihm wirst du noch viel hören.«

Marlenes rechte Augenbraue wanderte nach oben. »Oh, davon bin ich überzeugt.«

So schnell Jonas Gehirn üblicherweise auch arbeitete, so still stand es jetzt. Marlene war doch keine von – denen? Die erkannte man doch auf fünfzig Meter Entfernung.

Andererseits passte sie hervorragend in diese Umgebung, zumindest heute Abend. Sie hatte das Haar hochgesteckt und trug ein langes dunkelblaues Kleid mit passenden hochhackigen Schuhen.

»Ich hätte dich hier nicht erwartet«, brachte er schließlich heraus.

»Ich mich auch nicht.« Sie tippte sich mit einem Finger auf die Nase. »Meine Erkältung hat mich immer noch fest im Griff, ich halte sie nur für heute Abend mit einem Pharmacocktail in Schach.«

»Wohnst du hier?« Er konnte es immer noch nicht fassen.

»Nein. Im Ostflügel, zweiter Stock.«

... hat ein Vermögen mit einigen chemischen Patenten verdient, hallte es in Jonas Kopf nach. Also war Marlene auch eine Tochter. Eine die hier war, weil ihre Eltern sich die horrenden Gebühren leisten konnten.

Er konnte nichts dagegen tun, er war enttäuscht. Ohne dass es ihm bewusst gewesen war, hatte er sie den Begabten zugeordnet, denen, die sich ein Stipendium erkämpft hatten.

Marlene war seine Irritation nicht entgangen. »Zieh keine voreiligen Schlüsse«, sagte sie kühl. »Du bist nicht der einzige Clevere unter all den Reichen. Sergej, hast du Jona schon mit Heather bekannt gemacht?« Sie beugte sich zu ihm vor. »Heather spricht elf Sprachen fließend und spielt acht Instrumente, drei davon auf Solistenniveau. Vielleicht solltet ihr euch zusammentun.«

Sergej hatte nicht zugehört, er winkte schon wieder jemand Neues herbei.

»Ich weiß nicht, warum du sauer auf mich bist.« Jona musste lauter reden, als ihm lieb war, aber jemand hatte die Musikanlage aufgedreht. »Wenn, dann könnte ich es sein. Warum hast du mir nicht gesagt, dass du hier wohnst?«

Sie legte den Kopf schief. »Genau deshalb. Weil dann jeder denkt, ich hätte mehr Geld als Hirn.« Ihr Blick wurde härter. »Aber du hast doch gehört, was Sergej gesagt hat. Mein Vater ist Wissenschaftler. Wäre es nicht möglich, dass ich etwas von seinem Grips abbekommen habe, hm?«

»Ich wollte dich nicht –«

Sie unterbrach ihn mit einer wegwerfenden Handbewegung. »Nein, natürlich wolltest du mich nicht beleidigen. Hast du auch nicht. Du hast nur demonstriert, dass du genauso anfällig für Oberflächlichkeiten bist wie die meisten. Du Genie.« Sie strich ihm flüchtig – und mitleidig, wie ihm schien – über die Wange, drehte sich um und ging.

Jona blieb stehen wie versteinert. Was war denn da eben passiert? Er hatte doch gar nichts gesagt, aber offensichtlich waren ihm seine Gedanken im Gesicht abzulesen gewesen.

Er lief Marlene nach, was im Gedränge gar nicht so einfach war, doch er schaffte es, sie zu überholen, und blieb vor ihr stehen. »Ich halte dich nicht für dumm, das sollte dir eigentlich klar sein. Ich …«

Sergejs Griff an seinem Oberarm unterbrach ihn, im gleichen Moment schaltete jemand die Musik aus, jemand anders klatschte in die Hände – Jona erkannte Sergejs Freundin mit dem langen dunkelroten Haar. Als das nichts half, stieg sie auf den Tisch und hob die Arme. Es wurde tatsächlich ruhiger im Raum.

»Ausziehen, ausziehen!«, rief jemand mit englischem Akzent und handelte sich einen strafenden Blick von der Rothaarigen ein.

»Wir haben heute einen speziellen Gast.« Auch sie sprach mit Akzent, aber mit einem, den Jona nicht zuordnen konnte.

»Er ist extrem talentiert, er ist erst siebzehn und wurde trotzdem schon eingeladen, um hier zu studieren.«

Sie plagte sich hörbar damit, die richtigen Worte zu finden, überspielte das aber mit einem strahlenden Lächeln. War sie vielleicht Skandinavierin? Ja, möglich.

»Ich werde nicht zu ihr auf den Tisch steigen«, erklärte er leise zu Sergej gewandt.

»Musst du nicht.« Er dirigierte Jona in Richtung eines großen Ledersessels, der an der Kopfseite des Salons stand.

»Sein Name«, fuhr die Rothaarige inzwischen fort, »ist Jona Wolfram. Hej, Jona!«

Ja. Skandinavierin. So, und nun würde es wahrscheinlich unangenehm werden, spätestens dann, wenn die erste dumme Bemerkung von einem der Umstehenden fiel.

»Jona ist ein Genie in Mathematik und Technik. Er rechnet schneller, als ihr es mit euren Taschenrechnern könnt, und löst jede Gleichung ganz einfach im Kopf.«

So wie sie es ankündigte, klang es langweilig – aber das war vielleicht gar nicht übel. Wenn das Interesse der Leute sich in Grenzen hielt, war er wenigstens bald wieder hier raus. Nach einem Besuch am Buffet allerdings, das sah fantastisch aus.

Und dann würde er Elanus ausschicken und sich diese Party von draußen ansehen. Per manueller Steuerung könnte er auch die oberen Stockwerke anfliegen und vielleicht Marlenes Zimmer finden …

Noch während er es dachte, schämte er sich dafür. Marlene auszuspionieren, fühlte sich schon bei der Vorstellung schäbig an. So hatte er das noch bei niemand anderem empfunden.

Zupfen an seinem Ärmel, offenbar hatte er verpasst, was Sergej gerade gesagt hatte.

»Na los, setz dich.« Er dirigierte Jona zu dem Ledersessel. Mittlerweile war ein Großteil der Gäste näher herangekommen. Allzu gespannt wirkten sie nicht; sie tranken, unterhielten sich und warfen nur gelegentlich Blicke in seine Richtung. Ein paar nickten ihm wenigstens freundlich zu, bevor sie sich wieder ihrem Gespräch widmeten.

Diese Party war keine gute Idee gewesen. Jona spürte, dass er kurz davor war, die Seite hervorzukehren, die schon in Lichtenbergers Vorlesung die Oberhand gewonnen hatte. Bissig, überheblich, angeberisch. Er bohrte sich die Fingernägel in die Handflächen.

»Also«, erhob Sergej seine Stimme, »stellt Jona Aufgaben! Er löst jedes mathematische Problem blitzschnell im Kopf, egal, wie schwierig es ist.«

Jona fragte sich, woher Sergej das wissen wollte. So genau hatten sie das nicht besprochen und auf die Probe gestellt hatte er ihn schon gar nicht. Wahrscheinlich die Zuversicht eines Kerls, in dessen Leben bisher alles glattgegangen war.

Am Anfang zuckten die Studenten nur mit den Schultern, lachten verlegen. »Wie viel ist zwei plus zwei?«, rief einer und lachte heftig über seinen Witz. »Hey, der kann nicht mal das!«, fügte er an, als Jona ihn ignorierte. Er brauchte seine gesamte Konzentration, um jetzt bloß nichts falsch zu machen …

»Siebzehntausendfünfhunderteinundachtzig mal dreiunddreißigtausendneunhundertzwölf.«

Das war Marlene gewesen. Sie stand mit verschränkten Armen an die Wand gelehnt da und betrachtete Jona ernst.

»Fünfhundertsechsundneunzig Millionen zweihundertsechstausendachthundertzweiundsiebzig.« Es hatte etwa vier Sekunden gedauert, wesentlich kürzer, als die meisten gebraucht hatten, um ihr Handy zu zücken und die Rechner-App zu öffnen.

»Stimmt«, ließ sich eine Stimme aus dem Hintergrund hören. Weiblich und überaus verwundert.

Es rechneten noch zwei, drei andere nach, nickten. Betrachteten Jona plötzlich mit ganz neuem Interesse.

»Neunundzwanzig hoch acht«, rief einer, während er schon in sein Handy tippte.

»Fünfhundert Milliarden zweihundertsechsundvierzig Millionen vierhundertzwölftausendneunhunderteinundsechzig.«

Dafür hatte er eine Spur länger gebraucht und viele der Studenten hatten die Lösung bereits auf ihren Displays. Wieder allgemeines Nicken und anerkennendes Murmeln. Allmählich entspannte Jona sich. Wie es aussah, waren außer Sergej und Marlene keine Mathematiker hier – die Beispiele würden Kinderkram bleiben.

»Dritte Wurzel aus siebenhundertdreiunddreißig!«

»Auf wie viele Stellen?«

»Hm – auf zehn.«

»Neun Komma null eins sechs vier drei null acht acht neun neun sechs.«

Anerkennendes Raunen. »Das waren aber elf Stellen«, meldete sich ein Mädchen mit Hochsteckfrisur.

»Oh«, grinste Jona. »Sorry.«

Sie machten gut eine Dreiviertelstunde weiter, der Raum war am Ende bis zum Bersten gefüllt. Niemand wollte Jonas Vorstellung verpassen.

»Die Quadratwurzel des Tangens zu vierundfünfzig Grad!«

Die Aufgabenstellerin war schon sichtlich beschwipst, sie tippte in ihr Smartphone, während sie gleichzeitig versuchte, ihr Sektglas so zu halten, dass nichts überschwappte. »Aaauuf sechs Stellen!«

»Eins Komma eins sieben drei eins neun drei«, antwortete Jona, mittlerweile schon ein wenig gelangweilt. Ein Klirren und ein Schrei übertönten die Nennung der letzten zwei Stellen. Das Mädchen hatte erst das Glas, dann das Smartphone fallen lassen und versuchte nun mit spitzen Fingern, Letzteres aus Sekt und Scherben herauszufischen.

»Ist gut, Bianca«, sagte Sergej. »Pass auf, dass du dich nicht schneidest.« Er wandte sich um. »Erich? Wo ist Erich? Er soll kommen und das wegmachen!«

Es dauerte einen Augenblick, bevor Jona begriff, warum er herumfuhr, als hätte man ihm einen Schlag versetzt.

Erich hat gesagt, er kümmert sich darum. Und Erich weiß, was er tut. Ein paar Tage noch, dann sind wir ihn los. Er ist ein Profi. Er hinterlässt keine Spuren.

Jona sprang aus seinem Sessel hoch. »Ich glaube, wir machen dann Schluss, okay?« Er lachte nervös auf. »Wenn schon Gläser zu Bruch gehen.« Er mischte sich unter die anderen, dort, wo sie möglichst dicht gedrängt standen. Jemand klopfte ihm auf die Schulter, jemand gratulierte ihm auf Englisch, und er lächelte, ohne irgendetwas davon wirklich wahrzunehmen. Er wartete, dankbar dafür, in der Menge untergehen zu dürfen.

Durch die Tür rechts drängte sich nun ein Mann, hochgewachsen, mit rasiertem Kopf und einem Eimer in der Hand. »Wo?«, fragte er knapp.

Eine der Studentinnen wies auf die Stelle, an der das Sektglas explodiert war.

»Okay. Gehen Sie zur Seite bitte.« Mit geübten Bewegungen

kehrte er Scherben und Flüssigkeit in den Eimer und wischte mit einem Putzlappen nach.

»Danke, Erich.« Sergej ging zu ihm, drückte ihm einen Schein in die Hand und winkte zur gegenüberliegenden Seite des Raums hinüber. »Macht die Musik wieder an!«

Erich ging ohne ein weiteres Wort, und Jona sah ihm nach, als Einziger, wie er vermutete.

Vielleicht irrte er sich ja. Der Name Erich war zwar nicht allzu häufig, aber es gab in Rothenheim ganz sicher mehr als nur diesen einen. Außerdem – woher sollten Silvia und Martin den Hausmeister des Nobelwohnheims kennen?

Eine leichte Berührung an der Schulter ließ Jona einen Satz nach vorne machen.

»Hey. Was ist denn los?« Marlene betrachtete ihn verwundert. »Bin doch nur ich.«

»Ja. Entschuldige bitte.«

»Noch elektrisiert von deiner Vorstellung eben, hm? Die war ziemlich cool, fand ich.«

Jona zwang sich ein Lächeln ab. »Findest du? Na ja, es war keine Aufgabe dabei, bei der ich wirklich hätte denken müssen. Alles nur Technik.«

»Macht dir trotzdem so schnell keiner nach.« Marlene reichte ihm ein Spießchen mit Shrimps in einem kleinen Glas. »Hier. Vom Buffet. Da sollten wir jetzt hingehen, du hast dir echt eine Belohnung verdient.«

Er nahm das Glas entgegen. »Du hättest mich mit der richtigen Frage auch ziemlich dumm aussehen lassen können, das weiß ich ganz genau.«

»Och. Da bin ich gar nicht so sicher. Und – warum sollte ich?«

Allmählich entspannte sich Jona. War ja auch Quatsch, sich

so aufzuregen, nur wegen eines Namens. Auf dem Weg zum Buffet zog er Marlene möglichst unauffällig an der Stelle vorbei, an der der Sekt verschüttet worden war.

Nichts war nass, nichts klebte. Erich hatte keine Spuren hinterlassen.

20

»Du benimmst dich merkwürdig seit ein paar Minuten.« Marlene reichte ihm einen Teller mit Häppchen, die sie für ihn ausgewählt hatte.

Er zuckte mit den Schultern. Nichts hätte er lieber getan, als ihr alles anzuvertrauen, was ihn quälte – und das wurde von Stunde zu Stunde mehr –, aber zwischen all den Leuten ging es nicht. Sie ignorierten ihn nicht mehr, so wie zu Beginn, sondern lächelten ihn an, klopften ihm auf die Schulter.

»Hey, good job!«, rief ihm ein großer, dunkelhaariger Student zu, den Sergej ihm bei ihrer Runde vorgestellt hatte. Damien, erinnerte Jona sich. Aus New Jersey.

Jemand anders lud ihn fürs nächste Wochenende zu einem Segelausflug ans Meer ein, und ein rundlicher Student aus Japan fragte ihn, ob er nicht gelegentlich Lust auf eine gemeinsame Partie Schach hätte.

Mehr als ein unverbindliches Lächeln bekam keiner von ihnen als Antwort. Jonas Konzentration war auf die beiden Türen zum Salon gerichtet. Falls Erich noch einmal auftauchen sollte.

»Weißt du was?«, schlug Marlene vor. »Lass uns woanders hingehen, hier sind so übertrieben viele Leute.«

Jona war einverstanden und gemeinsam arbeiteten sie sich durch die Menge, auf eine der Türen zu.

Von Erich war nichts zu sehen.

»Vielleicht da hin?« Jona deutete auf die letzte Tür am Gang. »Ins Billardzimmer?«

Marlene blieb stehen und betrachtete ihn durchdringend. »Woher weißt du, dass dort das Billardzimmer ist?«

Verdammt. »Ich –«

»Sag jetzt nicht, Sergej hätte es dir gezeigt, das hat er nämlich nicht. Es wird bei Partys abgesperrt, nachdem der Tisch schon zweimal ziemlich verwüstet worden ist.« Sie lehnte sich gegen die Wand und hob das Kinn. »Also?«

Einmal pro Tag die Wahrheit sagen, obwohl …

»Ich habe es von draußen gesehen.«

Sie lachte auf. »Sehr witzig, Herr Wolfram. Auf Stelzen? Oder bist du über eine Leiter hinaufgeklettert? In dem Fall hattest du Glück, dass dich keiner der Securitys erwischt hat.«

Jona rang mit sich. Er wollte es Marlene ja sagen, nein, eigentlich wollte er es ihr zeigen. »Gib mir Zeit bis morgen, okay? Dann erkläre ich es dir. Das, und noch ein paar andere Sachen.«

Sie zögerte einige Sekunden lang, dann nickte sie. »Bis morgen. Deal.«

Ein Pärchen schlenderte vorbei; er hatte den Arm um ihre Taille gelegt und sie küssten sich im Gehen. Jona glaubte nicht, dass sie viel von ihrer Umwelt wahrnahmen, wartete aber trotzdem, bis sie ein paar Meter weiter waren.

»Euer Hausmeister, der vorhin die Scherben eingesammelt hat – wie heißt der?«

Zum allerersten Mal schien Marlene von etwas, das er sagte, wirklich überrascht. »Erich. Wieso?«

»Erich und wie noch?«

Sie überlegte einen Moment. »Kemper. Er heißt Erich Kemper. Warum fragst du?«

Nur so lag ihm auf der Zunge, aber das würde sich spätestens morgen als Lüge herausstellen. »Gehört alles zur gleichen Geschichte. Gib mir noch die paar Stunden, ja?«

Sie nickte und wies auf eine offen stehende Tür, aus der gerade drei lachende Mädchen kamen. »Wollen wir da rüber? Das ist auch ein Partysaal – eigentlich der Yogaraum, aber das weißt du vermutlich auch schon.«

»Nein«, sagte er müde. »Wusste ich nicht. Und um ehrlich zu sein, würde ich jetzt am liebsten heimgehen. Ich bin ziemlich geschafft.«

»Dann solltest du gehen«, sagte Marlene ohne Zögern. »Bis morgen. Ich bin gespannt.«

Er war definitiv der Erste, der die Party verließ. Der Türsteher grüßte ihn freundlich und wünschte ihm noch einen schönen Abend, was Jona erstmals dazu veranlasste, auf die Uhr zu sehen. Kurz nach halb zehn. Tja, da würde Silvia enttäuscht sein – von wegen, vielleicht schlief er außerhalb.

Der Weg durch den dunklen Park, der das Wohnheim umgab, war nur spärlich beleuchtet und Jonas Herzschlag beschleunigte sich. Wenn sie Erich auf ihn angesetzt hatten, wusste er, wie Jona aussah. Wahrscheinlich hatte er ihn vorhin in der Menge nicht entdeckt – vielleicht aber doch. Dann war es nicht ausgeschlossen, dass er hier wartete, irgendwo, in einem dunklen Winkel. Davon fanden sich auf dem Weg bis zur Busstation eine ganze Menge.

Er merkte, dass er unwillkürlich begonnen hatte, schneller zu gehen, von Lichtinsel zu Lichtinsel. Der Zaun, der den Park der Reichen vom Campus der weniger Begüterten abtrennte, war nicht mehr weit.

Als er höchstens noch dreißig Meter entfernt war, trat eine

Gestalt aus den Schatten. Ein glühender Punkt in Kopfhöhe ließ darauf schließen, dass sie rauchte.

Jona blieb abrupt stehen. Wenn er jetzt umkehrte und rannte, rannte, rannte – hatte er dann eine Chance?

Eine zweite Gestalt gesellte sich zu der ersten, und erst jetzt erkannte Jona an den Silhouetten, dass es sich um die beiden Security-Leute am Tor handelte. Die hatte er völlig vergessen.

Einer von ihnen leuchtete ihm nun mit seiner Taschenlampe entgegen. »Hallo! Sie gehen schon wieder? Keinen Spaß gehabt auf der Party?«

Jona war so erleichtert, dass er laut auflachte. »Doch. Aber ich habe ein wenig Kopfschmerzen und morgen wird ein anstrengender Tag.« Zumindest Zweiteres stimmte.

Die beiden Männer schüttelten die Köpfe und beteuerten, dass sie sich früher aus solchen Gründen nicht vom Feiern hätten abhalten lassen, wahrscheinlich sei deshalb auch nichts Vernünftiges aus ihnen geworden.

Am liebsten wäre Jona bei ihnen stehen geblieben. Aber der restliche Weg bis zum Bus war nun wesentlich belebter. Da und dort spazierten noch Paare oder kleine Grüppchen durch den Herbstabend – bald würde man dafür eine dickere Jacke brauchen.

Jona erreichte den Bus, ohne Erich noch einmal zu Gesicht zu bekommen. Mittlerweile fand er sich selbst lächerlich – Angst vor dem Hausmeister. Wenn das nicht albern war.

Dafür hatte sich jetzt ein neuer Gedanke in seinem Kopf eingenistet. Was, wenn die Helmreichs die Zeit für eine ausgiebige Hausdurchsuchung genutzt hatten? Unter Miteinbeziehung des Dachbodens? Er hatte den Koffer ziemlich hastig verstecken müssen – möglicherweise hatte jemand aus der Familie das mitbekommen, obwohl er sich alle Mühe gegeben hatte, leise zu sein.

Der Bus fuhr Jona mit einem Mal viel zu langsam. Als er endlich an seiner Station hielt, sprang er hinaus und lief die zwei Straßen bis zum Haus so schnell, als wäre doch Erich hinter ihm her.

In der Auffahrt zum Haus stand ein dritter Wagen. Quer, sodass er Silvias und Martins Autos blockierte. Jona kannte ihn nicht, doch ihm ging schnell ein Licht auf, als er die Beschriftung am Heck sah. *Roginski Catering.* So leise er konnte, sperrte er die Tür auf und zog sie lautlos wieder hinter sich zu. Im Wohnzimmer lief der Fernseher. Also alles normal.

Erleichtert atmete Jona durch und spähte vorsichtig durch die halb geöffnete Tür, nur um zu sehen, dass niemand vor dem Apparat saß. Seine Erleichterung wich einer düsteren Vorahnung.

Auf Socken schlich er die Treppe hoch, hörte nun auch Stimmen. »Lass mich mal auf den Stuhl steigen.« Das war Roginski, wenn Jona sich noch richtig an die Stimme erinnerte. Laut, energisch.

»Da ist nichts.« Silvia. »Denkst du, auf die Idee wären wir noch nicht gekommen?«

»Und du bist sicher, dass der Brief von ihm stammt?«

»Wir nicht«, warf Martin ein. »Aber er.«

Er? Wer war er? Schratter?

Jona hatte auf der Treppe innegehalten. Überlegte. Die drei waren in seinem Zimmer, so viel war klar. Sie stöberten herum, das hieß, sie hatten noch nicht gefunden, wonach sie suchten.

Und das würden sie auch nicht.

Das Überraschungsmoment war auf seiner Seite, und das

musste er nutzen. Er würde die Situation für die Leute in seinem Zimmer so peinlich wie nur möglich machen, vielleicht bestand dann die Chance, dass sich einer von ihnen beim Versuch verplapperte, eine Ausrede für dieses groteske Szenario zu finden.

»In ein paar Tagen ist das alles kein Thema mehr«, sagte Roginski eben. »Und bis dahin …«

»Guten Abend.« Jona lehnte sich mit verschränkten Armen gegen den Türrahmen. »Störe ich?«

Die Köpfe der drei Anwesenden fuhren gleichzeitig zu ihm herum. Silvia stieß einen leisen Schrei aus.

»Wieso … bist du schon zurück?« Martins Blick zuckte zwischen Jona und Roginski, der auf einem Stuhl neben dem Schrank stand, hin und her.

»Lahme Party«, sagte Jona trocken. »Soll vorkommen. Und was ist das hier? Auch eine Party?« Er begab sich auf dünnes Eis, das wusste er. Sie waren zu dritt, Kerstin war offenbar nicht im Haus – wenn sie ihn jetzt einem dummen Missgeschick zum Opfer fallen lassen wollten, war es der perfekte Augenblick.

Roginski fing sich als Erster. »Tatsächlich? Die Party ist lahm? Das ist dann, glaube ich, das erste Mal in der Geschichte von Schloss Deluxe …« Er grinste Jona zu. »So nennen wir in der Stadt das Wohnheim der Reichen. Aber sag es ihnen nicht.«

Jona hatte nicht die Absicht, auf dieses Ablenkungsmanöver reinzufallen. »Erklären Sie mir, was Sie in meinem Zimmer tun? Auf einem Stuhl? Wollen Sie eine bessere Aussicht auf den Schreibtisch?« Martin schüttelte nur stumm den Kopf, er hatte nach wie vor keinen Ton gesagt, dafür lachte Roginski jetzt noch lauter als zuvor. »Ach Unsinn. Wir wollten die Energie-

sparleuchte in deiner Deckenlampe gegen eine noch umwelt-
freundlichere austauschen. Junge Leute vergessen doch ständig,
das Licht auszuschalten – aber wir sollten alle Strom sparen,
nicht wahr?«

Wenn Jona etwas überhaupt nicht vertrug, dann die Versuche
dummer Menschen, ihn für dumm zu verkaufen.

»Ach, tatsächlich. Und – wo ist diese Leuchte?«

»Die bringe ich morgen. Fürs Erste wollte ich mir nur einmal
die Gewindegröße der Lampe ansehen.«

»Oh. Soweit ich weiß, sind die Gewinde genormt? Alle gleich
groß?«

»Im Normalfall schon. Aber es gibt immer wieder Ausnah-
men. Seltenere Produkte. Da dachte ich mir, ich sehe vorsichtshalber nach.«

Widerwillig musste Jona dem Mann Respekt für seine Schlag-
fertigkeit zollen. Er war der Einzige, dem auf Anhieb eine Ausrede für die skurrile Szene hier eingefallen war. Bei aller Un-
glaubwürdigkeit.

Jetzt war der Moment gekommen, in dem Jona sich entscheiden musste. Er konnte »Aha« sagen und es dabei belassen. Die
Situation entschärfen. Oder er konnte den Dingen ein Stück
weiter auf den Grund gehen – auf die Gefahr hin, dass es wirklich richtig unangenehm wurde.

»Warum reden wir nicht offen miteinander?« Okay, wie es
aussah, war seine Wut stärker als seine Vorsicht. »Ihr seid dabei,
mein Zimmer zu durchsuchen. Was möchtet ihr denn gerne
finden?«

»Wir …«, Silvia lachte nervös auf. »Wir durchsuchen dein
Zimmer nicht. Peter hat es doch gesagt. Die Lampe gehört getauscht und ein paar andere Kleinigkeiten wollten wir auch ver-

bessern. Zum Beispiel den Schrank an die Wand dübeln, damit er nicht irgendwann umkippt.«

»Ich bin handwerklich ziemlich gut.« Roginski gab sich Mühe, kumpelhaft zu klingen. »Und ich helfe Freunden gerne aus.«

»Ach. Ihre Freunde holen Sie, wenn eine Glühbirne getauscht werden muss?« Jona merkte, dass er die Situation zu genießen begann, ähnlich wie in Lichtenbergers Vorlesung. Nicht gut, sagte ihm eine innere Stimme, doch ihm war klar, dass er nicht auf sie hören würde.

»Ich bin auf ein Glas Wein vorbeigekommen«, erwiderte Roginski ruhig. »Und Martin hat mich gebeten, mir die Sache mit dem Schrank anzusehen, und bei der Gelegenheit ist uns auch aufgefallen, dass man die Lampe tauschen sollte.«

Merkten sie nicht, dass sie sich immer tiefer in eine Geschichte verstrickten, die an Lächerlichkeit kaum zu überbieten war?

»Ach, Martin«, sagte Jona herzlich. »Warum hast du mir nicht gesagt, dass du Hilfe brauchst? Ich kann mit einem Bohrer umgehen, ehrlich. Und ich schaffe es auch, eine Sparlampe einzuschrauben.« Er sah sie einen nach dem anderen an. Verschärfte seinen Ton. »Ich bin nämlich alles andere als dumm, müsst ihr wissen.«

»Natürlich bist du nicht dumm!« Silvia ging auf ihn zu, ihr Lächeln so starr, als hätte man es ihr im Gesicht festgeklammert. Sie legte einen Arm um ihn, der spürbar zitterte. »Tut mir leid, dass die Party nicht so war, wie du es erwartet hattest, aber ich bin sicher, beim nächsten Mal wirst du es mehr genießen.« Sie zog ihn vom Zimmer weg, auf die Treppe zu. »Was hältst du davon, wenn ich dir einen Tee mache? Oder du trinkst ein Glas Wein mit uns, hm?«

Jona widerstand der Versuchung, sich aus ihrem Griff zu befreien. »Danke, aber ich glaube, ich helfe lieber hier aus. Bei so schwerwiegenden technischen Problemen wird offenbar jede Hand gebraucht.«

»Wir sind hier fertig«, erklärte Martin. »Hör zu, Jona, ich verstehe, dass dir das merkwürdig vorkommen muss. Aber wir sind wirklich nur zufällig auf den Schrank zu sprechen gekommen und dann hat Peter ihn sich angesehen. Niemand hat dein Zimmer durchstöbert, das versichere ich dir.«

Er klang durch und durch vernünftig. Jona hätte zumindest in Betracht gezogen, dass er die Wahrheit sagte – wenn da nicht das Gespräch gewesen wäre, dass er kurz zuvor mit angehört hatte.

Da ist nichts. Denkst du, auf die Idee wären wir noch nicht gekommen?

Und du bist sicher, dass der Brief von ihm stammt? Der Brief. Der war ein riesiger Fehler gewesen.

Jona ging mit den drei Erwachsenen nach unten. Er lehnte Tee ebenso ab wie Wein, trank aber ein großes Glas Wasser und tat in der nächsten halben Stunde so, als würde er das alles allmählich immer lustiger finden.

Er fuhr damit fort, Martin aufzuziehen, erwähnte aber mit keinem Wort mehr die Tatsache, dass man seine Privatsphäre verletzt hatte. Vorhin war er viel zu impulsiv gewesen, jetzt würden sie auf der Hut sein und ihm kein Stück mehr über den Weg trauen.

Gegen elf trat er den Rückzug in sein Zimmer an, gähnend, aber nach außen hin blendend gelaunt.

»War schön, sich einmal etwas länger mit dir zu unterhalten«, lachte Roginski und schüttelte ihm kräftig die Hand. »Du bist ein schlauer Bursche, das lässt sich wirklich nicht abstreiten.«

»Mich hat es auch gefreut.« Er winkte Martin und Silvia zu. »Bis morgen.«

Er ging die Treppe langsam hinauf, alle Sinne geschärft. Sprachen sie jetzt über ihn? Über das, was passiert war? Vermutlich eher nicht, oder doch, denn jetzt drehte jemand Musik auf. Irgendwelches Big-Band-Zeug aus den Fünfzigern, als Klangteppich, der sich über ihr Gespräch legen würde.

Sie wussten gar nicht, welchen Gefallen sie Jona damit taten. Er blieb nicht bei seinem Zimmer stehen, sondern ging eine Treppe höher, auf den Dachboden. Drückte die Tür auf, öffnete das Schränkchen im Wickeltisch und atmete aus, schwach vor Erleichterung. Der Koffer war noch da. Aber er konnte ihn keinesfalls hierlassen.

Für diese Nacht versteckte er ihn noch einmal unter dem Bett. Er prüfte zweimal, ob er seine Zimmertür wirklich abgeschlossen hatte, drehte dann das Licht aus und stellte sich zum Fenster.

Roginskis Auto stand noch da. Jona hätte viel darum gegeben zu erfahren, was im Wohnzimmer gesprochen wurde. Über ihn natürlich, und über den Grund, warum Silvia ihn so dringend aus dem Haus haben wollte. Vielleicht sogar darüber, wann und wie Erich sich um ihn *kümmern* sollte.

Draußen hielt ein alter Golf, blieb zwei oder drei Minuten mit laufendem Motor stehen, dann stieg Kerstin aus und ging aufs Haus zu. Winkte noch einmal, bevor das Auto wieder davonfuhr.

Mit wem auch immer sie ausgegangen war, er kam bestimmt nicht aus *Schloss Deluxe*. So wie Marlene. Ob sie diesen eigenartigen Spitznamen kannte?

Aber viel wichtiger: War sie schon auf den Brief gestoßen, den er ihr in die Handtasche gesteckt hatte? Überhaupt – die Briefe. Eine der drei Personen, die einen von ihm bekommen hatten, musste ihn herumgezeigt und damit Panik ausgelöst haben. Einer dieser Personen würde Jona morgen sein größtes Geheimnis anvertrauen.

Er legte sich ins Bett und schloss die Augen. Vielleicht war es dumm. Ganz sicher war es riskant. Aber er würde es trotzdem tun.

Nur verschwommen nahm er wahr, dass Kerstin singend die Treppe heraufkam und kurz darauf vor dem Haus ein Auto gestartet wurde und davonfuhr.

Morgen.

21

Sie brauchten fast eine Stunde, bis sie den perfekten Platz gefunden hatten. Das war Marlene zu verdanken, die sich an die Garderobenräume am alten Sportplatz erinnert hatte. Dort war seit vergangenem Jahr nichts los, nicht, seit es das neue Sportgelände mit Flutlichtanlage und Schwimmhalle gab. »Wir könnten hier eine Leichtathletik-Europameisterschaft austragen«, sagte sie lachend.

Vermutlich ein neuer Versuch, Jonas Stimmung zu heben. Er hatte die ganze Zeit über kaum ein Wort gesagt, ihn lähmte der Gedanke an das, was gleich auf ihn zukommen würde. Sobald sie die Wahrheit kannte, würde Marlene nichts mehr mit ihm zu tun haben wollen, so, wie er sie bisher kennengelernt hatte.

»Du schaust wirklich düster drein«, bemerkte sie mit einem Seitenblick auf ihn, während sie die Metalltür des verlassenen Gebäudes öffnete. Jona speicherte das Quietschen der Angeln gedanklich ab. Ein Warnsignal, falls jemand anders reinkommen sollte. Das war gut.

Es gab hier zwei Stockwerke: unten hauptsächlich Duschen, oben die Garderobenräume mit verkratzten, teils defekten Spinden, Bänken und ein paar Spiegeln. Einer davon mit Sprung. Obwohl schon so lange niemand den Ort hier nutzte, roch es immer noch leicht nach alten Socken und abgestandenem Deospray.

Aber es gab eine Fensterfront und die Fenster ließen sich öffnen. Das war entscheidend.

Jona setzte sich auf eine der Umkleidebänke und stellte den Koffer neben sich ab. »Okay«, sagte er. »Die Stunde der Wahrheit.«

»Klingt gut.«

Er blickte zu ihr hoch. »Abwarten.« Seine Finger spielten am Griff des Koffers. »Du erinnerst dich bestimmt noch daran, wie du mir von deinem Verdacht erzählt hast, wir würden von der Universitätsleitung beobachtet.«

»Ja.«

»Aber das werden wir nicht. Du erinnerst dich auch noch an das Foto, das du geschossen hast?« Jona legte den Koffer hin, holte noch einmal Luft und ließ die Verschlüsse aufschnappen. »Ich bin sicher, der hier kommt dir bekannt vor. Darf ich vorstellen? Das ist Elanus.«

Marlene trat einen Schritt näher. Streckte eine Hand aus und berührte die schimmernde Oberfläche der Drohne. »Stimmt«, sagte sie. »Den kenne ich. Erklärst du mir auch, wieso er minutenlang über mir geschwebt ist? Zu Beginn habe ich versucht, ihn abzuhängen, aber er ist mir gefolgt.«

Jona gab sich gar nicht erst Mühe, seine Verblüffung zu verbergen. Marlene wirkte nicht verärgert, im Gegenteil. Eher so, als würde sie Bekanntschaft mit seinem Haustier machen und es niedlich finden. »Du bist nicht sauer?«

Sie lächelte, ohne ihn anzusehen. »Ich bin neugierig.«

Neugierig. Jona zögerte. Er wünschte sich, dass sie begriff, welchen Vertrauensbeweis er ihr gerade erbrachte. »Meine Eltern wissen nichts von Elanus. Die Helmreichs sowieso nicht. Eigentlich niemand, außer einem einzigen Freund.« Konnte er

Pascal wirklich als Freund bezeichnen? Im Kopf stellte er eine mögliche Gleichung auf:

Pascals Mitteilungsbedürfnis + der falsche Gesprächspartner = Beobachter vor dem Haus = Roginski beim vorgetäuschten Glühbirnenwechsel.

»Von wo aus hast du ihn damals gesteuert?« Es war Marlene anzusehen, dass sie Elanus gern aus dem Koffer genommen und von allen Seiten betrachtet hätte, aber wartete, bis Jona sie dazu auffordern würde.

»Von meinem Zimmer bei den Helmreichs aus.«

Nun wandte sie ihm wieder ihre ganze Aufmerksamkeit zu. »Wie soll das gehen? Woher wusstest du, wo du mich finden würdest? Oder war es bloß Zufall?«

Er seufzte. Spätestens jetzt war der Moment gekommen, in dem er lügen oder sein ganzes System offenlegen musste. Und er wusste, wie es sich anhörte. Nach Stalking per Drohne.

»Du hast mir deine Handynummer gegeben, nachdem wir uns das erste Mal unterhalten hatten. Im Anschluss an Gehbauers Seminar.«

Sie nickte nach kurzem Nachdenken.

»Dann habe ich dir eine SMS geschickt und du hast mir geantwortet. Damit hat sich automatisch die Software in deinem Handy installiert, die Elanus braucht, um dich zu finden.«

Ihre Augen verengten sich. »Spyware?«

»Ja. Sorry. Eine unsichtbare App, als Voice over IP-Client klassifiziert. Läuft kontinuierlich im Hintergrund, und sobald ich Elanus starte und deine Nummer in die Software eingebe, ortet er dich. Vorausgesetzt, dein Handy ist an.«

Sie würde jetzt gehen, das wusste er. Sie würde ihm ihr verseuchtes Handy an den Kopf werfen und sich in der nächsten halben Stunde ein neues kaufen. Dessen Nummer er nie erfahren würde.

»Wem außer mir bist du noch gefolgt?« Sie klang verhalten, aber nicht mal im Ansatz so wütend, wie er es erwartet hatte.

»Ein paar Leuten. Von denen ich eben die Nummer hatte. Linda. Sergej.«

»Sergej?« Ihr Auflachen steckte irgendwo zwischen überrascht und erschrocken. »Bist du irre?«

»Warum?«

»Weil er der Letzte sein sollte, mit dem du dich anlegst. Wenn seine Leute dahinterkommen, dass du ihm nachspionierst, bist du geliefert. Seine Familie ist … na ja, ich weiß nicht, ob wirklich ein Mafiaclan, aber ganz sicher etwas Ähnliches.«

Das hatte er nicht gewusst. Meine Güte, es musste doch nicht jeder wohlhabende russische Bürger gleich mit der dort ansässigen Mafia zu tun haben?

»Also, irgendjemand ist jedenfalls dahintergekommen«, murmelte er. »Keine Ahnung, wie.«

Wieder lachte sie auf. »Oh, da gebe ich dir gerne einen Tipp. Wenn du Elanus am helllichten Tag herumfliegen und ewig an der gleichen Stelle schweben lässt, könnte es sein, dass jemand ihn sieht. Ich zum Beispiel. Und ich bin nicht die Einzige mit Augen im Kopf.«

»Das ist nur passiert, weil Martin plötzlich im Zimmer stand.« Jona konnte sich noch genau an das Gefühl erinnern. Nervosität, gepaart mit Hilflosigkeit. Zu wissen, dass Elanus unbewacht draußen war. »Martin Helmreich, mein Gastvater sozusagen. Er platzte rein, ich musste den Laptop schließen und konnte Elanus für ein paar Minuten nicht überwachen. Sonst hätte ich ihn sofort manuell außer Sichtweite gebracht.«

»Ist dir das zum ersten Mal passiert?« Sie ging zum Fenster, blickte nach draußen. »Weil du sagtest, jemand wäre dahintergekommen.«

»Ja. Ich lasse Elanus sonst keine Sekunde aus den Augen. Aber sie suchen nach ihm. Also gibt es Leute, die wissen, dass er existiert.« Jona achtete ganz genau auf Marlenes Reaktion, doch sie zuckte nicht einmal mit der Wimper.

»Wenn sie es wissen, dann nicht von mir, falls du das denken solltest.«

»Nein, das denke ich natürlich nicht.« Er konnte nicht verhindern, dass er erleichtert klang. Marlene log nicht, das wusste er. Hoffte er. »Aber ich war zu unvorsichtig. Nicht nur, was die Drohnenflüge angeht.« Wenn er schon dabei war zu beichten, wollte er die Sache mit den Briefen am besten auch gleich gestehen, doch Marlenes Aufmerksamkeit war ganz auf Elanus gerichtet. »Zeigst du mir, was er kann?«

Spontan hätte Jona am liebsten abgelehnt. Es war zwar schon Nachmittag, aber noch hell. Immerhin trübes Wetter, trotzdem eine riskante Sache. »Wen möchtest du denn gern beobachten?«

Sie grinste. »Wen hast du im Angebot? Von mir mal abgesehen?«

Wenn er ihr das auch noch beantwortete, lieferte er sich völlig aus, das war ihm klar. Aber es tat so gut, sich jemandem anzuvertrauen. Doppelt gut, weil es Marlene war. »Sergej, wie gesagt, außerdem Linda Koren und Andrea Gilles. Die Rektoratsassistentin.«

»Ich kenne Gilles. Wobei hast du sie beobachtet? Beim Tippen am Computer?«

»Bisher noch gar nicht.«

Versonnen klopfte Marlene mit den Fingernägeln auf die staubige Fensterbank. »Dann wäre das ja eine Premiere. Warum nicht, was denkst du? Ist außerdem ein kurzer Flug.«

Er ließ sie Elanus aus dem Koffer nehmen, zeigte ihr, wo man ihn einschaltete. Bereitete alles Nötige auf dem Notebook vor und öffnete dann das Fenster. »Wirf ihn raus.«

Sie sah Jona ungläubig an. »Wie, wirf ihn raus? Einfach so?«

»Ja. Einfach so.«

»Und was, wenn …«

»Nein, er kracht nicht unten auf den Asphalt. Los. Wirf ihn.«

Sie betrachtete Elanus zweifelnd, zuckte dann mit den Schultern und schleuderte ihn hinaus. Kraftvoll, wie man ein Frisbee warf.

Jona genoss es zu sehen, wie aus der Neugier in ihrem Gesicht blankes Staunen wurde, als Elanus sich mitten in der Luft fing, sich ausrichtete, höher stieg und davonflog.

»Ist ja Wahnsinn. Und du hast den ganz alleine gebaut?«

»Ja. Und die Steuerungssoftware programmiert, genauso wie die App …« Es klang definitiv nach Angeberei. »Hat aber auch lange gedauert«, fügte er schnell an. »Und bevor es geklappt hat, gab es ein paar verheerende Rückschläge.« Sie stand am Fenster und lehnte sich ein Stück hinaus. »So wie jetzt? Er fliegt nicht in Richtung Rektorat.«

Jona setzte sich auf die Bank, das Notebook auf den Knien. Was auf dem Bildschirm zu sehen war, gab Marlene recht. Elanus strebte auf das östliche Ende des Campusgeländes zu, flog darüber hinaus …

»Das liegt daran, dass Gilles nicht in ihrem Büro ist. Oder vielleicht ist sie das sogar, ihr Handy aber nicht.«

Marlene hatte sich neben Jona gesetzt und verfolgte Elanus'

Flug ebenso konzentriert wie er. »Gleich ist er am Kirchenplatz«, stellte sie fest, »danach kommt das Gymnasium. Hast du eine Ahnung, wo er hinwollen könnte?«

»Er folgt einfach nur dem Signal des Handys.« Jona sah auf die Zeitangabe, zehn Minuten waren schon verstrichen. Blieben rund dreißig. Angenommen, Gilles hatte ihren freien Tag und war in die nächste Stadt gefahren, dann würde Elanus umkehren, sobald das Failsafe-Programm sich einschaltete, und die Vorführung für Marlene wäre ein ziemlicher Reinfall …

Doch kaum eine halbe Minute später reduzierte Elanus die Geschwindigkeit und schwenkte auf ein dreistöckiges Gebäude zu. Die Autos, die davor parkten …

»Das ist die Polizeizentrale«, rief Marlene. »Ob es klug ist, wenn deine Drohne dort rumfilmt?«

Nein, das war es ganz definitiv nicht. Hin- und hergerissen zwischen Neugier und Vernunft wartete Jona, bis Elanus sich vor einem der Fenster positioniert hatte. Also war Gilles bei der Polizei. Während der Bürozeiten. Sah aus, als wäre etwas passiert.

»Muss man nicht eine Genehmigung haben, bevor man eine Drohne fliegen lässt?«

»Doch.«

»Und? Hast du eine?«

»Sehe ich so aus?« Jona schaltete auf manuelle Steuerung um und ließ Elanus steigen, schnell. Brachte ihn aus dem Sichtfeld und flog ihn dann zwei Kilometer in westliche Richtung, bevor er die Rückholfunktion aktivierte.

»Was passiert, wenn sie dich erwischen?«, erkundigte sich Marlene, während er schon am Fenster stand und wartete.

»Ohne Aufstiegsgenehmigung wird's richtig teuer. Und wenn

sie erst dahinterkommen, was die Software alles kann … aber das wäre nicht meine Hauptsorge.«

Er entdeckte den vertrauten silbrigen Punkt am Himmel, der immer näher kam, und fühlte, wie Marlene hinter ihn trat.

»Sondern?«

Der Punkt sank, wurde erkennbar, wurde Elanus. Jona streckte die Hand aus und fing ihn, noch bevor er ganz durchs Fenster war. »Das erzähle ich dir später. Jetzt machen wir erst mal einen Sprint ins Rektorat.«

»Sie hat einen Zahnarzttermin.« Die Studentin, die Gilles vertrat, wirkte überfordert, obwohl sie sich große Mühe gab, professionell zu klingen. »Ich richte ihr aber gerne eine Nachricht aus.«

»Danke, das ist nicht nötig.« Jona wechselte einen schnellen Blick mit Marlene. »Hat sie gesagt, wann sie zurück sein will?«

Das Mädchen schüttelte den Kopf. »So genau weiß man das bei Arztterminen doch nie. Ich habe das letzte Mal über eine Stunde warten müssen …«

Mit einer nachlässigen Bewegung wies Jona auf die Tür zum Rektoratsbüro. »Ist Dr. Schratter vielleicht zufällig gerade da? Ich versuche ihn schon seit Tagen zu treffen und ihm wenigstens die Hand zu schütteln.«

Erneut schüttelte die Studentin den Kopf, voller Bedauern. »Nein, der Rektor kommt erst morgen wieder.« Sie hob ein Blatt Papier hoch. »Ich habe schon eine Liste von gut zehn Leuten, die er zurückrufen muss. Seit der Sache mit Dr. Lichtenberger ist hier nichts mehr, wie es war.«

»Okay. Danke jedenfalls.« Jona hob grüßend die Hand und wandte sich zum Gehen. Im Türrahmen drehte er sich noch einmal um – die Idee, die ihn eben gestreift hatte, war auf jeden Fall einen Versuch wert. »Vielleicht kannst du mir ja die Handynummer des Rektors geben? Wir bemühen uns jetzt seit Tagen um einen gemeinsamen Termin, aber es klappt einfach nicht …« Er ließ den Satz im Nichts enden.

Die Studentin sah ihn mit schief gelegtem Kopf an. »Du bist Jona Wolfram, nicht wahr? Das Wunderkind.«

Der Begriff störte ihn schon, seit er sieben war, aber jetzt würde er nicht dagegen protestieren. Kind klang harmlos. Harmlos war gut.

»Genau der bin ich.«

»Ich habe von deiner Vorstellung auf Sergejs Party gehört. Muss echt großartig gewesen sein.« Sie kramte auf dem Schreibtisch herum, förderte eine in Plastikfolie verschweißte Liste zutage und schrieb eine Nummer auf ein Blatt Papier, das sie anschließend zusammenfaltete. »Hier, bitte. Und ich schätze, in spätestens zwei Stunden wird Andrea wieder da sein.«

Jona nickte und nahm das Papier ruhig entgegen, was ihm schwerfiel – am liebsten hätte er seine Faust in Siegergeste hochgereckt und noch laut gejubelt. Er konnte nicht glauben, dass es so einfach gewesen war, Schratters private Handynummer zu bekommen.

Draußen nahm er Marlene am Arm und zog sie zum Ausgang. »Mehr Glück als Verstand. Elanus' kurzer Ausflug hat viel mehr gebracht, als ich gehofft hatte.«

»Worüber freust du dich denn so?« Kaum waren sie unter freiem Himmel, zog Marlene ihre Hand aus seiner.

»Ich habe Schratters Handynummer. Das heißt, meine Chancen, ihm auf die Schliche zu kommen, sind um ungefähr das Fünfzigfache gestiegen.«

Sie war stehen geblieben. »Ihm auf die Schliche kommen? Wovon redest du eigentlich?«

Jona steuerte eine der Parkbänke unter einer alten Kastanie an. Rundum waren nur vereinzelt Studierende zu sehen, es wurde allmählich zu kalt, um länger draußen zu sitzen. »Es klingt vielleicht unwahrscheinlich, aber möglicherweise gehört er zu den Leuten, die mich aus dem Weg schaffen wollen.«

22

Nach dieser Ansage hatte Jona gut und gern zehn Minuten gebraucht, um Marlene zum Bleiben zu überreden.

»Leider spinnst du«, hatte sie festgestellt. »Du nimmst dich so ungeheuer wichtig, dass du mir beinahe leidtust. Aber glaube mir, niemand will dich aus dem Weg schaffen. Dir aus dem Weg gehen, ja, das vielleicht, aber um gekillt zu werden, bist du zumindest jetzt noch nicht bedeutend genug.«

Er nickte besänftigend zu jedem ihrer Worte und wartete, bis sie fertig war, bevor er wieder etwas sagte. Obwohl es ihm schwerfiel.

»Es liegt nicht an mir, sondern an dem, was ich vielleicht gesehen haben könnte. Sie denken, ich weiß etwas.«

Sie betrachtete ihn prüfend. »Jemand hat etwas von deiner Drohne mitbekommen?«

»Das befürchte ich. Und … ich habe leider etwas ziemlich Blödes getan.« Er würde es sagen, jetzt. »Ich habe ein paar Briefchen verteilt, unauffällig. Die eigentlich als Witz gemeint waren, sich aber wie Drohbriefe lesen.«

Hätte Jona nicht Angst gehabt, sie würde ihm gleich eine knallen und ihn dann stehen lassen, wäre Marlenes Mimik für ihn ein überaus faszinierendes Schauspiel gewesen. In drei Sekunden wurde aus blankem Nicht-Begreifen eine sichere Erkenntnis.

»Du denkst, keiner weiß, was du tust«, zitierte sie. »Aber da irrst du dich, es kann dich kein Vorhang schützen, und sei er noch so rot.«

Jona seufzte. »Ich kenne dein Geheimnis«, fuhr er im Text fort. »Ja, das ist dummerweise von mir, und es tut mir furchtbar leid, dass ich dir eines der Exemplare in die Handtasche gesteckt habe. Aber da kannte ich dich noch nicht.«

Sie betrachtete ihn stumm, mehrere Sekunden lang. Er senkte den Blick nicht, obwohl er am liebsten im Boden versunken wäre und immer noch mit einer Ohrfeige oder einem gewaltigen Donnerwetter rechnete.

Doch Marlene blieb ruhig. »Was wolltest du damit erreichen?«, fragte sie irgendwann endlich. »Unruhe stiften?«

»Nicht nur. Es war auch … ach, es war der Versuch einer billigen Revanche, weil ich von Linda am Tag davor mies behandelt worden war. Ich hatte ihre Handynummer und schickte ihr am Abend Elanus nach. Der flog dann an einen sehr interessanten Ort.«

»Und zwar?«

»Das Haus der Lichtenbergers.«

»Was?« Marlenes blaue Augen wirkten mit einem Mal doppelt so groß wie sonst.

»Ja. Ich habe nichts gehört und nur wenig gesehen, aber sie war dort mit einem Mann zusammen. Ich tippe darauf, dass es unser Dozent war. Darauf hat sich die Nachricht bezogen. Ich habe sie ihr unbemerkt zugesteckt. In der darauffolgenden Nacht hat Lichtenberger sich erhängt.«

Oh Gott, wenn man es so kurz zusammenfasste, konnte man fast nicht anders als denken, dass der Brief der Auslöser dafür gewesen war.

Marlene schien den gleichen Schluss zu ziehen. Sie schloss die Augen, rieb sich über die Stirn.

»Aber damit konnte doch keiner rechnen!«, sagte Jona, zunehmend verzweifelt. »Selbst wenn Linda Lichtenberger den Brief gezeigt hat – deswegen bringt sich doch niemand um!«

»Da hast du recht.« Sie schauderte, als ob sie frieren würde. »Getan hat er es allerdings trotzdem.«

»Oder auch nicht.«

War das Mitleid in ihren Augen? »Ich würde ja gern dein Gewissen erleichtern, aber Lichtenbergers Selbstmord ist eine Tatsache.«

»Außer, jemand hat alles vorgetäuscht. Ihn getötet und es wie Selbstmord aussehen lassen, verstehst du?«

Er rechnete es Marlene hoch an, dass sie diese Theorie zumindest kurz erwog, bevor sie den Kopf schüttelte. »Nein, Jona, sorry. Warum sollte das jemand tun? Und denkst du nicht, die Polizei hätte das festgestellt? Die haben extra Leute für so was.«

»Es gibt aber auch geschickte Verbrecher.« *Erich hinterlässt keine Spuren.*

»Okay, mag sein – aber mir fehlt immer noch das Motiv. Wozu der Aufwand? Wer wollte Lichtenberger tot sehen?« Wieder wurden ihre Augen groß. »Hast du dabei an seine Frau gedacht? Warst du deshalb bei ihrem Haus?«

»Ich war dort, weil ich wissen wollte, ob es wirklich Lichtenbergers Haus ist. War ja anfangs nur eine Vermutung. Und es gab nirgendwo ein Türschild, also habe ich einen Brief aus dem Briefkasten gezogen. Wegen des Adressetiketts.«

Wieder spiegelte Marlenes Gesicht eine Erkenntnis wider. »Ah ja. Und diesen Brief hast du netterweise später wieder zurückgebracht.«

»Richtig.« Innerlich nahm Jona Anlauf für die nächste Hürde. »Aber vorher habe ich ihn noch geöffnet.«

Sie senkte den Kopf. Betrachtete ihre Schuhspitzen. Wahrscheinlich reichte es ihr jetzt endgültig mit ihm, was er gut verstehen konnte. Bevor sie ging, wollte er aber die ganze Geschichte loswerden. »Der Umschlag war nicht an Dr. Lichtenberger adressiert, sondern an seine Frau. Beate. Und es waren zehntausend Euro drin.«

Mit einem Schlag hatte er wieder Marlenes ganze Aufmerksamkeit. »Wie bitte?«

»Zehntausend Euro. Kein Absender.«

»Und du hast sie zurückgegeben.« Es war eine Feststellung, keine Frage.

»Ja. In einem neuen Umschlag.«

Sie ging ein paar Schritte und winkte ihm, ihr zu folgen. »Das ergibt alles überhaupt keinen Sinn.« Ein prüfender Blick von der Seite. »Oder? Du bist schließlich das Genie. Verstehst du, wie das zusammenhängt?«

»Nein. Keine Ahnung.«

Sie nickte zufrieden. »Da muss noch etwas mit hineinspielen, das wir nicht wissen. Bisher.«

»Ich glaube, es hat mit Schratter zu tun. Er ist ein merkwürdiger Mensch, soweit ich es mitbekommen habe. Schreit herum, hält Verabredungen nicht ein …«

Auf Marlenes Stirn bildete sich eine steile Falte. »So habe ich ihn nicht kennengelernt. Ein paarmal habe ich mich mit ihm unterhalten und da fand ich ihn sehr freundlich, korrekt und kompetent. Wenn er sich so anders verhält, muss er unter riesigem Druck stehen.«

Darauf verwette ich mein Stipendium, dachte Jona. Falls er etwas mit Lichtenbergers Tod zu tun hat, ist er nicht nur selbst dran, sondern der Ruf der Uni ist ruiniert, die russischen Mafiosi, koreanischen Technikmagnaten und amerikanischen Industriellen werden ihre kostbaren Kinder sofort anderswo hinschicken.

So weit ergab das Sinn. Fehlten nur noch die Hintergründe. Und der Grund dafür, dass man Jona aus dem Weg schaffen wollte.

Das zu durchblicken, war ihm eigentlich das Wichtigste, aus ganz egoistischen Gründen.

»Ich werde Schratter jetzt eine SMS schicken«, erklärte Jona. »Wenn er darauf antwortet, lasse ich ihn nicht mehr aus den Augen.«

Marlene zögerte, nickte dann aber doch. »Okay. Ich kann mir zwar nicht vorstellen, dass er sich etwas hat zuschulden kommen lassen, aber irgendetwas stimmt derzeit nicht.«

»Das hat man also auch in Schloss Deluxe schon bemerkt?« Jona zog sein Handy aus der Hosentasche.

»Wo bitte?«

»So nennen die Leute aus der Stadt euer Wohnheim. Wusstest du das nicht?«

»Nein. Passt aber.« Sie stellte sich so eng neben Jona, dass er ihren Atem an der Wange fühlen konnte, als er begann, die Nachricht zu tippen.

Sehr geehrter Herr Dr. Schratter!
Schade, dass es mit dem Termin letztens nicht geklappt hat. Mir ist bewusst, dass Sie sehr beschäftigt sind und es vermutlich einfach vergessen haben oder etwas Wichtigeres dazwischenkam, aber vielleicht könnten Sie

mir in den nächsten Tagen trotzdem zehn Minuten Ihrer Zeit schenken? Es gäbe einiges, was ich gerne mit Ihnen besprechen würde.

Herzliche Grüße, Jona Wolfram

»Geschickt«, konstatierte Marlene. »Darauf muss er antworten, finde ich. Zumindest, um sich dafür zu entschuldigen, dass er dich versetzt hat.«

So sah Jona das auch. Er drückte auf *Senden*. Am besten war es wahrscheinlich, sich sofort auf den Heimweg zu machen, damit Elanus' Akkus geladen waren, sobald der Rektor sich meldete. Wenn Jona ihn regelmäßig beobachtete, würde er irgendwann seinen Lebens- und Arbeitsrhythmus nachvollziehen können und dann wissen, wann man ihn im Büro antraf.

»Du willst nach Hause«, stellte Marlene fest.

War er wirklich so leicht zu durchschauen? »Ja.«

»Okay. Ich auch. Ich gehe zurück ins – wie nanntest du es? – Schloss Deluxe und denke eine Runde nach. Über dich zum Beispiel und über deine merkwürdigen Hobbys.«

»Und darüber, ob du weiterhin etwas mit mir zu tun haben willst?«

Er hatte gehofft, sie würde lächeln, wenn er sie das fragte, doch ihr Gesicht blieb völlig ernst. »Ja, das auch.«

Pascal musste am Fenster auf der Lauer gelegen haben. Anders war es nicht zu erklären, dass er bereits über die Straße geschossen kam, während Jona noch in der Jackentasche nach seinen Hausschlüsseln kramte.

»Hallo, Genie. Zeit für Mathe?«

»Nein.« Jona hatte den Schlüssel gefunden und sperrte die Tür auf. Bisher hatte das Handy in seiner Hosentasche noch nicht vibriert, aber das konnte jede Sekunde passieren.

»Wir schreiben Montag eine Arbeit. Wenn du mir nicht ein bisschen auf die Sprünge hilfst, setze ich sie in den Sand. Das steht fest.« Er seufzte herzerweichend. »Bitte.«

Jona schloss genervt die Augen. Okay. Vor Pascal musste er Elanus nicht verstecken, und während der Akku lud, würde er eben die Wissenslücken seines Kumpels stopfen.

»Ich gebe dir eine Stunde, was du dann nicht kapiert hast, kapierst du eben nicht. Klar?«

»Total klar.« Pascal überholte Jona noch im Türrahmen. »Oh, hallo, Silvia, hallo, Martin! Geht's gut? Jona gibt mir eine Runde Nachhilfe, und ich soll von meiner Mutter ausrichten, sie lässt für das Hühnercurry danken. Unter uns –«, Pascal senkte seine Stimme zu einem verschwörerischen Murmeln, »du kochst eine ganze Ecke besser als sie. Aber verrate ihr nicht, dass ich das gesagt habe, sonst wirft sie mich raus. Sie ist so furchtbar stolz auf ihre merkwürdigen Eintöpfe.«

Er sprintete die Treppe hinauf, bevor Silvia auch nur ein einziges Wort hatte entgegnen können. Sie wirkte immer noch blass. Ihr Blick haftete auf Jonas Koffer, den er jetzt nur höchst widerwillig auf den Boden stellte, um sich die Schuhe auszuziehen.

»Ich muss noch mal raus, einkaufen. Gibt es etwas, das ich dir mitbringen soll?«, fragte sie zerstreut.

»Ja, bitte. Drei Bananen, Haselnussschokolade und eine Panzerfaust«, sagte Jona.

»Okay.«

Unter anderen Umständen hätte er jetzt über ihre geistige Abwesenheit gelacht, aber die Art, wie sie immer noch auf den Koffer starrte, bereitete ihm Unbehagen. »Na dann. Bis später.« Er stieg ebenfalls die Treppe hoch und hörte hinter sich, wie Silvia die Tür öffnete und wieder ins Schloss fallen ließ.

Pascal lag bereits ausgestreckt auf dem Bett und war in eines von Jonas Büchern vertieft, mit halb offenem Mund und gerunzelter Stirn. »Und du verstehst wirklich irgendetwas von dem, was da drinsteht?«, fragte er mit vor Ehrfurcht heiserer Stimme.

»Ja. Das ist Stoff für die ersten beiden Semester, das kann ich im Schlaf. Interessant wird es erst viel später.« Er seufzte, es hätte nicht so angeberisch klingen sollen. »Aber tröste dich, es gibt einen Haufen anderer Dinge, die mich völlig ratlos machen.«

Pascal richtete sich ein Stück auf. »Frauen, stimmt's? Du redest von Frauen.«

»Auch.« Jona zog das Handy aus der Hosentasche und warf einen prüfenden Blick aufs Display. Keine Nachricht. Nichts.

»Sorry, ich muss absperren«, sagte er und verschloss die Tür doppelt, bevor er Elanus aus dem Koffer nahm und ans Ladekabel hängte.

»Silvia ist komisch drauf«, stellte Pascal fest, während er das Buch zuklappte und zurück auf den Nachttisch legte. »Ich meine, sie war immer schon langweilig und noch nie die hellste Kerze am Leuchter – aber im Moment wirkt sie, als würde sie Drogen nehmen.«

Interessant, es fiel sogar Pascal auf.

»Irgendeine Idee, woran das liegen könnte?«, fragte Jona möglichst harmlos.

»Nein. Mama meint, sie muss wohl furchtbar nervös sein. Sie kocht wie verrückt, bringt uns ständig was rüber. Überschuss, sagt sie. Das war angeblich immer schon so – wenn Silvia Pro-

bleme hat, kocht sie, bis sie nicht mehr kann, und friert das
Zeug ein oder beglückt die Nachbarschaft. Im Moment wahrscheinlich beides.«

Jona trommelte mit den Fingern auf die Schreibtischplatte.
Silvia, die ständig kochte, und dann der Besuch von Roginski,
der zwei Restaurants hatte und außerdem einen Catering-Ser-
vice – bestand da eine Verbindung? Vielleicht auch dahin-
gehend, dass er die Häppchen für die Partybuffets in Schloss
Deluxe lieferte? Und im Ausgleich dafür schraubte Roginski bei
den Helmreichs neue Glühbirnen ein.

Mit einem resignierten Seufzen griff Jona nach Pascals Ma-
thebuch und wünschte sich, es wäre alles so leicht zu durchschauen wie Cosinus-Funktionen.

Eine halbe Stunde später blickte Pascal einigermaßen durch,
während Schratter sich immer noch nicht gemeldet hatte. Jona
ertappte sich dabei, wie er minütlich sein Handy checkte.

Als endlich der Signalton das Eintreffen einer SMS verkündete, sprang er beinahe von seinem Stuhl auf, doch dann war es
nur eine Nachricht von Sergej, der fragte, ob Jona nicht Lust
hätte, am nächsten Tag mit in ein Konzert zu kommen. Kolja
hätte eine Karte gehabt, doch der liege ja immer noch im Krankenhaus im Koma.

Die Enttäuschung drückte Jona fast die Luft ab. Er schrieb
eine kurze Absage, unter den neugierigen Blicken von Pascal,
der ihn nicht aus den Augen ließ. »Welches Mädchen macht dir
denn gerade das Leben schwer?«

Statt einer Antwort schüttelte Jona stumm den Kopf und legte
das Handy zurück auf den Schreibtisch. »Hast du jetzt alles so
weit kapiert?«

Es gelang Pascal, einen Blick auf das Handydisplay zu werfen, bevor es sich verdunkelte. »Hey – wirklich kein Mädchen. Du legst dir russische Freunde zu, du weißt, wo das Geld zu Hause ist. Sehr clever.« Er lümmelte sich mit beiden Ellenbogen auf die Tischplatte. »Dieser Kolja, von dem Sergej schreibt – ist das der Typ, der den Unfall hatte?«

»Genau der.«

»Das war eine eigenartige Sache.«

Jona nahm das Smartphone vom Tisch und lehnte sich im Schreibtischstuhl zurück. »Sergej sagte, er sei in eine Baugrube gefallen. Betrunken wahrscheinlich, oder?«

In Pascals Augen blitzte etwas auf. »Du gehörst auch zu denen, die meinen, die Russen trinken ihren Wodka schon zum Frühstück, hm? Nein, soweit ich weiß, war dieser Kolja stocknüchtern. Und außerdem nicht besonders schwer verletzt, sagt mein Vater. Trotzdem liegt er im Koma. Ich bin nicht der Einzige, der das merkwürdig findet.«

»Hm.« Jona sah zum Fenster hinaus, es würde bald dunkel werden. »Komplikationen vielleicht. Woher weiß denn dein Vater so viel über seinen Zustand?«

»Er ist Psychologe. Er hat ziemlich oft am Krankenhaus zu tun.«

Elanus' Ladeanzeige sprang von Rot auf Grün. Und immer noch keine Antwort von Schratter.

»Kann es sein«, fragte Jona, einer plötzlichen Eingebung folgend, »dass es die Baugrube auf dem Campus war, in die Kolja gestürzt ist? Die für das Technologiezentrum?«

Pascal zielte mit dem Zeigefinger auf ihn, als wäre der eine Pistole. »Du hast es erfasst.«

Vor seinem inneren Auge sah Jona, wie ein Kolja, der in seiner Fantasie Sergej ziemlich ähnelte, an der Baustelle stand und ihm jemand von hinten einen kräftigen Schubs versetzte. Der Jemand hatte Schratters Gesicht, so wie Jona es von der Internetseite der Uni her kannte. Nur dass sein Haar nicht so ordentlich saß, sondern ihm in verschwitzten Strähnen in die Stirn hing.

Wieder ein Blick aufs Handy, obwohl Jona genau wusste, dass immer noch keine Antwort gekommen war. »Ist denn sicher, dass es ein Unfall war? Oder hat vielleicht jemand nachgeholfen?«

Die Frage schien Pascal sich noch nie gestellt zu haben. »Du meinst, jemand hat ihn gestoßen? Aber warum denn? Außerdem: Mit seinen Eltern will sich keiner anlegen, die haben angeblich Verbindungen zum russischen Geheimdienst.«

Da taten sich ja völlig neue Aspekte auf. Jona betrachtete Pascal mit wachsendem Interesse. »Was weißt du denn sonst noch so?«

»Ach, nichts Besonderes, nur den üblichen Dorfklatsch.«

»Etwas dabei, das die Uni betrifft? Oder den Rektor?«

Pascal dachte demonstrativ angestrengt nach. »Die allgemeine Meinung lautet, dass er ein echter Glücksgriff für das Haus ist. Extrem fleißig, extrem korrekt und genau. Fast schon streberhaft.«

»Letztens hast du gesagt, die Leute hätten Angst vor ihm«, erinnerte sich Jona.

»Na klar. So wie vor einem strengen Lehrer, verstehst du?«

Es juckte Jona in den Fingern, sich noch einmal die Aufnahmen anzuhören, die er durch das Fenster von Schratters Büro gemacht hatte. Das Gebrüll dieses menschlichen »Glücksgriffs«. *Natürlich wird jemand es merken, das ist nur eine Frage der Zeit.*

Und danach war von der Dummheit der anderen die Rede gewesen und von einer Sache, die man nicht mehr lange würde aufrechterhalten können.

Es stimmte etwas nicht mit dem ach so korrekten Rektor, dessen war Jona sich sicherer als je zuvor.

Umso schlimmer, dass er ihm immer noch nicht geantwortet hatte.

Es wurde ein harter Abend. Jona schwankte zwischen Abwarten und der Möglichkeit, Elanus einfach auf gut Glück nach draußen zu schicken. Aber was, wenn genau dann die SMS von Schratter kam? Dann musste erst der Akku wieder geladen werden. Jona kannte sich selbst gut genug, um zu wissen, dass er in der Zwischenzeit die Wände hochlaufen würde.

Also wartete er. Ab Mitternacht war ziemlich klar, dass vor dem nächsten Morgen nichts mehr passieren würde, trotzdem blieb Jona bis kurz nach zwei Uhr wach und hörte sich wieder und wieder die Aufnahme aus dem Rektoratsbüro an.

Vielleicht war es bei dem Disput gar nicht um Lichtenbergers Selbstmord gegangen. Sondern um Koljas Sturz in die Baugrube.

23

Am nächsten Morgen galt Jonas erster Blick seinem Handy. Immer noch keine SMS. Er quälte sich aus dem Bett und ins Badezimmer, ließ beim Zähneputzen die Tür offen stehen, um sicher sein zu können, dass niemand währenddessen in sein Zimmer huschte.

So konnte es nicht weitergehen. Jona hatte keinen Zweifel daran, dass Martin und Silvia Elanus bei der nächsten sich bietenden Gelegenheit entweder zerstören oder klauen würden. Wahrscheinlicher war Letzteres und vermutlich auf Anweisung. Von wem die kam, brauchte man sich nicht lange zu fragen.

Vor dem Frühstück checkte er noch schnell seine Mails – und unterdrückte nur mit Mühe einen Fluch.

Lieber Jona!

Es tut mir sehr leid, dass es mit unserem Termin letztens nicht geklappt hat, ich wurde aufgehalten und habe tatsächlich vergessen, Sie zu informieren. Das ist normalerweise nicht meine Art und ich möchte mich gern dafür entschuldigen. Trotzdem hoffe ich, Sie fühlen sich an der Victor-Franz-Hess wohl und haben schon erste Freunde gefunden. Ich habe gestern zufällig Martin Helmreich getroffen, der mir bestätigt hat, dass Sie sich gut einleben.

Ich würde gern einen neuen Termin mit Ihnen vereinbaren, diesmal aber so, dass auch wirklich nichts dazwi-
schenkommen kann. Fassen wir den Montag kommen-
der Woche ins Auge? Wegen der genauen Uhrzeit wird
sich Frau Gilles noch bei Ihnen melden.

Herzliche Grüße und weiterhin viel Erfolg!
Carl Schratter

Jona klickte die Mail zu, gleichermaßen wütend und verwirrt.
Eine Antwort per SMS konnte er sich damit abschminken.

Da war auch etwas an dem Text gewesen, das ihn gestört hatte. Das irgendwie nicht stimmig war. Er öffnete die Nachricht
noch einmal, studierte sie genauer. Nach ein paar Sekunden
wusste er es: Schratter schrieb, als hätte er Jonas SMS nie gelesen. Er schlug einen neuen Termin vor, als hätte Jona das nicht
ein paar Stunden vorher ebenfalls getan.

Hektisch verglich er die Nummer auf dem Zettel, den die Ver-
tretungssekretärin ihm gegeben hatte, mit der, an die er die
SMS geschickt hatte. Doch, da stimmte alles. Aber vielleicht
hatte das Mädchen sich geirrt? Sich verschrieben oder eine falsche Nummer angegeben? Dann konnte seine Nachricht bei irgendjemand Beliebigem gelandet sein.

Oder Schratter wählte ganz bewusst einen anderen Weg, um
zu antworten? Weil er von Elanus wusste und ahnte, wie das
System funktionierte?

Jona kämpfte mit sich. Was, wenn er die Nummer wählte,
seine eigene dabei unterdrückte und sich davon überraschen
ließ, wer abhob?

Er ließ es nur bleiben, weil Kerstin im Nebenzimmer offenbar aufgewacht war und ihre Anlage aufgedreht hatte. DJ Snake wummerte durch die Wand.

Bevor Jona zum Frühstück nach unten ging, holte er noch den Koffer unter dem Bett hervor. Er würde Elanus nicht schon wieder mit in die Uni schleppen. Marlene hatte alles gesehen, was nötig, und vermutlich mehr erfahren, als gut war.

Ihn aber einfach hierzulassen, war unverantwortlich. Selbst wenn er sein Zimmer doppelt absperrte – die Helmreichs hatten ganz sicher einen zweiten Schlüssel.

Jona überlegte kurz, dann nahm er Elanus samt Zubehör aus seinem Koffer, packte stattdessen einen Teil seiner Lehrbücher hinein und schob ihn wieder unter das Bett.

Die Drohne wickelte er in ein großes Handtuch und huschte mit ihr auf den Dachboden, nachdem er sich vergewissert hatte, dass Martin und Silvia sich in der Küche unterhielten und Kerstin mittlerweile unter der Dusche stand.

Das Versteck im Wickeltisch war seiner Einschätzung nach wirklich gut. Das Möbel war so verkeilt zwischen all dem anderen Zeug, dass es kaum zu sehen und schlecht zu erreichen war.

Beim Frühstück erkundigte sich Silvia so unauffällig nach seinem Tagesablauf, dass all seine Alarmglocken schrillten. »Ich weiß noch nicht, wann ich genau zurück sein werde. Spätestens um fünf. Warum?«

»Nur so.« Sie lächelte gequält. »Ich weiß einfach gerne, wann die Familie wieder nach Hause kommt.«

Dass sie ihn plötzlich als Teil der Familie bezeichnete, hätte Jona beinahe höhnisch auflachen lassen. Wie war das noch mal mit *Er muss weg, egal auf welche Weise* gewesen?

Bevor er ging, setzte er sich noch an sein Notebook.

Sehr geehrter Herr Dr. Schratter!
Danke für Ihre Nachricht. Der nächste Montag passt mir
gut und ich werde mich beizeiten mit Frau Gilles in Verbindung setzen.

Mit freundlichen Grüßen
Jona Wolfram

Er überlegte kurz und beschloss dann, doch noch einen Satz
anzuhängen.

PS: Ich habe Ihnen gestern eine SMS geschickt, haben
Sie die bekommen?

Zumindest in dem Punkt würde er hoffentlich bald Klarheit
haben.

Bevor Jona an diesem Tag sein erstes Seminar besuchte, nahm
er den Weg zur Baustelle für das Technologie-Gebäude. Er hatte das Gelände noch nie aus der Nähe betrachtet, es lag angenehm abseits vom Rest des Campus, die Arbeiten störten den
Unibetrieb überhaupt nicht.

Ein Bauzaun sperrte die Zone ab, alle paar Meter waren daran
gelbe Schilder angebracht: Das Betreten der Baustelle ist ver-
boten.

Aber … es gab Lücken zwischen den Zaunelementen. Jona
spähte über Container und Maschinen hinweg. Gearbeitet wurde nur auf der anderen Seite des Geländes, gut zweihundert
Meter von ihm entfernt. Er konnte es riskieren.

Seinen Rucksack ließ er draußen stehen – da war heute nichts
drin, was geheim oder stehlenswert gewesen wäre. Mit einge-

zogenem Bauch und angehaltener Luft quetschte er sich durch den schmalen Spalt zwischen den Zaunteilen und ging auf die Baugrube zu.

Sie hatte enorme Ausmaße. Kein Wunder, da sollte ein riesiges Gebäude unterkellert werden. Jona trat an den Rand und schaute in die Tiefe. Die Wände der Grube fielen nicht senkrecht ab, sondern ähnelten einer Böschung. Nach etwa drei Metern gab es eine breite Stufe, danach ging es weiter nach unten. Wenn jemand hier abrutschte oder hinabgestoßen wurde, musste er von dieser Stufe abgefangen werden. Möglich, dass er sich verletzte, aber wohl eher leicht. Niemand konnte sicher sein, dass jemand, den er in diese Baugrube stieß, anschließend tot sein würde.

Oder im Koma liegen.

Jona ging ein Stück am Rand der Grube entlang, darauf bedacht, dabei möglichst selbstverständlich zu wirken. So, als gehörte er hierher. Manchmal bröckelte die Kante ein wenig – ja, es war vorstellbar, dass man runterrutschte, wenn man unvorsichtig war. Aber mehr als ein paar Abschürfungen und Prellungen würde man sich kaum holen.

Er fand eine Stelle, von der aus er einen guten Blick auf die zwei Bagger hatte, die am anderen Ende des abgesperrten Bereichs arbeiteten, und blieb stehen. Ein Stück entfernt lagen riesige Stahlträger bereit. Im Bauwesen kannte Jona sich fast gar nicht aus, aber er schätzte, dass als Nächstes das Fundament gegossen werden würde. Bis alles fertig war, würde es sicher noch ein Jahr dauern, wenn nicht länger.

Für einen ersten Eindruck hatte er genug gesehen. Er drehte sich um – und duckte sich unwillkürlich.

Dort, wo er durch den Zaun geschlüpft war, kauerten zwei

Gestalten. Er war zu weit entfernt, um sicher sein zu können, aber es hatte ganz den Anschein, als würden sie seinen Rucksack durchstöbern. Jona hatte die Wahl zwischen Pest und Cholera. Er konnte so tun, als hätte er nichts bemerkt, warten, bis die beiden fertig waren mit dem, was sie taten, und dann erst zurückgehen. Auf die Gefahr hin, dass sein Rucksack dann weg war.

Oder er ging auf Konfrontationskurs. Die vertraute Wut, die in ihm hochstieg, machte die Entscheidung einfach. Er lief los. Achtete dabei aber genau darauf, der Grube nicht zu nahe zu kommen.

War einer der beiden Aron? Ja, sah ganz so aus. Er blickte jetzt hoch und richtete sich auf, als er Jona auf sich zurennen sah.

»Was, verdammt noch mal, macht ihr mit meinen Sachen?«, rief Jona ihnen entgegen.

Ja, es war wirklich Aron. Den anderen hatte Jona noch nie gesehen, aber er war es, der zuerst das Wort ergriff.

»Gegenfrage: Was, verdammt noch mal, machst du auf der Baustelle?«

Jona war jetzt bei ihnen. Er riss Aron den Rucksack aus der Hand. »Ich bin ein Genie, hat dein Kumpel dir das noch nicht gesagt? Genies sind neugierig. Liegt in der Natur der Sache.« Er baute sich vor dem Typen auf, der ein Stück kleiner war als er. »Wer bist du überhaupt?«

Der andere zögerte ein paar Sekunden lang, gab sich dann aber einen Ruck. »Tim Zeman. Mein Vater ist hier der Baumeister und er hat überhaupt keine Schwäche für Leute, die unbefugt die Baustelle betreten.« Er sah Jona herausfordernd an. »Es ist schon mal etwas passiert.«

Eine schnelle Kontrolle des Rucksackinhalts verriet Jona, dass nichts fehlte, zumindest nichts Wichtiges.

»Ich denke, wir werden dich melden müssen«, erklärte Aron. »Du bist minderjährig. Und nicht ganz dicht, wie es aussieht.« Jona fuhr zu ihm herum. »Oh bitte, ja. Meldet mich. Direkt beim Rektor, wenn das möglich ist, ich lege Wert darauf, dass er mich persönlich zur Sau macht.«

Amüsiert über Arons erstaunten Gesichtsausdruck ließ er die beiden stehen.

Fünfzehn Minuten blieben noch bis zur ersten Vorlesung und sein Weg zum Hörsaal führte Jona am Verwaltungsgebäude vorbei. Gute Gelegenheit, gleich jetzt den Termin für Montag zu vereinbaren, diesmal aber im Rektorat selbst.

Die Tür zu Gilles' Büro war nur angelehnt, trotzdem hob Jona die Hand, um zu klopfen, hielt aber mitten in der Bewegung inne.

»Wie ist sein Zustand derzeit?«, hörte er Gilles fragen.

»Unverändert.« Es war eine Frau, die antwortete. Ihre Stimme kam Jona vage bekannt vor.

»Gibt es etwas, das ich tun kann?«

»Nein. Ich denke, bis auf Weiteres machen wir so weiter wie bisher.«

Beate Lichtenberger. Jona war beinahe sicher. Er trat einen Schritt zurück, damit sie ihm nicht die Tür gegen den Kopf schlagen würde, wenn sie herauskam.

»Es gibt noch zwei oder drei kleinere Probleme, die wir unbedingt lösen müssen. Und das eine, große.« Gilles hatte ihre Stimme gesenkt.

»Ich weiß. Aber ich tue schon mehr als die meisten anderen.«

Gilles seufzte. »Sag das mal Silvia. Sie ist völlig mit den Nerven runter und ich kann das verstehen. Ich meine, sie hat ihn die ganze Zeit bei sich zu Hause, und wenn sie nur den kleinsten Fehler macht …«

Jonas Herz begann, schneller zu schlagen. Gilles dachte also auch, dass er eine Bedrohung darstellte. Es fühlte sich an, als wäre er von Mauern umschlossen, die immer näher rückten.

»Immerhin hat Silvia nicht ihren Mann verloren«, sagte Lichtenberger mit zitternder Stimme. »Oh Gott, Andrea, uns läuft die Zeit davon …«

Aus einiger Entfernung näherten sich klappernde Schritte, und Jona brachte, so schnell er konnte, Abstand zwischen sich und die Tür zum Rektorat. Sekunden später bogen zwei Studentinnen um die Ecke, beide mit Zetteln in der Hand, die wie Formulare aussahen.

Eine der beiden lächelte Jona an. »Ist Dr. Schratter da?«

»Keine Ahnung.« Seine Stimme klang anders als sonst. Heiserer.

Das Mädchen musterte ihn kurz, zuckte dann mit den Schultern und klopfte. Wartete das »Herein« nicht ab, sondern öffnete die Tür. »Wir würden wegen dieser Zeugnisse gern mit dem Rektor sprechen.«

Die Unterhaltung im Büro war abrupt unterbrochen worden. Einige Herzschläge lang herrschte Stille, dann erst antwortete Gilles. »Dr. Schratter ist im Moment leider nicht da, aber er sollte gegen Mittag zurück sein. Entweder ihr kommt dann noch mal wieder, oder ihr lasst mir die Zeugnisse hier und ich gebe sie ihm.«

Noch während die Studentinnen besprachen, für welche der Möglichkeiten sie sich entscheiden wollten, schwang die Tür auf und Beate Lichtenberger kam heraus. Sie wirkte abgehetzt, ihr Blick glitt desinteressiert über Jona hinweg – nur um Sekunden später zu ihm zurückzukehren und sich an ihm festzuhaken.

Er wusste nicht, was er tun sollte, also hob er grüßend die Hand. Lichtenberger streifte sich eine lose Haarsträhne hinters Ohr, offensichtlich unschlüssig, ob sie ihn ansprechen sollte oder nicht.

Erst jetzt bemerkte er den Umschlag in ihrer Hand. Er sah genauso aus wie der, den er aus ihrem Briefkasten geholt hatte.

Hastig hob er den Blick, hoffte, dass man ihm sein Erstaunen nicht anmerkte. Die Frau rang sich ein Lächeln ab, das sehr gezwungen aussah. »Danke noch einmal für die schönen Blumen und die Karte«, sagte sie. Sekunden später eilte sie den Gang entlang, auf die Treppen zu.

Jona lief in die entgegengesetzte Richtung, planlos, einfach nur, um aus der Sichtweite des Rektorats zu gelangen. Erst allmählich wurde ihm die Tragweite der Begegnung mit Lichtenberger klar.

Sie und Gilles hatten über ihn gesprochen und mussten nun damit rechnen, dass er alles mitgehört hatte. Was ja auch der Fall war. Wenn sie nun befürchteten, dass er ihre Pläne durchkreuzen wollte, würden sie ihn vielleicht noch schneller loswerden wollen.

Im Hörsaal saß er neben Marlene und spürte, wie er sie mit seiner Nervosität ansteckte. »Was ist denn los?«, wisperte sie ihm zu.

»Später. Bitte später.«

Kaum war die Vorlesung vorbei, zog er Marlene mit sich,

stürmte mit ihr aus dem Gebäude und suchte die Umgebung nach einem ruhigen Platz ab. Doch nichts erschien ihm abgeschieden genug. Überall konnte plötzlich jemand um die Ecke kommen.

Schließlich lehnte er sich an einen Baum, der gleich an der Außenmauer des Campus wuchs. Hier konnte niemand sich von hinten nähern und alle anderen Seiten ließen sich gut überblicken.

»Ich weiß es jetzt sicher«, sagte er. »Sie wollen mich aus dem Weg schaffen.«

»Sie?« Marlene war noch ein wenig außer Atem.

»Ja. Die Helmreichs, aber auch Schratter und Gilles. Ich habe vorhin ein Gespräch im Rektorat mitgehört, da hat Gilles mich als ›das eine große Problem‹ bezeichnet und gemeint, Silvia wäre nervlich am Ende, weil sie mich unter ihrem Dach hätte. Weil sie da keinen Fehler machen dürfe.«

Er hockte sich hin, vergrub das Gesicht in seinen Händen. »Wenn ich wenigstens wüsste, was ich angeblich weiß. Ich habe keine Ahnung, vor welcher Wahrheit sie sich so fürchten, aber sie sind überzeugt davon, ich könnte ihnen zum Verhängnis werden.«

»Es muss mit den Briefen zu tun haben.« Marlene griff in ihre Handtasche und zog den klein zusammengefalteten Zettel hervor. »Ich habe nicht gemerkt, wie du ihn mir zugesteckt hast, aber vielleicht jemand anders? Linda?«

»Unwahrscheinlich«, murmelte Jona.

»Aber vielleicht jemand, der sie kennt? Und sie darauf aufmerksam gemacht hat.«

Das war natürlich möglich. Er zuckte unbestimmt mit den Schultern.

»Dann die Nummer drei«, konstatierte Marlene. »Wer war das noch mal?«

»Irgendein Hendrik.« Den hatte Jona schon fast vergessen.

»Hendrik Achner?«

»Keine Ahnung. Ein blonder Typ, der auch mit uns studiert. Besucht die Vorlesungen von Wollmann und Schuster.«

Sie nickte. »Also wirklich Hendrik Achner. Der jüngste Sohn des Bürgermeisters.«

Na, da hatte Jona ja einen Volltreffer gelandet. Der kannte garantiert die ganze Stadt. Wenn er herumerzählte, was er da bekommen hatte und von wem, konnte das leicht an die falschen Leute gelangt sein.

Nur – was hatten die daraus geschlossen? Egal, in welche Richtung Jona dachte, nichts ergab wirklich Sinn.

»Sie sagten, ihnen würde die Zeit davonlaufen.« Er richtete sich wieder auf und kickte frustriert ein Steinchen weg, das erstaunlich weit flog. »Hast du eine Idee, was sie damit meinen könnten?«

Marlene schüttelte den Kopf. »Da kann ich dir leider nicht helfen.«

»Nicht schlimm.« Jona zögerte. »Es gibt aber … vielleicht etwas anderes, das du für mich tun könntest.«

Er musste sie nicht lange überreden. Eine Minute später hatte er Koljas Handynummer; Marlene hatte gelegentlich mit ihm Deutsch geübt.

»Ihm Elanus zu schicken, kannst du aber vergessen«, sagte sie. »Er liegt auf der Intensivstation. Jetzt schon die vierte Woche. Erstens gibt's da drin keine Handys, zweitens liegt er im Koma. Er kann deine Spy-SMS nicht beantworten.« Der Gedanke war Jona im gleichen Moment auch gekommen. Er versuchte, seine Enttäuschung zu verbergen. »Weißt du, wie das mit dem Unfall genau war?«

»Nein. Aber er hat eine schwere Kopfverletzung davongetragen.« Sie biss sich auf die Lippen. »Die Polizei hat alles genau untersucht. Keine Fremdeinwirkung. Nur Pech.«

Irgendwie konnte Jona das nicht glauben. »Was studiert Kolja eigentlich?«

»Wirtschaft. Sein Vater ist einer der größten Baulöwen Moskaus – daher wahrscheinlich das Interesse für die Baustelle. Kolja war einige Male da, nicht nur in der Nacht, in der er verunglückt ist.«

Etwas in Jonas Kopf begann, sich zusammenzufügen, auch wenn es noch zu vage war, um sich greifen zu lassen.

Nacht war es also gewesen. Und Nacht würde es in zwölf Stunden wieder sein.

Jona wusste genau, wohin Elanus dann fliegen würde.

24

Das Versteck auf dem Dachboden war unberührt, dafür war Jonas Zimmer auf links gedreht worden.

Nicht, dass das ungeübte Auge das bemerkt hätte – Silvia, oder wer auch immer es gewesen war, hatte sich redlich Mühe gegeben, die Dinge alle wieder an ihren Platz zu legen. Nur war das Ergebnis nicht perfekt genug für jemanden, dessen Erinnerungsvermögen so exakt war wie das von Jona. Der Alukoffer lag wieder unter dem Bett, war aber zweifellos geöffnet worden – eines der Bücher darin lag mit dem Rücken nach oben. Sein Kleiderschrank war geringfügig ordentlicher als zuvor, das Chaos in den Schreibtischschubladen zwar immer noch vorhanden, aber anders.

Mit Sicherheit war auch jemand an seinem Notebook gewesen, hatte sich daran aber die Zähne ausgebissen. Es hätte schon einen versierten Hacker gebraucht, um Zugriff auf die Daten zu bekommen – aber wie Jona seinem Sicherheitsprogramm entnahm, hatte man es immerhin vierzehn Mal versucht.

Wie frustriert sie gewesen sein mussten. So viel Mühe hatten sie sich gegeben, ohne den geringsten Erfolg. Er lächelte.

Das Lächeln verging ihm allerdings sofort, als er zum Fenster trat und die Vorhänge zur Seite zog. Ein Stück weiter die Straße entlang, in der Nähe von Pascals Haus, standen zwei Männer. Ihre Gesichter waren nicht zu erkennen, da sie beide Motorradhelme trugen, obwohl weit und breit keine Maschine zu sehen war. Sie unterhielten sich und warfen ab und zu prüfende Blicke zum Haus der Helmreichs.

Die Jacke des einen kam Jona bekannt vor. Hatte er so eine nicht irgendwann an Aron gesehen? Nicht heute an der Baustelle, aber bei einer ihrer früheren Begegnungen. Auch Größe und Körperbau stimmten. Ja, das da drüben war ziemlich sicher Aron, der andere aber bestimmt nicht Tim Zeman. Dafür war er zu hochgewachsen und zu bullig.

Jona ließ die Vorhänge wieder vors Fenster gleiten. Solange die beiden da rumstanden, konnte er Elanus nicht nach draußen schicken, und das war gelinde gesagt übel. Er konnte Aron und seinen Kumpel auch nicht im Auge behalten, ohne dabei von ihnen entdeckt zu werden – ein weiteres Problem.

Eine Möglichkeit allerdings hatte er. Jona schnappte sein Handy und rief Pascals Nummer in den Kontakten auf.

Nach dem zweiten Freizeichen wurde abgenommen. »Hey, Jona! Was gibt's? Willst du wissen, wie Mathe gelaufen ist?«

Daran hatte Jona überhaupt nicht mehr gedacht. »Gern, aber später«, sagte er. »Im Moment würde ich lieber wissen, wer die zwei Typen sind, die vor eurem Haus rumstehen.«

Er hörte gedämpfte Schritte durchs Telefon. Kurz darauf wieder Pascals Stimme. »Ah, die beiden Helmträger? Das klären wir gleich. Wenn du mithören willst, bleib dran.«

Lautstarkes Rascheln, dann das Geräusch einer Tür, die sich öffnete. »Hallo!« Pascal war laut und deutlich zu verstehen. Wahrscheinlich gab er sich extra Mühe für Jona. »Kann ich euch irgendwie helfen? Ihr seht aus, als hättet ihr euch verirrt.«

Die Stimmen der beiden anderen drangen nur dumpf durch Jonas Handy.

»Nein. Alles okay.«

»Wir unterhalten uns nur.«

»Aha.« Das war jetzt wieder Pascal. »Setzt ihr dazu immer Helme auf?«

Einer der beiden brummte etwas, das wie »geht doch dich nichts an« klang, woraufhin Pascal noch eine Spur fröhlicher wurde. »Da hast du absolut recht, mich geht das nichts an. Aber ich finde, ihr zwei seht super aus, da mach ich doch schnell ein Foto. Falls demnächst in der Gegend eingebrochen wird.«

Jona hörte zwei rasch aufeinanderfolgende Klickgeräusche und gleichzeitig empörtes Aufjaulen.

»Du spinnst ja, was glaubst du eigentlich? Los, gib das her.«

Laufschritte. Im sicheren Bewusstsein, dass jetzt niemand auf sein Fenster achten würde, trat Jona wieder an die Scheibe und sah Pascal auf die Haustür zurennen, die er einen Spalt offen gelassen hatte. Aron und sein Freund waren vier oder fünf Schritte hinter ihm und hatten keine Chance. Mit einem Sprung war Pascal durch die Tür und knallte sie hinter sich zu.

»Scheiße!« Aron fluchte so laut, dass Jona es durch das geschlossene Fenster hören konnte. Im nächsten Moment hatte er Pascal wieder am Apparat, keuchend.

»Hey, das war ein Spaß. Das machen wir bei Gelegenheit noch mal.«

»Du hast sie wirklich fotografiert? Kann man denn die Gesichter erkennen?« Um sich für die zwei auf der Straße unsichtbar zu machen, hatte Jona sich auf den Boden gesetzt. Pascal kicherte ins Telefon.

»Ja, doch. Sie hatten das Visier oben.«

»Schickst du mir das Foto?« Er gab Pascal seine Mailadresse durch. WhatsApp hatte er nicht installiert, dafür wusste er zu genau, wie einfach man über dieses Programm an all seine Daten kam.

Zehn Sekunden später hatte er beide Bilder auf dem Display seines Notebooks. Aron war weniger leicht zu erkennen, ein Schatten lag auf der rechten Hälfte des Gesichtsausschnitts, den der Helm frei ließ. Von seinem Begleiter sah man dafür alles, abgesehen vom Mund. Eine kurze, breite Nase, grüne Augen unter dichten Brauen und eine rötlich blonde Haarsträhne, die sich über der linken Schläfe ringelte.

Jona hatte dieses Gesicht noch nie gesehen. Aber das besagte nichts – die Zahl der Studenten an der Uni war unüberschaubar und er selbst erst seit Kurzem hier.

Zehn Minuten wartete er, bis er sich wieder ans Fenster stellte. Niemand mehr da. Eine halbe Stunde später war die Luft immer noch rein und Jona begann, Elanus flugbereit zu machen. Es wurde langsam dunkel. Zeit für die erste Tour an diesem Abend.

Er würde sich auf sein Glück verlassen müssen. Und auf seinen Orientierungssinn, denn diesmal musste er Elanus manuell steuern. Zur Sicherheit suchte er die Route und die Außenansicht des Gebäudes im Internet und prägte sich beides ein, bevor er die Drohne startete.

Er flog Elanus in vierzig Metern Höhe Richtung Westen, suchte und fand Landmarken, die ihm zeigten, dass er auf dem richtigen Weg war. Die Lukaskirche, den großen Elektromarkt, die Bankzentrale mit ihrer Glasfassade.

Ein Blick auf die Uhr, er war gut in der Zeit. Drei Minuten noch, schätzte er, dann würde Elanus am Ziel sein.

Der lang gezogene, sechsstöckige Bau des Rothenheimer

Krankenhauses tauchte schneller auf dem Bildschirm auf, als Jona zu hoffen gewagt hatte.

Er ging in den Sinkflug. Die meisten der Fenster waren noch beleuchtet, und je näher Elanus herankam, desto mehr Details wurden erkennbar. Ärzte, die sich über Betten beugten, Krankenschwestern, die das Abendessen brachten. Patienten, die aus dem Bad schlurften und dabei die Stange neben sich herrollten, an der ihre Infusion hing.

Vor keinem dieser Fenster ließ Jona Elanus halten, vor keinem machte er Aufnahmen. Er war auf der Suche nach einem ganz bestimmten Trakt. Laut dem Stationsplan, den er im Internet gefunden hatte, musste er im ersten Stock des Westflügels liegen.

Noch zweiunddreißig Minuten, davon gut elf Minuten Rückflugzeit. Blieben einundzwanzig. Jona steuerte Elanus tiefer. Da war ein hell erleuchteter Gang, nur von wenigen Leuten bevölkert. An einem Ende eine blaue Metalltür, darauf in weißen Buchstaben ein Schriftzug, der aus der Perspektive der Drohne nur zum Teil sichtbar war.

…ivstation

Hier war Jona richtig. Er lenkte Elanus ein Stück weiter nach links und schaltete die Aufnahmefunktion ein. Das erste Fenster der Intensivstation bestand aus Milchglas, das zweite war klar. Vorsichtig flog er näher heran.

Sein erster Eindruck war Unübersichtlichkeit. Große Betten, noch größere Geräte daneben. Monitore, wohin man auch blickte. Sehr viele Kabel und Schläuche, die unter hellblauen Bettdecken verschwanden.

Jedes Gesicht von einer Beatmungsmaske verdeckt. Daran hatte Jona nicht gedacht und er ärgerte sich maßlos über seine

Dummheit. Er würde nicht herausfinden, welcher der fünf Patienten, die er von seiner Position aus sehen konnte, Kolja war.

Sein Plan war eigentlich, Elanus in den nächsten Tagen zu den Besuchszeiten ans Krankenhaus zu fliegen, und sich genauer anzusehen, wer sich an Koljas Krankenbett setzte. Ob es vielleicht jemand von der Uni war. Aron fiel ihm dabei spontan ein ... Er lenkte seine Aufmerksamkeit auf die Schwestern und Pfleger, die mit knappen, routinierten Bewegungen ihre Arbeit taten. Sie trugen Mundschutz und Häubchen, wie im OP. Völlig klar, dass das auch für jeden anderen Besucher Vorschrift sein würde. Wenn auf der Station überhaupt Besucher erlaubt waren.

Jona hasste es, wenn das passierte. Wenn seine Ideen an grundlegenden und völlig logischen Gegebenheiten scheiterten, die jedem Normaltalentierten aufgefallen wären.

Er schwenkte noch einmal mit der Kamera von rechts nach links, dann steuerte er Elanus weg, zurück zu dem Gang, daran vorbei ... und ließ ihn im nächsten Moment auf seiner Position verharren.

Irrte er sich oder hatte er richtig gesehen? Er flog die Drohne ein Stück den Weg zurück, zoomte durch das Gangfenster.

Sie war es. Kein Zweifel. Beate Lichtenberger, in weißen Hosen und einem weißen Polo-Shirt, die Haare im Nacken zusammengebunden. Sie lief den Korridor entlang, während sie gleichzeitig die Zettel auf ihrem Clipboard studierte.

Wahrscheinlich hätte Jona nur die richtigen Leute fragen müssen, die gewusst hätten, dass die Frau des Dozenten selbst einen akademischen Titel trug. Dr. Beate Lichtenberger.

Sie lief auf die Intensivstation zu, betätigte den Schalter zur Schleuse und verschwand hinter der blauen Metalltür.

Jona warf einen Blick auf die Restzeitanzeige. Ihm blieben noch etwa zehn Minuten Beobachtungszeit. Er brachte Elanus vor dem Fenster in Position und wartete. Doch Lichtenberger ließ sich Zeit. Zwei Minuten vergingen. Vier. Was tat sie bloß so lange? War sie etwa umgekehrt? Oder unterhielt sie sich noch mit Kollegen?

Eine weitere Minute später tauchte sie endlich auf, nun ebenfalls mit Häubchen und Mundschutz. Sie wandte sich an eine der Pflegerinnen, die sie zu dem Bett führte, das dem Fenster am nächsten stand. Die Patientin, die dort lag, war aber unzweifelhaft eine Frau.

Mist, nur noch fünf Minuten. Lichtenberger überprüfte die Geräte, an denen die Patientin angeschlossen war, notierte sich etwas, drehte den Regler am Infusionsschlauch …

Jona ertappte sich dabei, wie er mit den Fingern auf die Tischplatte trommelte. So, jetzt endlich ging sie zum nächsten Bett, das Jona leider viel schlechter einsehen konnte.

Die gleichen Handgriffe wie zuvor, die gleichen Notizen. Doch jetzt sah es aus, als würde sie dem Patienten über die Stirn streichen. Sie drehte sich zu der Krankenschwester um, die neben ihr stand. Die nickte und entfernte sich. Gelangte außer Sichtweite.

Plötzlich beschleunigten sich Lichtenbergers Handgriffe um ein Vielfaches. Jona konnte nicht genau sehen, was sie tat, aber sie hantierte an der Infusion des Patienten herum, die sie leider mit ihrem Körper verdeckte … verdammt. Aber er hatte das aufgezeichnet. Er würde es sich wieder und wieder ansehen können, in Zeitlupe.

Das Notebook gab einen Warnton von sich, ein lang gezogenes Piepen, und entzog Jona gleichzeitig die Kontrolle über

Elanus. Das Failsafe-Programm setzte ein, die Drohne machte sich auf den Rückflug. Sandte nur noch Bilder von der Parkanlage, die das Krankenhaus umgab.

Mit trockener Kehle und viel zu schnell pumpendem Herzen lehnte Jona sich in seinem Stuhl zurück. Er zweifelte keine Sekunde lang daran, dass es Koljas Infusion gewesen war, an der Lichtenberger sich so hektisch zu schaffen gemacht hatte.

Er dachte an den Umschlag mit den zehntausend Euro. Bekam sie Geld von Koljas Familie, damit sie sich besonders gut um ihn kümmerte? Ihm vielleicht teure, nicht handelsübliche Medikamente verabreichte?

Oder bekam sie Geld, damit sie genau das Gegenteil tat? Falls das so war – von wem?

Jona wünschte sich von Herzen, das alles wäre ein mathematisches Problem gewesen, dann hätte er längst eine Möglichkeit gefunden, es zu lösen. Er fing Elanus ein, als er durchs Fenster geflogen kam, und hängte ihn sofort an die Ladestation. Dann legte er die Beine auf den Schreibtisch und schloss die Augen. Er würde jetzt mal nicht auf seinen Verstand vertrauen. Sondern auf sein Glück.

25

Kurz vor dreiundzwanzig Uhr. Die Baustelle war nachts beleuchtet, zwar nur spärlich, aber so, dass man zumindest die Materialien und Maschinen gut erkennen konnte. Die Baugrube dagegen war nichts als ein bodenlos wirkender Abgrund.

Jona steuerte Elanus per Hand, ohne die Augen vom Bildschirm des Notebooks zu wenden. Sein Ziel war das Rektoratsbüro – mittlerweile war er überzeugt davon, dass Schratter seine Angelegenheiten vor allem nachts regelte. Dass er Gründe hatte, tagsüber nicht mehr an der Universität aufzutauchen.

Fragte sich nur, wie lange er das durchhalten würde.

Ihn zu ertappen, zu filmen und, wenn möglich, eine verständliche Sprachaufnahme von ihm zu bekommen, war, musste Jona sich eingestehen, etwas wie eine fixe Idee von ihm geworden. Denn eines war klar, mit dem Mann stimmte etwas ganz gewaltig nicht.

Elanus hatte die Baustelle fast überflogen, als Jona auf dem Bildschirm zwei Lichtpünktchen entdeckte, die plötzlich im Dunkel des Schachts auftauchten. Und sich bewegten.

Er schaltete den Aufnahmemodus ein, lenkte die Drohne in eine weite Kurve und kehrte an die Stelle zurück – ja, da war etwas in der Baugrube. Jemand. Leute mit Taschen- oder Stirnlampen.

Vorsichtig ließ er Elanus ein Stück absinken, darauf bedacht, nicht zu tief zu gehen. In der Stille der Nacht war die Gefahr, dass er gehört wurde, viel größer als bei Tag.

»… wirklich nicht sicher«, hörte er einen Mann sagen. Leise, aber deutlich. »Denkst du, das ist eine gute Idee?«

»Die beste, die wir im Moment haben«, antwortete ein zweiter. »Hier? Denkst du, hier?«

Die Lichtkegel der Taschenlampen zuckten über die Wände der Grube, leider streifte keiner davon das Gesicht eines der beiden Männer.

»Hm«, begann der andere, hielt dann aber inne. »Sag mal … hörst du das auch?«

Oh Mist, verdammter Mist. Jona ließ Elanus steigen und gleichzeitig ein Stück zur Seite driften, gerade noch rechtzeitig. Einer der Lichtkegel richtete sich gegen den Himmel, schwenkte hin und her. Ins Leere.

»Da ist ein Geräusch, hörst du das nicht? Wie ein … Surren. Warte mal. Jetzt ist es weg.«

Ein paar Sekunden lang war es völlig still. In Jonas Kopf pochte sein Puls – sollte er noch höher fliegen? Dann würde er das Gespräch der Männer nicht mehr hören können.

Noch einmal fuhr der Lichtstrahl suchend durch die Nacht und teilte das Dunkel. »Nein, da ist nichts. Du hast dich geirrt – außerdem: in der Luft?«

Der Mann lachte, während der andere etwas brummte, das Jona nicht verstand. Wieder näher fliegen kam aber nicht infrage. Stattdessen: Rückzug.

Jona biss sich so fest auf die Unterlippe, dass es schmerzte. Widerwillig steuerte er Elanus weiter, in Richtung Verwaltungsgebäude. Einige der Fenster waren erleuchtet, immerhin. Das des Rektorbüros zum Beispiel.

Noch vierzehn Minuten. Elanus war nur einen halben Meter von der Scheibe entfernt, bei der Distanz durfte Jona nicht der kleinste Steuerungsfehler unterlaufen, sonst würden die Rotoren am Glas schrammen.

Nichts zu hören. Und auch kaum etwas zu sehen. Hinter den vorgezogenen Gardinen bewegten sich schemenhafte Gestalten. Drei, wenn Jona keinen übersah. Unmöglich festzustellen, um wen es sich handelte. Dass Schratter dabei war, nahm er als gegeben an – niemand würde freiwillig um diese Zeit in einem Büro sitzen, wenn nicht der Boss es anordnete.

Er seufzte. Die Aufnahmen, die er da machte, waren völlig wertlos. Stattdessen konnte er die letzten paar Minuten vielleicht für etwas anderes nutzen. Einen Abstecher nach Schloss Deluxe.

Es war zwar albern, aber er wünschte sich seit Tagen, einmal Marlenes Zimmer zu sehen. Sie trug keine Designersachen, aber möglicherweise lebte sie inmitten von Designermöbeln?

Trotz der späten Stunde brannte hinter vielen Fenstern noch Licht. Hinter dem des Billardzimmers ohnehin, aber auch in den Wohntrakten herrschte reges Treiben.

Marlene hatte irgendwann einmal erwähnt, dass sie im zweiten Stockwerk wohnte, im Ostflügel. Aber allein dieser Flügel war riesig, er konnte nicht jedes einzelne Fenster abfliegen.

In gewisser Weise hatte er damit gerechnet, dass seine Intuition ihn leiten würde. Aber nun, während Elanus vor der langen Reihe von Fenstern schwebte, sahen die alle gleich falsch aus.

Entmutigt steuerte er ein Stück zurück – und fing über die Kamera eine Bewegung auf. Ein ganzes Stück vom Haus entfernt, in der Parkanlage, zwischen Büschen und Bäumen. War da ein Tier?

Wenn ja, dann ein großes. Und es würde fliehen, sobald es Elanus hörte. Das würde bald der Fall sein, daran zweifelte Jona nicht – das Gehör der meisten Tiere war deutlich empfindlicher als das menschliche.

Im Näherkommen wurde Jona klar, dass er sich geirrt hatte, denn jetzt flackerte ein Licht zwischen den Büschen auf. Etwas wie eine Campinglaterne. Er zoomte näher heran.

Da war kein Tier, sondern ein Mensch. Ein Mann, kahlköpfig. Er hob eben einen Spaten aus der Wiese auf und besah sich den Boden, auf dem er stand. Lockerte die Erde ein wenig und stach dann mit der Spatenspitze hinein. Begann zu graben.

Jona beobachtete ihn gleichermaßen fasziniert und beunruhigt. Begriff erst warum, als der Mann sich zum ersten Mal aufrichtete und ein schwacher Lichtschein auf sein Gesicht fiel.

Erich.

Erich hob mitten in der Nacht, an einer abgelegenen Stelle des Parks, eine Grube aus. Jonas Kehle fühlte sich plötzlich eng an.

Erich war der Hausmeister, nicht der Gärtner. Und selbst wenn er es gewesen wäre – keiner setzte Blumenzwiebeln um kurz vor halb zwölf.

Obwohl er sich des Risikos bewusst war, ließ Jona Elanus noch ein Stück näher an die Stelle heranfliegen.

Nein, da bestand kein Zweifel. Der Mann grub ein längliches Loch in die Erde. Der Platz, den er sich ausgesucht hatte, war groß genug für ein … Grab.

Erich. Der Profi. Der keine Spuren hinterließ.

Durchdringendes Piepen. Elanus leitete das Failsafe-Programm ein, unbeeindruckt von Jonas Flüchen. Er wollte jetzt noch nicht zurück, für heute war es zu spät, um die Drohne wieder aufzuladen und ein weiteres Mal loszuschicken.

Er öffnete das Fenster, blickte zum Himmel. Der Mond war drei Viertel voll, es war sternenklar und kühl. Ein paar Gassen weiter bellte ein Hund.

Hätte Jona sich nicht aufs Fensterbrett gelehnt und nach vorne gebeugt, hätte er ihn nicht gesehen. Den Mann, der den Himmel ebenso im Auge behielt wie Jona selbst.

Sein Gehirn arbeitete fieberhaft, suchte nach einer Lösung, einer Möglichkeit, den Mann loszuwerden, bevor Elanus heranschoss und seinen Weg in Jonas Zimmer fand.

Doch die Chance war gleich null. In etwas mehr als vier Minuten würde die Drohne hier eintreffen, er konnte sie nirgendwo anders hinsteuern, er konnte sie nicht vorzeitig landen. Er konnte nur hier stehen und zusehen, wie sie immer näher kommen und schließlich entdeckt werden würde. Von dem Mann, der so entspannt mit verschränkten Armen an der Hausmauer lehnte. Der kurz aufblickte, als Elanus heranschoss, und dann langsam die Straße bis um die nächste Ecke schlenderte.

Jona hatte die Nacht über kaum geschlafen. Ein Teil von ihm hatte darauf gewartet, dass die Helmreichs und der unbekannte Beobachter seine Zimmertür aufbrechen und Elanus an sich reißen würden.

Irgendjemand wusste nun mit aller Sicherheit, dass Jona eine Drohne besaß und benutzte. Was das für Folgen haben würde, hing davon ab, wer dieser Jemand war.

Es würde Jona nichts anderes übrig bleiben, als heute wieder mit dem Alukoffer zur Uni zu gehen, ansonsten würde er keine ruhige Minute haben.

Silvia wirkte beim Frühstück aufgekratzter als sonst, fröhlich geradezu. Aber auf eine übertriebene Weise, so, als hätte sie von irgendeiner Glücksdroge zu viel geschluckt. »Na, was hast du heute vor? Anstrengender Tag? Oder Zeit für Freunde?« Sie zwinkerte ihm auf eine Weise zu, die er bei ihr noch nie gesehen hatte und hoffentlich nie mehr sehen würde.

»Ein total normaler Tag«, sagte er betont ruhig und dachte an das Grab im Park des Luxuswohnheims. Er wollte sich noch nicht vorstellen, wie der Tag wirklich verlaufen würde, aber normal ganz sicher nicht.

Der Krankenwagen überholte ihn, als er gerade den Campus betrat. Aus dieser Nähe war das Martinshorn schauderhaft laut; das Blaulicht spiegelte sich in den Fenstern der Institutsgebäude.

Automatisch beschleunigte Jona seine Schritte. Rechnete fest damit, dass der Wagen in Richtung Schloss Deluxe abbiegen würde, wo man jemanden in der Erde gefunden hatte – doch er bog nach rechts ab. Fuhr weiter und weiter. Auf die Baustelle zu, wie Jona schließlich klar wurde.

Er rannte nun. War einem der beiden Männer, die er gestern beobachtet hatte, etwas zugestoßen? Hätte Jona es sehen können, wenn er geduldiger – und unvorsichtiger – gewesen wäre?

Es hatte sich bereits eine Menschenansammlung vor der Baugrube gebildet. Jemand lag dort, zwei Leute knieten daneben und nun, als die Sanitäter aus dem Wagen sprangen, bildete die Menge eine Gasse, um sie durchzulassen.

Jona erhaschte einen Blick auf die Gestalt, die neben dem Grubenrand auf dem Boden lag, auf bernsteinfarbenes Haar und elfenbeinfarbene Haut.

Linda.

Er lief weiter, drängte sich durch die Schaulustigen.

»Wir haben sie da unten liegen sehen und heraufgeholt«, sagte ein Bauarbeiter gerade. Er trug seinen gelben Helm unter dem Arm, als hätte er ihn aus Höflichkeit abgenommen. »Ich will ja nichts sagen, aber sie muss betrunken gewesen sein. Sehen Sie, sie hat ja kaum was an.«

»Schwer unterkühlt«, rief einer der Sanitäter. Ein anderer brachte eine Rettungsdecke aus glänzender Folie, in die sie Linda mit geübten Handgriffen einwickelten, bevor sie sie auf die Trage legten.

Sie trugen sie an Jona vorbei, der bloß dastand und wusste, er sollte etwas sagen. Über die beiden Männer, die er gestern beobachtet hatte. Dass sie sehr wahrscheinlich etwas mit Lindas Zustand zu tun hatten.

Doch das alles konnte er nur erklären, wenn er gleichzeitig eingestand, dass es Elanus gab und er ihn flog, ohne Genehmigung. Dass er auf fremden Handys Spyware installierte, um ahnungslose Menschen stalken zu können.

Sie würden ihm seine Drohne wegnehmen, daran bestand kein Zweifel, ebenso wie das Notebook. Er würde angezeigt werden, seinen Studienplatz verlieren, eventuell vorbestraft sein.

Das alles für einen Hinweis, der eigentlich keiner war. Auf der Aufnahme erkannte man die beiden Männer in der Baugrube nicht. Die Stimmen konnte man hören, ja, und vielleicht würde jemand sie sogar erkennen, aber ein Beweis war das keiner. Zudem taten die beiden nichts Unerlaubtes. Sie leuchteten nur mit ihren Taschenlampen herum und … suchten etwas.

Oder?

Der Rettungswagen fuhr ab. Während die Menge sich nun erstaunlich schnell zerstreute, blieb Jona stehen. Einer der Bauarbeiter war noch in der Nähe und ließ sich sogar am Ärmel zurückhalten.

»Entschuldigen Sie bitte.« Jona musste nicht viel dazu tun, dass seine Stimme zitterte. »Linda ist eine gute Freundin von mir ... können Sie mir sagen, was genau passiert ist? Haben Sie sie gefunden?«

Der Mann betrachtete ihn erst widerwillig, dann mitleidig. »Ja, ich und Achim. Wir waren heute Morgen die Ersten hier. Na ja, was soll ich dir sagen ...« Er kratzte sich nachdenklich am Arm. »Wir sind ganz schön erschrocken. Sie hat einfach da unten gelegen, nur mit Höschen und T-Shirt. Wir sind sofort runter, ich hatte schon Angst, sie sei tot, aber sie hat geatmet. Gesprochen hat sie leider nicht.«

»War sie verletzt? Würgemale, eine Kopfwunde ...?«

Der Mann sah ihn mit großen Augen an. »Wie? Nein, so was habe ich nicht gesehen. Denkst du etwa –«, er ließ den Satz unvollendet, blickte in die Grube, dann wieder auf Jona. »Das war doch bloß ein Unfall. Vielleicht ist sie Schlafwandlerin. Meine Tochter hat beim Schlafen auch nicht mehr an als dieses Mädchen. Kann doch sein, sie hatte ein bisschen zu viel getrunken, etwas geraucht ...« Er zuckte mit den Schultern.

»Okay«, murmelte Jona. »Danke. Auch dafür, dass Sie sie raufgebracht haben.«

Nun sah der Arbeiter beinahe empört aus. »Also das war ja wohl selbstverständlich.« Er klopfte Jona auf die Schulter. »Keine Sorge, die wird schon wieder. Die kümmern sich jetzt gut um sie.«

Und zwar im Krankenhaus. Der Gedanke formte sich ganz von selbst in Jonas Kopf. Er sah wieder Beate Lichtenberger vor sich, ihre schnellen, geschickten Handbewegungen, während sie an Koljas Infusion hantierte.

Irgendetwas musste Jona tun. Doch nichts von dem, was nahelag, versprach auch nur den geringsten Erfolg.

Er würde Hilfe brauchen. Ohne lange zu überlegen, zog er sein Smartphone aus der Tasche und rief Marlene an.

26

»Da ist kein Grab.« Er hörte die Belustigung in ihrer Stimme. »Nur ein wenig aufgelockerte Erde. Ich habe jetzt nachgebuddelt, und da ist nichts. Nach zehn Zentimetern stößt du auf steinharten Boden.«

Sie telefonierten nun schon seit einer halben Stunde. Jona hatte Marlene sein Herz ausgeschüttet und ihr am Ende auch erzählt, was er in der vergangenen Nacht beobachtet hatte. Erich. Der Spaten. Das Grab.

Das es offenbar aber nicht gab. »Er hat ein Beet vorbereitet«, erklärte Marlene. »Du kennst dich vermutlich in Sachen Gärtnerei nicht so aus, aber um im Frühjahr, sagen wir mal, Hyazinthen zu haben, muss man die Zwiebeln im Herbst einpflanzen.«

»Ach«, sagte Jona. »Und das muss man nachts tun? Wahrscheinlich auch noch bei Vollmond, aber den hatten wir gestern gar nicht.«

»Hm.« Marlene schien zu überlegen. »Kann doch sein, dass Erich es tagsüber vergessen hatte und dann spät noch mal raus ist.«

Das war naiver, als er es von Marlene erwartet hatte. »Sind denn da Blumenzwiebeln? Hast du welche gefunden?«

Sie zögerte. »Nein. Aber die kommen vielleicht heute und er hat gestern alles vorbereitet.«

Jona seufzte. »Na gut, dann …«

»Moment«, unterbrach sie ihn. »Da ist doch etwas.«

»Ja? Was denn?«

Schweigen am anderen Ende, das endlos lange zu dauern schien.

»Ich nehme es mit«, sagte Marlene schließlich. »Ich zeige es dir.«

Sie trafen sich außerhalb des Campus, am Parkplatz des nächstgelegenen Supermarkts. Jona begrüßte Marlene mit einem Küsschen auf die Wange, das sie mit einem schiefen Grinsen quittierte, bevor sie ein kleines Päckchen aus ihrer Tasche holte. »Hier.«

Sie hatte ihr Fundstück in seinen Drohbrief eingewickelt und lächelte extra süß, als Jona das bemerkte. »Ich mag Humor ja in Schwarz«, sagte er und gab ihr das Papier wieder. In seiner Hand blieb ein flacher Gegenstand zurück, etwa vier mal sechs Zentimeter groß. Ein Handyakku, der zu einem Smartphone gehören musste.

»Vielleicht hat Erich selbst ihn verloren?«, mutmaßte Jona.

»Könnte natürlich sein. Möglicherweise aber auch nicht. Er kann jedenfalls noch nicht lange draußen gelegen haben, er war ziemlich sauber, die Erde hat sich ganz leicht abwischen lassen. Und nirgendwo Rost.«

Jona öffnete den Alukoffer nur einen Spalt weit und ließ den Akku hineingleiten. Es wäre höchst interessant gewesen zu erfahren, welche Fingerabdrücke sich darauf befanden – doch selbst wenn er ihn an die Polizei weitergab: Warum sollten sie ihn untersuchen?

»Es ist nur, weil es ausgerechnet Erich war«, murmelte Jona.

»Und? Welches Problem hast du mit Erich?«

Er erinnerte sich noch genau an ihre Reaktion, als er ihr das letzte Mal erzählt hatte, dass man ihn aus dem Weg schaffen wollte. Diesmal würde er es ihr nicht so leicht machen, das als Hirngespinst abzutun.

»Das zeige ich dir gerne.«

Sie trafen sich am frühen Nachmittag bei Pascal – etwas anderes als sein Haus war Jona spontan als sicherer Ort nicht eingefallen. Ein paar Stunden würden sie dort ungestört sein.

Pascal selbst war von der Perspektive, Aufzeichnungen von Elanus' Flügen zu sehen, mehr als begeistert gewesen; er riss die Tür schon auf, bevor Jona überhaupt die Klingel drücken konnte.

»Hey!« Er gab Marlene die Hand und schenkte ihr sein strahlendstes Lächeln. »Kommt rein, ich habe gerade eine Riesenportion von Silvias Apfelkuchen aufgetaut.«

Marlene hob fragend die Augenbrauen.

»Silvia ist Jonas Gastmutter, hat er dir nicht von ihr erzählt? Ihr Apfelkuchen ist legendär, aber sie hat uns vor zwei Wochen so viel davon rübergebracht, dass das halbe Gefrierfach voll ist.« Mit einer eleganten Handbewegung deutete er auf die Treppe nach oben. »Und wenn schon hoher Besuch kommt …«

Pascals Zimmer als chaotisch zu beschreiben, wäre eine charmante Lüge gewesen. Es war kaum Platz, die Füße auf den Boden zu setzen, überall lagen Computer- und Musikzeitschriften, leere Kekspackungen, Schulbücher und vereinzelt auch Wäschestücke herum. Aus Red-Bull-Dosen hatte er eine Pyramide gebaut und verwendete offenbar zu Bällen zusammengerollte Socken, um danach zu werfen.

»Das wird mich bis in meine Träume verfolgen«, stellte Marlene fest und steuerte den ebenfalls vollgeräumten Schreibtisch an. »Wohin darf ich mich setzen? Auf den überfüllten Schmutzwäschekorb oder besser auf den Pizzakarton dort vorne?«

In einer schwungvollen Geste packte Pascal die drei oder vier Jeans, die über dem Schreibtischstuhl hingen, warf sie in eine Ecke und drehte ihn in Marlenes Richtung. »Hierhin, bitte. Und, Jona, du nimmst den Klavierhocker.«

Er selbst blieb stehen, stützte sich nur mit den Ellenbogen auf der Tischplatte ab. »So. Jetzt. Action.«

Jona hatte den Ordner mit Elanus' Videos bereits geöffnet. Die Datei, die er den beiden vorspielen wollte, trug den Namen »Schlafzimmer M+S Helmreich«, was Pascal höchst witzig fand.

»Eines der Schlafzimmer, die mich am wenigsten interessieren«, kicherte er.

Jona ging darüber hinweg. »Marlene, du hast mich gefragt, warum ich Erich nicht über den Weg traue und warum ich glaube, dass mir jemand an den Kragen will. Du erinnerst dich daran, dass ich im Besprechungsraum eingeschlossen wurde, ja? Und mittlerweile gibt es schon einen Toten und zwei sehr eigenartige Unfälle.«

Er startete die Aufnahme. Zu sehen war praktisch nichts – zu erahnen waren grüne Vorhänge mit weißem Rankenmuster. Ganz klar hingegen war Silvias Stimme.

»… soll das weitergehen? Wie hast du dir das gedacht, Martin? Wie konntest du diesem bescheuerten Deal je zustimmen, und das, ohne mich zu fragen?«

Jona stoppte die Aufnahme. »Es war Martin, der sich auf die Anfrage meiner Eltern gemeldet hat. Sie wollten, dass ich bei einer Familie und nicht im Wohnheim unterkomme. Martin

Helmreich hat sehr schnell reagiert und er war ganz wild darauf, dass Papa Ja sagt. Er meinte, es wäre gut für Kerstin, wenn sie sehen würde, wie es ist, kein Einzelkind zu sein.«

Pascal lachte spöttisch. »Kerstin ist zweiundzwanzig – ein bisschen spät für erzieherische Maßnahmen, oder?«

In einer nachdenklichen Geste rieb Marlene sich über die Nase. »Aber – warum sollten sie dich sonst unbedingt aufnehmen wollen?«

»Na ja, sie bekommen Geld dafür.«

»Viel?«

»Nein. Wenn man das abzieht, was ich sie im Monat koste, bleiben vielleicht hundert Euro Gewinn übrig. Höchstens hundertfünfzig.«

»Also kein Grund.« Marlene hob auffordernd das Kinn. »Weiter im Text.«

Jona klickte auf Play. Ein Krachen ertönte, dann Martins Stimme. »Ich hatte doch überhaupt keine Wahl. Im Grunde genommen ist einzig und allein Schratter daran schuld. Und du weißt doch, was für uns auf dem Spiel steht. Wir müssen eben auch einen Beitrag leisten, aber wir sind ja nicht allein in dieser Sache.«

Wieder stoppte Jona die Aufnahme. »Es klingt so, als hätte Schratter darauf bestanden, dass die Helmreichs mich nehmen, oder?«

Diesmal antwortete keiner der beiden anderen sofort. »Na ja.« Als Marlene doch sprach, klang sie unsicher. »Du sagtest, du wärst auf Schratters Einladung hin an die Victor-Franz-Hess gekommen. Kann sein, dass sie davon sprechen. Seine Schuld also, dass du überhaupt einen Fuß nach Rothenheim gesetzt hast.«

Und trotzdem hat er mich bis heute nicht sehen wollen, dachte Jona. Irgendetwas stimmt doch da nicht.

»Hast du etwas speziell Schlimmes getan, dass sie so auf dich reagieren?«, erkundigte sich Pascal.

»Nur die Drohne rumfliegen lassen.« Ja, das war illegal, aber eigentlich musste es die Helmreichs nicht kratzen. »Und die Briefchen verteilt, aber nicht an einen von ihnen.«

Energisch schüttelte Marlene den Kopf. »Beides wäre kein Grund für Silvias Verzweiflung. Und … sie klingt verzweifelt. Finde ich.«

Wieder ein Mausklick auf *Play*. Wieder Silvias Stimme. »Ja, das haben wir gestern gesehen. Sie haben auf der ganzen Linie versagt, alle!«

»Das war Pech«, antwortete Martin.

»Pech? Das war Unfähigkeit!«, schrie Silvia, bevor Jona wieder *Stopp* drückte.

»Am Tag davor war jemand in meinem Zimmer«, erklärte Jona. »Da wurde es zum ersten Mal durchsucht. Es war außerdem die Terrassentür offen, als hätte jemand eingebrochen – oder als wäre sie mit Absicht offen gelassen worden.«

»Aber wer es auch war, er hat nicht das getan, was Silvia gehofft hatte«, ergänzte Marlene. »Sondern auf der ganzen Linie versagt, wie sie es so schön ausdrückt.«

Jona nickte. »So. Und jetzt wird es interessant, finde ich.« Die Aufnahme lief wieder. Immer noch war es Silvia, die sprach.

»Jedenfalls mache ich das nicht mehr lange mit. Er muss weg hier. Egal auf welche Weise.«

»Natürlich.« Martin sagte es, als wäre es zwischen ihnen schon mindestens zwanzig Mal besprochen worden. »Denkst du, das weiß ich nicht? Erich hat gesagt, er kümmert sich darum. Und Erich weiß, was er tut. Ein paar Tage noch, dann sind wir ihn los. Er ist ein Profi. Er hinterlässt keine Spuren.«

Mehr kam nicht. Nach diesem Satz hatte Jona Elanus steigen lassen müssen, um sicherzugehen, dass er nicht entdeckt wurde.

»Okay.« Jona schloss das Video und drehte sich zu Pascal und Marlene herum. Stellte fest, dass ihre Mienen nicht unbedingt beruhigend auf ihn wirkten.

»Sie können nicht ernsthaft planen, dich aus dem Weg zu schaffen«, sagte Pascal nach ein paar endlos scheinenden Sekunden. »Sie haben doch auch überhaupt keinen Grund. Vielleicht wollen sie, dass du ausziehst, aber sie werden dich keinesfalls umbringen.«

»Sie nicht«, unterbrach ihn Marlene. »Davon war ja auch nie die Rede.« Sie nahm Jonas Hand. »Tut mir leid, dass ich dich vorhin nicht ernst genommen habe. Ich verstehe, dass du Erich nicht über den Weg traust.«

Insgeheim hatte Jona gehofft, dass Marlene oder Pascal eine harmlose Erklärung für diesen Dialog finden würden. Doch beide wirkten ratlos. Und besorgt.

»Ich kenne Erich nur ein bisschen«, sagte Marlene nachdenklich. »Und bisher fand ich ihn immer sympathisch. Aber vielleicht ist er wirklich der Mann fürs Grobe. Nicht nur, wenn es um seine Hausmeisterarbeit geht.«

Sie rückte den Stuhl nach hinten und stand auf. »Aber ich glaube nie im Leben, dass es Leute wie Martin und Silvia sind, von denen er seine Aufträge bekommt.«

Da war Jona ganz ihrer Meinung. »Ich schätze, es ist Schratter, auch wenn ich keine Ahnung habe, warum. Du kennst ihn. Traust du ihm das zu?«

Erst bekam er keine Antwort, dann sprach Marlene sehr langsam, als müsse sie ihre Worte besonders sorgfältig wählen. »Mir geht etwas ganz anderes durch den Kopf. Manche unserer Kommilitonen haben sehr reiche, sehr einflussreiche und sehr empfindliche Eltern. Wenn du jemandem von ihnen auf die Füße getreten bist –«

Jona fühlte, wie sein Inneres sich verkrampfte. Er dachte an die Briefchen. Falls Marlene recht hatte, gab es eine weitere Ecke, aus der Gefahr drohte und die er im Auge behalten musste.

Ich kenne dein Geheimnis, hatte er geschrieben. Damals war es ein Scherz gewesen, nun hatte er den Eindruck, er kannte weit mehr Geheimnisse, als ihm lieb war.

Bloß das richtige war nicht dabei.

Etwas später gingen sie hinunter in die Küche. Pascal wollte immer noch den Apfelkuchen servieren, aber Marlene hatte sich geweigert, in seinem Zimmer irgendetwas zu essen. »Ich habe gesehen, wie sich eine der leeren Chipstüten unter deinem Bett bewegt hat. Ich denke, da lebt etwas, und vielleicht fällt es uns an, wenn es Futter riecht.«

Auf der Treppe drehte Pascal sich grinsend zu Jona um. »Ich kann verstehen, dass du sie magst.«

Sie aßen, jeder demonstrativ auf seinen Kuchen konzentriert, aber zumindest Jona schmeckte kaum, was er da kaute. »Da ist noch etwas«, sagte er zwischen zwei Bissen, »das ich euch nicht erzählt habe.«

Marlene sah ungläubig auf. »Noch etwas?«

Jona schob seinen Teller zur Seite. »Ich habe Elanus gestern Abend zur Uni fliegen lassen. In der Baugrube am Campus haben kurz nach elf Uhr zwei Männer etwas gesucht. Ich weiß nicht, wann Linda abgestürzt ist und ob die beiden etwas damit zu tun haben, aber jedenfalls … sie waren da.«

Pascal öffnete den Mund zu einem Kommentar, doch Jona ließ ihn nicht zu Wort kommen.

»Noch jemand war da. Direkt am Haus der Helmreichs. Er hat nah an der Wand gestanden und gewartet, er hat Elanus bei seiner Rückkehr gesehen. Er weiß, dass es ihn gibt und durch welches Fenster er geflogen ist.«

»Und das hast du nicht verhindern können?«, fragte Marlene fassungslos.

»Nein. Der Akku war fast leer, und in diesem Fall setzt das Notfallprogramm ein, das Elanus zeitgerecht wieder zum Ausgangspunkt zurückfliegt.«

Nachdenklich nagte Pascal an seiner Unterlippe. »Wenn ich das gewusst hätte – ich war bis halb eins wach, ich hätte zu euch hinübergehen können. Den Kerl vertreiben, oder zumindest ein Foto von ihm schießen, damit du weißt, wer es …«

»Schluss jetzt«, sagte Marlene energisch. »Was du da sagst, ist, pardon, totaler Quatsch. Sie stellen Jona schon hinterher, willst du dich auch in Gefahr bringen? Bis jetzt haben sie dich nicht auf dem Schirm, und auf diese Weise bist du viel nützlicher, als wenn sie denken, ihr steckt unter einer Decke.« Sie verschränkte ihre Hände auf dem Tisch und betrachtete sie. »Am besten wäre es, mit den Aufnahmen zur Polizei zu gehen – jaja, Jona, du musst nicht gleich ausflippen, ich weiß ja. Du hast Angst um deine Drohne, aber vielleicht solltest du dir zur Abwechslung mal um dich selbst Sorgen machen.«

Das tat er, nicht zu knapp, aber er dachte nicht daran, das Marlene gegenüber zuzugeben.

»Weißt du – an deiner Stelle würde ich mir überlegen, nach Hause zu fahren. Zu deinen Eltern. Dann können dich alle Helmreichs und alle nächtlichen Besucher dieser Welt kreuzweise.«

Darauf war er nicht vorbereitet gewesen und es tat unerwartet weh. Dass sie ihn fortschickte, auch wenn es zu seinem eigenen Besten war. Dass sie den Gedanken, ihn aus ihrem Leben gehen zu lassen, nicht unerträglich fand.

Er hätte es vorgezogen, sie wäre egoistisch gewesen. Hätte etwas gesagt wie: Wir bekommen das schon hin, Hauptsache, du bleibst hier.

Zu seiner Verletztheit gesellte sich Beschämung. Sie waren kein Paar, im besten Fall waren sie dabei, Freunde zu werden. Er war auch nicht … verliebt. Kein Herzklopfen, kein Stottern, keine feuchten Hände, wenn er Marlene sah. Trotzdem fühlte er sich ihr verbundener als jedem anderen Menschen auf der Welt.

Jona versuchte, sich nichts anmerken zu lassen. »Das bleibt mir als letzter Ausweg immer noch«, sagte er. »Aber eigentlich möchte ich das alles hier nicht aufgeben.«

Vielleicht verstand sie, was er damit wirklich meinte.

Froh darüber schien aber in erster Linie Pascal zu sein. »Das ist die richtige Einstellung«, stellte er zufrieden fest. »Ach, und wenn das nächste Mal jemand nachts vor eurem Haus rumlungert, ruf mich an, egal zu welcher Zeit. Ich habe eine Kamera mit Teleobjektiv, ich mache dir von dem Typ ein Foto, auf dem du seine Bartstoppeln zählen kannst.«

27

Jona wartete, bis es halb sieben war, bevor er über die Straße zurück zu den Helmreichs ging. Er hatte Pascals Angebot, den Koffer mit der Drohne bei ihm zu verstecken, abgelehnt. Nicht aus Misstrauen, sondern weil er Elanus heute vielleicht noch mal fliegen lassen wollte.

Sie hatten gemeinsam eine Liste mit Leuten gemacht, die zu beobachten sich lohnen konnte. In seinem Zimmer zog Jona sie aus der Hosentasche, faltete sie auf und strich sie glatt.

1) Carl Schratter (noch mal mit SMS versuchen)
2) Tim Zeman (ihn zu beobachten, heißt möglicherweise auch, den Vater zu beobachten)
3) Das Gleiche gilt für Hendrik Achner
4) Linda (und mit ihr sprechen, wenn es ihr gut genug geht)
5) Andrea Gilles (sie weiß sicher, was nachts im Rektorat passiert)

Jona strich über die Zeile, die Marlene unter die Liste geschrieben hatte.

Auf KEINEN Fall mich, ist das klar? Wenn du das noch mal machst, komme ich bei dir vorbei und reiße deinem Flugspion alle Rotoren aus!!!

Nein, er würde Elanus nicht wieder hinter Marlene herschicken, nicht einmal dann, wenn er sie einfach nur sehen wollte. So wie jetzt.

Eine halbe Stunde später rief Silvia zum Essen. Jona steckte sein Handy in die Hosentasche und ging nach unten. Half beim Tischdecken und lehnte das von Martin angebotene Bier ab.

Putenschnitzel mit Reis gab es, dazu für jeden eine Schüssel grünen Salat. Das Fleisch war an den Rändern ein wenig dunkel geraten, trotzdem lobte Jona den Geschmack mehr als nur einmal. Wenn Silvia schon so gern kochte und dermaßen stolz auf ihre Künste war, wie Pascal das behauptete, dann freute sie sich vielleicht darüber.

Ja, immerhin lächelte sie. »Weißt du, ich würze Geflügel am liebsten mit –«

Mit einem Schlag wurde es stockdunkel. Sowohl die Lampe über dem Esstisch als auch die in der Couchecke waren ausgefallen.

»Ach, verdammt«, hörte Jona Martin zischen. »Da hat sich wieder mal eine Sicherung verabschiedet.«

»Kümmerst du dich darum?« Silvia klang ehrlich erschrocken. »Bitte, Martin, du weißt …«

»Ja, klar. Du fühlst dich nicht wohl im Dunkeln.« Martin selbst schien es, seiner Stimme nach zu schließen, ganz ähnlich zu gehen. »Aber ich brauche die Taschenlampe aus der Diele.«

Es rumste. Offenbar war Martin auf seinem Weg nach draußen gegen eines der Möbel gelaufen. Seinem Schmerzensschrei folgte ein Fluch, dann ein paar Schritte auf Fliesenboden, dann Rumoren.

Jona blinzelte ins Dunkel, das tatsächlich undurchdringlich schien. Eine kaputte Sicherung? Vorsichtig stand er auf, zog das Handy aus der Hosentasche und schaltete die Taschenlampenfunktion ein. Ging zum Fenster. Auch draußen: alles dunkel. Das Haus der Bittners, die Straße an sich. Keine der Laternen leuchtete.

»Du kannst aufhören, nach Sicherungen zu kramen«, rief er in Martins Richtung. »Das ist ein Stromausfall. Die ganze Straße ist duster.«

Wenn das länger anhielt, konnte er Elanus heute nur ein Mal fliegen lassen, ohne Strom konnte er ihn nicht wieder aufladen. Und er sollte mit seinem Handy sorgsam umgehen, damit der Akku nicht ausgerechnet dann leer war, wenn vielleicht doch eine Antwort auf die SMS kam. Seufzend setzte er sich aufs Sofa und schaltete die Taschenlampenfunktion aus.

»Martin!« Silvias Stimme war nun schriller als zuvor. »Tu was, bitte! Ruf bei den Stromwerken an, die können uns doch nicht einfach den Saft abdrehen, das ist …«

»Beruhige dich.« Es war keine Besänftigung, sondern ein Befehl.

»Aber … ich ertrage das nicht. Was ist, wenn die den Strom heute gar nicht mehr aufdrehen?«

»Dann machen wir Kerzen an.« In Martins Stimme lag etwas, das Jona nicht zuordnen konnte. Eine Drohung?

Offenbar empfand auch Silvia das so, denn sie schluchzte auf. »Bitte, Martin. Ich habe Angst. Du musst etwas tun …«

»Jetzt beruhig dich doch, Mama.« Erstmals meldete Kerstin sich zu Wort. »Ich hole den Kerzenleuchter und die Streichhölzer. Du wirst sehen, das Licht geht gleich wieder an, so was dauert doch nie lange.«

Diesmal war sie es, die ihre Handyleuchte einschaltete. Sie ging zur Kommode und kam mit Stumpenkerzen und Teelichtern zurück. »Das wird noch richtig gemütlich, wart's ab!«

Fürsorge war für Jona eine neue Seite an Kerstin. Eine, die er mochte, wie er sich widerwillig eingestand.

Als die Kerzen brannten, beruhigte Silvia sich einigermaßen. »Draußen ist auch alles dunkel?«, flüsterte sie.

»Ja. Straßenbeleuchtung, Nachbarhäuser, alles.« Jona sah keinen Sinn darin, sie anzulügen. Dass eine erwachsene Frau solche Angst vor der Dunkelheit haben konnte, erstaunte ihn, aber es gab ja bekanntlich nichts, was es nicht gab.

»Fünf Minuten, Mama. Höchstens zehn. Und schau, es ist doch jetzt hell genug, nicht wahr?«

»Ja«, flüsterte Silvia. Ihre Hände zerlegten die Papierserviette in winzige Stückchen; Jona glaubte nicht, dass sie merkte, was sie tat.

»Esst doch weiter, es wird ja sonst noch alles kalt«, sagte sie, ohne jedoch ihr eigenes Besteck wieder aufzunehmen.

Folgsam kehrte Jona zum Tisch zurück und griff nach Messer und Gabel – er wollte Silvia keinen weiteren Grund zur Aufregung geben. »Es schmeckt wirklich ausgezeichnet«, stellte er noch einmal fest und erntete ein dankbares Lächeln.

Drei Minuten später ging das Licht wieder an.

»Siehst du.« Martin pustete die Kerzen aus und begann nun ebenfalls weiterzuessen. »Die ganze Aufregung umsonst.« Er sah Silvia an, sichtlich in Erwartung einer Antwort, doch sie schwieg. Aß auch keinen Bissen mehr, stocherte nur in ihrem Reis herum.

Jona ließ dafür nichts auf seinem Teller zurück, schon aus Prinzip. Als er später hinauf in sein Zimmer ging, hatte er das eigenartige Gefühl, Silvia ein bisschen nähergekommen zu sein, ohne den Grund dafür zu verstehen.

Er sperrte die Zimmertür ab, das war ihm mittlerweile zur zweiten Natur geworden. Endlich war Zeit und Ruhe, um sich den Punkten seiner Liste zuzuwenden. Sie lag noch auf dem Schreibtisch, er schnappte sie sich und warf sich damit aufs Bett.

Das Einfachste zuerst. Tim Zemans Nummer hatten sie tatsächlich im Internet gefunden, auf der Kontaktliste eines Volleyballvereins. Jona hoffte, dass sie noch aktuell war, tippte sie in die App ein und überlegte kurz. Er musste seine Nachricht so unwiderstehlich gestalten, dass Tim mit Sicherheit antworten würde. Ein paar Sekunden später hatte er es.

Hey Tim! Ich dachte, ich traue mich heute und schreibe dich einfach mal an. Du gehst mir nicht mehr aus dem Kopf und ich würde dich gern ein bisschen besser kennenlernen – vielleicht könnten wir ja mal gemeinsam etwas unternehmen? Fände ich toll :-)

Ahnst du, wer ich bin?

Jona schickte die Nachricht ab und lehnte sich zurück. Das würde nicht lange dauern.

Tatsächlich kam die Antwort kaum zwei Minuten später.

Hallo Unbekannte! Hm, ich könnte raten, wer du bist, aber du darfst nicht böse sein, wenn ich danebenliege, okay?

Carina? Oder Michelle?

Bin schon sehr gespannt auf die Auflösung! Lass mich nicht zu lange zappeln :-)

Na also. Damit hatte Jona alles, was er brauchte. Den Trick würde er sich merken und ihn sofort bei Hendrik Achner anwenden.

Auch hier kam die Antwort innerhalb kürzester Zeit. Hendrik tippte auf eine Juliane, eventuell auch eine Valentina – oder vielleicht Rebekka.

Egal, wer du bist, ich finde es auf jeden Fall toll, dass du dich getraut hast, mir zu schreiben, fügte er am Ende an. Was Jona spontan sympathisch fand, obwohl er nicht sicher war, wie begeistert Hendrik über den tatsächlichen Absender gewesen wäre.

Beiden antwortete er nicht – warum auch. Er hätte nur etwas schreiben können wie: *Oh, du hast mich also noch gar nicht wahrgenommen*, tun, als wäre er gekränkt, und die beiden mit schlechtem Gefühl zurücklassen.

So würden sie sich höchstens die Köpfe zerbrechen, aber in dem Bewusstsein, dass es da draußen jemanden gab, der sie toll fand.

Jona hielt einen Moment inne. Gedanken dieser Art waren nicht unbedingt typisch für ihn. Wann hatte sich das denn geändert?

Er gab zuerst Tims Nummer in das Steuerungsprogramm ein und warf noch einen prüfenden Blick aus dem Fenster. Heute stand niemand da, weder auf der gegenüberliegenden Straßenseite noch an der Hausmauer.

Elanus startete und stieg, schoss dann in Richtung Osten davon. Jona verfolgte seinen Flug aufmerksam. Er war an Tim selbst nicht besonders interessiert, sondern mehr am Baumeister-Vater.

Nach neun Minuten senkte Elanus sich auf fünf Meter Höhe und hielt vor dem Fenster eines hell erleuchteten Zimmers. Das dazugehörige Haus war ein großer, sehr modern wirkender Bau mit einem terrassenförmig angelegten Garten.

Jona speicherte die Koordinaten des Hauses ab und schaltete die Aufnahmefunktion ein, obwohl es nicht viel Spannendes zu sehen gab. Nur Tim, der vor seinem Computer saß, in Wahrheit aber sein Handy im Auge behielt. Ab und zu drehte er sich zur Zimmertür um, als wäre er irritiert von etwas, das sich in einem anderen Teil des Hauses abspielte.

Jona verspürte einen Anflug von schlechtem Gewissen – ganz offensichtlich hoffte Tim immer noch auf eine Antwort, sei sie nun von Carina oder Michelle, aber hier hatte nun mal der Zweck die Mittel geheiligt.

Er schaltete auf Handsteuerung um und ließ Elanus ein Stück sinken – auch in einem der unteren Räume brannte Licht. Es war die Küche, deren Ausstattung nach unbezahlbar teuren Designerstücken aussah. Allerdings war dort niemand, vermutlich hatte man bloß vergessen, das Licht auszuschalten.

Eine Kurve um die nächste Hausecke fliegen. Hier war alles dunkel, aber dafür brannte an der Hinterseite im obersten Stock gleich hinter drei nebeneinanderliegenden Fenstern Licht.

Jona suchte die perfekte Position für seine Drohne. Die Fenster gehörten alle zu einem einzigen großen Raum, der von einem monströsen Schreibtisch und einem noch gewaltigeren Arbeitstisch beherrscht wurde, auf dem Papierrollen lagen. Daneben auch ein paar ausgebreitete Bögen. Jona zoomte näher. Das waren Konstruktionspläne, ganz klar.

Auch Tims Vater befand sich in dem Büro, er saß in einem dunklen Ledersessel und hatte sein Handy am Ohr, in das er sichtlich aufgebracht hineinsprach.

Bei geschlossenen Fenstern. Jona verfluchte das kühler werdende Wetter, aber noch mehr verfluchte er den Wind, der nun aufkam. Es wurde immer schwieriger, Elanus ruhig zu halten, und es würde nicht möglich sein, auch nur einen Ton dessen aufzuzeichnen, was der Mann sagte. Und bald darauf schrie. Die Windgeräusche übertönten alles.

Dafür war die Sicht im Prinzip gut. Das hochrote Gesicht von Tims Vater und die weißen Knöchel seiner Hände, die sich um das Smartphone krallten, waren nicht zu übersehen. Nur wenn der Wind an Elanus rüttelte, verschwamm das Bild.

Lippen lesen, dachte Jona. *Ich sollte endlich Lippen lesen lernen.* Vielleicht gab es an der Uni gehörlose Studierende, denen er das Video vorspielen konnte?

Prinzipiell keine schlechte Idee, in der Praxis aber zu riskant.

Eine heftige Bö riss an Elanus, brachte ihn beinahe zum Kippen. Einer seiner Ausleger berührte mit dem Rotor die Fensterscheibe.

Jona steuerte sofort zurück, doch der Baumeister hatte das schrappende Geräusch am Glas zweifellos gehört. Mit zwei großen Schritten war er am Fenster und starrte hinaus.

Und er sah etwas. Er blickte genau in die Kamera, verfolgte Elanus' Flug mit den Augen. Vielleicht erkannte er nicht, worum es sich handelte, aber er sah, dass da etwas flog.

Hektisch ließ Jona Elanus steigen, doch der Wind machte die Steuerung schwierig – und eventuell war beim Kontakt mit der Scheibe etwas am Rotor verbogen oder abgebrochen worden. Auf jeden Fall reagierte die Drohne schwerfälliger und ungenauer als sonst.

Vor seinem geistigen Auge sah Jona Elanus bereits abstürzen oder sich in einer Baumkrone verfangen. Er aktivierte das Failsafe-Programm und vertraute darauf, dass es sicherer und fehlerfreier steuern würde als er selbst.

Mit hämmerndem Herzen beobachtete er den Rückflug auf seinem Notebook. Elanus flog, aber zwischendurch verlor er immer wieder die Balance, stellte sich ein paar Grad schräg und brachte sich nur mit Mühe zurück in die richtige Position.

Ein hastiger Blick auf die Zeitangabe. Doch, der Akku musste für einen Heimflug bestimmt noch reichen, obwohl Elanus merkbar langsamer flog als sonst, denn nun hatte er Gegenwind.

Jona riss das Fenster auf und starrte nach draußen. Die Äste der Bäume bogen sich im Wind, der von Minute zu Minute stärker zu werden schien.

Komm, du schaffst das. Jona kniff die Augen zusammen, aber noch war nichts von Elanus zu sehen. Wieder ein Blick auf den Monitor zeigte ihm, dass die Drohne immer stärker taumelte, aber nur noch drei Straßenzüge entfernt war.

Dann endlich sah er sie, schief in der Luft hängend, deutlich lauter als sonst.

Jona fing Elanus mit beiden Händen auf und wartete, bis die Rotoren zum Stillstand kamen. Dann sah er sich den Schaden an.

Eines der Rotorblätter hatte in der Mitte einen Abwärtsknick – nicht massiv, aber schlimm genug, um einen stabilen Flug unmöglich zu machen. Ein paar Grad mehr, und Elanus hätte sich nicht verlässlich in der Luft halten können.

Ihn zu reparieren, würde kein Problem sein, Jona hatte Ersatzteile zur Genüge, aber heute war es dafür zu spät. Und ein zweiter Ausflug kam bei diesen Wetterbedingungen ohnehin nicht infrage. Er überlegte kurz und fasste einen Entschluss. Vielleicht waren Silvia und Martin noch nicht schlafen gegangen. Er verstaute Elanus unter dem Bett und schloss die Zimmertür auf. Die Schlafzimmertür der Helmreichs stand offen, was normalerweise hieß, dass sie noch unten waren. War ja auch erst halb elf.

Leise stieg Jona die Treppe ins Erdgeschoss. Hörte Martins

Stimme aus dem Wohnzimmer. »Es ist alles in Ordnung, du kannst dich wieder beruhigen. Ich habe doch nachgesehen.«

»Trotzdem«, erwiderte Silvia. Sie klang, als wäre sie den Tränen nahe. »Wie lange soll das noch weitergehen? Er ist bei uns, also sind wir auch dran, wenn etwas passiert. Ich verliere hier langsam den Verstand, Liebling. Tu doch bitte was. Mach, dass es aufhört.«

Nun weinte sie wirklich. Kurz überlegte Jona, ob er nicht kehrtmachen sollte, doch dann siegte sein Trotz. Er ging auf Zehenspitzen ein paar Treppenstufen zurück nach oben und lief sie lautstark wieder runter. Sie sollten nicht denken, er hätte gehört, was gesprochen worden war.

Trotzdem wandten sich ihm beide Köpfe sehr schnell und erschrocken zu, als er über die Diele ins Wohnzimmer schlurfte.

»Jona!« Martins Stimme klang ungewöhnlich scharf. Ähnlich wie vorhin beim Essen, als er Silvia für ihre Angst gerügt hatte. »Was tust du denn noch hier? Wir dachten, du schläfst längst.«

In gespielter Ratlosigkeit hob Jona die Schultern. »Würde ich ja gerne, aber es geht mir nicht besonders. Ich muss mich erkältet haben, fühlt sich ziemlich mies an.«

Ohne ein Wort ging Silvia zu einem der Schränkchen in der Küche, kramte darin herum und kam mit einem Säckchen Erkältungsgranulat zurück. »In Wasser auflösen«, sagte sie mit verzerrtem Lächeln. »Dann geht es dir morgen wieder besser.«

Den Teufel würde er tun. Wer wusste schon, was sie ihm da unterjubeln wollte.

»Danke.« Er hustete demonstrativ. »Ich denke, ich bleibe morgen von der Uni zu Hause. Ein Tag im Bett wird die Sache wieder in Ordnung bringen, da bin ich sicher.«

Silvia sah ihn mit großen Augen an. »Aber – ich kann mich

nicht um dich kümmern. Ich muss arbeiten und Martin auch …«

»Das macht doch nichts.« Jona winkte ab. »Ich bin ja nicht schwer krank, nur ein wenig verschnupft. Aber wenn ich das jetzt nicht abfange, dauert es eineinhalb Wochen. Ich weiß das. Ist immer so bei mir.« Noch einmal Husten. »Seid ihr so nett und lasst mich morgen ausschlafen? Ums Frühstück kümmere ich mich dann selbst. Gar kein Problem.«

Silvia nickte langsam, also drehte Jona sich um und ging wieder in sein Zimmer hinauf. Er würde morgen Zeit und Ruhe haben, um das Rotorblatt auszutauschen und Testflüge zu machen.

Und wenn alles gut ging, auch ein paar richtige Flüge.

28

Sehr geehrter Herr Dr. Schratter!
Es tut mir leid, dass ich mich bislang noch nicht mit Frau Gilles wegen eines neuen Termins in Verbindung gesetzt habe, aber es war viel zu tun. Im Moment bin ich außerdem krank. Vielleicht könnten ja doch Sie einen Vorschlag machen?
Herzliche Grüße, Jona Wolfram
Neue SMS, neuer Versuch. Jona setzte seine ganze Hoffnung in die Bemerkung, dass er krank war – ein kurzes »Gute Besserung« würde Schratter doch hoffentlich zurücksenden, und sei es nur aus Höflichkeit.

Er legte sein Handy direkt neben sich, während er begann, Elanus' kaputten Rotor abzuschrauben und einen neuen zu montieren.

Es war Präzisionsarbeit und er verwendete seine ganze Konzentration darauf. Eine halbe Stunde später war er fertig – zumindest so weit, dass er einen ersten Flugversuch wagen konnte. Bisher war sein Handy stumm geblieben.

Aber Elanus war ohnehin noch nicht einsatzbereit. Jona warf ihn hoch und er stabilisierte sich, allerdings nicht ganz so schnell und so fehlerfrei wie sonst. Mithilfe des Flight Controllers ließ Jona ihn im Zimmer steigen und sinken und eine kleine Runde drehen, bevor er sich noch einmal an die Feinabstimmung machte.

Beim nächsten Versuch lief es perfekt. Elanus war wieder einsatzbereit – nur dummerweise hatte Schratter immer noch nicht geantwortet. Jona wartete zehn weitere Minuten, dann beschloss er, den Drohnenbesuch beim Rektor erst mal hintenanzustellen.

Mittlerweile war es ihm bereits zur Routine geworden, einen prüfenden Blick aus dem Fenster zu werfen, bevor er Elanus startete. Zu seiner Freude war niemand zu sehen, der das Haus beobachtete. Nur eine Frau mit vollen Einkaufstaschen und ein Paketbote, der hundert Meter weiter die Straße entlang an einer Haustür klingelte.

Es war jetzt kurz nach zehn Uhr. Entweder Jona schickte Elanus hinter Silvia her, um mal zu sehen, wie sie sich in ihrem Job als Immobilienmaklerin so machte, oder …

Die zweite Option war weitaus interessanter, konnte aber ebenso gut schon im Ansatz scheitern. Trotzdem gab er Lindas Nummer in das Steuerungsprogramm ein.

Sie lag im Krankenhaus, möglicherweise in einem Bett gleich neben Kolja. In dem Fall würde sie ihr Handy nicht bei sich haben und wahrscheinlich war es dann auch nicht aufgeladen. Oder es war bei ihrem Sturz ohnehin kaputtgegangen.

Er würde es schnell wissen. Wenn Elanus ein Handy nicht orten konnte, flog er einfach nicht los.

Doch zu Jonas Überraschung zog er sofort davon. Tatsächlich in Richtung des Krankenhauses.

Jona klemmte sich hinter sein Notebook. Es war ein freundlicher Tag heute, kaum Wolken am Himmel. Das erhöhte die Gefahr, dass eine nicht allzu hoch fliegende Drohne entdeckt wurde. Sollte es zu ungeplanten Zwischenfällen kommen, würde er sofort auf Handsteuerung umschalten.

Um das Krankenhaus herum herrschte reger Betrieb. Kein Wunder, um diese Zeit war der Zulauf zu den Ambulanzen am größten.

Elanus steuerte ein anderes Stockwerk an als beim letzten Mal, eines, das höher lag, zum Glück. Das Fenster, vor dem er hielt, gehörte zu einem Zweibettzimmer. Jona schaltete den Aufnahmemodus ein. Keine Rollläden oder Vorhänge verdeckten den Blick nach innen. Allerdings musste auch die Sicht auf die Drohne geradezu perfekt sein, sobald man auch nur den Kopf in die richtige Richtung drehte.

Jona übernahm die Steuerung nun wieder selbst und brachte Elanus auf Abstand. Doch das war erst recht riskant, er schwebte ja nicht nur vor einem Fenster, sondern vor mehreren Reihen davon. Je weiter entfernt er flog, desto mehr Zimmer hatte er im Fokus. Und umgekehrt natürlich.

Er würde diesen Besuch hier sehr kurz halten, so schade er das auch fand. Ein schneller Kamerazoom zeigte ihm, dass Linda wach war und das Kopfteil ihres Bettes hochgestellt hatte. Ihr Gesicht war blass und ernst, sie hatte ihr Smartphone in der Hand und tippte etwas.

Mehr musste Jona eigentlich nicht wissen. Er war bereits drauf und dran, den Rückflug anzutreten, als sich die Tür zum Krankenzimmer öffnete. Zwei Pflegekräfte kamen herein und schoben das benachbarte Bett samt Patientin hinaus; fast gleichzeitig betrat ein Mann das Zimmer, und kurz danach noch einer.

Der erste war mittelgroß und rundlich, er trug eine hellbraune Jacke und eine Mütze, unter der, als er sie abnahm, eine Glatze zum Vorschein kam.

Der zweite war ein Polizist in Uniform, der an der Tür stehen blieb, während der Glatzkopf sich einen Stuhl an Lindas Bett zog.

Jona hätte zwar viel darum gegeben, das Gespräch, das nun folgen würde, zu hören, aber das war ohnehin nicht möglich. Linda wurde von der Polizei zu ihrem Unfall befragt, logisch, und wenn nun ausgerechnet ein Polizist einen Blick aus dem Fenster warf, war das so ziemlich das Ungünstigste, was passieren konnte.

Also Rückzug, in fünfzig Meter Höhe. Diesmal würde Elanus noch fast zur Hälfte aufgeladen sein, wenn er zu Hause eintraf, Jona konnte also einen günstigen Moment abwarten, um ihn landen zu lassen.

Er hatte eben das Fenster geöffnet, als es unten an der Tür klingelte. Jona erstarrte. Hoch oben, nicht allzu weit entfernt, konnte er bereits den silbrigen Punkt am Himmel erkennen.

Hastig hielt er Elanus an, ließ ihn an der gleichen Stelle schweben. Dreizehn Minuten blieben noch.

Durch das offene Fenster drangen Stimmen herauf, die Jonas Hoffnung, es handle sich vielleicht um den Briefträger oder einen Zeitschriftenboten, sofort im Keim erstickten.

»Martin hat doch gesagt, nicht heute.«

»Es wird aber langsam Zeit. Wir wollen doch nur die Lage sondieren.«

»Und wenn er öffnet?«

»Dann sind wir zum Stromablesen gekommen.« Der Mann lachte leise auf. »Mach dir nicht ins Hemd. Das hier ist der einfachste Teil.«

Eine kurze Pause entstand. »Als ob ich das nicht wüsste«, sagte der andere dann. »Du kannst dir nicht vorstellen, wie sehr mir vor dem Rest graut.«

»Ist aber notwendig.« Noch einmal wurde die Klingel gedrückt, länger diesmal.

»Nein«, sagte der ängstlichere der beiden plötzlich. »Lass uns
besser gehen. Ich will mit der Sache überhaupt nichts zu tun
haben, eigentlich, und jetzt haben uns sicher schon drei oder
vier Leute hier stehen sehen.«

»Stell dich nicht so an«, zischte der andere, doch Jona hörte
bereits Schritte, die sich entfernten.

Ein kurzes »Verdammt!«, dann herrschte Stille.

War der andere nun auch gegangen? Oder tat er allein, was er
sich vorgenommen hatte? *Die Lage sondieren.*

Ein Motor startete in nicht allzu großer Entfernung. Das
musste noch keine Entwarnung bedeuten, trotzdem wagte Jona
sich langsam und gebückt wieder ans Fenster heran. Lugte vorsichtig nach unten. Niemand.

Eilig setzte er sich wieder hinters Notebook und holte Elanus
zurück, während sein Kopf auf Hochtouren arbeitete. War einer
der beiden Männer Erich gewesen? Sehr gut möglich. Und zwar
der coolere. Der, dem nicht vor dem Rest graute.

Elanus schwebte herein, Jona fing ihn aus der Luft und hängte
ihn ans Ladegerät. Erstmals erwog er ernsthaft, Marlenes Rat
doch zu befolgen. Abzuhauen, zu seinen Eltern zurückzukehren.

Der Gedanke klang noch in ihm nach, als der SMS-Ton seines
Handys piepte. Schratter, dachte Jona. Endlich.

Doch es war Marlene. Als hätte sie gespürt, dass er eben an sie
gedacht hatte.

Wo steckst du denn? Bist du faul? Krank? Oder hat dich doch
die Russenmafia erwischt?

Scherz beiseite, gib mir bitte ein kurzes Lebenszeichen.

Ihm wurde innerlich warm, es war das schönste Gefühl seit Wochen. Marlene machte sich Sorgen um ihn.

Er schrieb ihr eine Kurzfassung dessen zurück, was sich seit gestern Abend getan hatte. Sein Flug zu Tim Zemans Haus, der Beinahe-Crash wegen des Windes, der Besuch bei Linda …

Nur die beiden Männer, die eben am Haus der Helmreichs geklingelt hatten, ließ er beiseite. Er wollte vielleicht wirklich nach Hause, ja, aber er wollte keinesfalls, dass Marlene ihm das noch einmal vorschlug.

Sie würden also in einem ersten Schritt die Lage sondieren und danach erst zuschlagen. Das verschaffte ihm ein wenig Zeit. Oder täuschte er sich da?

Jona setzte sich auf den Boden, legte eine Hand auf Elanus, der glatt und warm war, und sortierte, was er wusste.

Diesmal war es Jona, der am Fenster stand und darauf wartete, dass Pascal nach Hause kam. Sobald er ihn um die Ecke biegen sah und sich vergewissert hatte, dass die Luft rein war, lief er nach draußen.

»Pascal!«

»Hey!« Er war schon am Gartentor angekommen und drehte sich nun zu Jona um. »Was ist los? Keine Uni heute?«

»Nicht für mich. Kann ich dich um etwas bitten?«

»Klar.«

Jona hob den Alukoffer ein Stück an. »Würdest du auf den aufpassen? Ich habe kein gutes Gefühl mehr dabei, ihn im Haus zu lassen, wenn ich fort bin.«

Er sah Pascal kurz zögern. »Kann ich machen. Ist zwar ein bisschen viel Verantwortung für meinen Geschmack, aber wenn du es mir zutraust –«

»Absolut«, sagte Jona mit mehr Überzeugung, als er empfand. »Steck ihn unter dein Bett oder sonst wohin und erzähl bitte weder deinen Kumpels noch deinen Eltern davon.«

»Klar.« Pascal streckte die Hand nach dem Koffer aus. »Bisher habe ich auch dichtgehalten. Obwohl das ja echt nicht zu meinen Stärken gehört.« Er steckte den Schlüssel ins Schloss der Eingangstür. »Holst du ihn dir heute noch zurück?«

»Ja. Aber ich weiß noch nicht genau, wann das sein wird.«

»Ist auch egal. Ich bin den Rest des Tages zu Hause, diesmal lerne ich für Chemie.« Er schüttelte sich. »Wird gar nicht einfach, der Verlockung zu widerstehen, stattdessen dieses Baby fliegen zu lassen …«

Jonas Entsetzen bei dieser Vorstellung musste ihm am Gesicht abzulesen gewesen sein, denn Pascal winkte sofort lachend ab. »Das war ein Scherz! Würde ich mich doch nie trauen. Obwohl ich dir genau zugesehen habe.« Er schwenkte den Koffer. »Ich weiß also, wie es geht.«

Jona kannte seinen Nachbarn mittlerweile gut genug, um zu wissen, dass der einen Riesenspaß dabei hatte, ihn aufzuziehen. »Dann weißt du ja auch, dass du ohne Flight Controller oder Notebook genau gar nichts mit Elanus anfangen kannst, außer ihn in der Luft hängen zu lassen.«

»Weiß ich«, entgegnete Pascal gut gelaunt. »Was hast du eigentlich vor mit dem heutigen Nachmittag?«

Nichts Lustiges, hätte Jona am liebsten geantwortet. »Ich gehe jemanden besuchen«, sagte er stattdessen.

29

Der Bus, der zum Krankenhaus fuhr, war fast leer. Jona saß in der vorletzten Reihe, hatte seine Stirn gegen das kühle Glas gedrückt und litt unter der Langsamkeit, mit der er vorankam. Eine Station alle fünfhundert Meter, dazu noch Ampeln, andere Autos, Passanten auf Zebrastreifen. Mit Elanus ging das alles so viel schneller, eleganter und reibungsloser.

Dafür ließ die Busfahrt Jona Zeit, sich genau zu überlegen, worüber er mit Linda sprechen wollte. Als sie sich das letzte Mal unterhalten hatten, war das alles außer freundschaftlich gewesen. Wenn es heute anders laufen sollte, musste Jona Zugeständnisse machen. Einen Schritt auf sie zugehen – bloß keinen allzu großen.

Am Ende war er so in Gedanken versunken, dass er seine Haltestelle fast verpasst hätte.

Von unten wirkte das Krankenhaus wesentlich beeindruckender als aus der Luft. Größer, unübersichtlicher. Trotzdem ging Jona, ohne zu zögern, auf den Eingang zu. Er wusste genau, wohin er musste, er hatte sich das Video von heute Morgen zweimal angesehen und sich die Position von Lindas Zimmer eingeprägt. Er konnte sich dessen Lage auch dann problemlos vergegenwärtigen, wenn er sich innerhalb des Gebäudes befand, als wäre da ein leuchtend roter Punkt, der ihn leitete.

Mit dem Aufzug fuhr er in den vierten Stock. Es war gerade

Besuchszeit, neben ihm stand eine ältere Frau mit einem kleinen Blumenstrauß in der Hand. Er fragte sich, ob er Linda etwas hätte mitbringen sollen.

Erst als er vor ihrer Zimmertür stand, zögerte er das erste Mal. Was, wenn ihre Eltern zu Besuch waren? Er hatte keine Ahnung, wo sie lebten, aber es war naheliegend, dass sie sich sofort auf den Weg zu ihrer verunglückten Tochter gemacht hatten.

Oder, noch schlimmer – was tun, wenn sich scharenweise Freunde um ihr Bett versammelten? Vielleicht sogar Aron und Tim? Ihnen würde er nie plausibel erklären können, dass er »nur so« vorbeigekommen war.

Trotzdem kam umkehren nicht infrage. Jona hob die Hand und klopfte leise an die Tür.

Keine Antwort, nur plötzliches zweistimmiges Kreischen, sehr hoch und sehr fröhlich. Ohne weiter zu überlegen, öffnete er die Tür.

Linda lag in ihrem Bett, das Gesicht Richtung Fenster gedreht, bewegungslos. Im Nachbarbett, das näher zu Jona stand, lag eine Frau Mitte dreißig. Auf dem Stuhl neben ihr saß ein Mann – vermutlich der Ehemann – und am Bettgestänge turnten zwei Kinder herum. Die Quelle des Kreischens, keine Frage.

Jona lächelte, grüßte freundlich und trat dann an Lindas Bett. »Hey«, sagte er. »Wie geht's dir?«

Ihre Augen bewegten sich zuerst, dann schnellte ihr Kopf herum. »Du?« Sie wollte sich aufrichten, verzog aber schmerzerfüllt das Gesicht und ließ es bleiben. »Was machst du hier?«

Sie hatte so laut gerufen, dass es die Familie am anderen Bett garantiert gehört hätte, hätten nicht die Kinder solchen Lärm produziert.

»Ich komme dich besuchen.« Jona griff sich einen Stuhl, stellte ihn ans Bett und setzte sich. »Du hast mir noch nicht gesagt, wie es dir geht.«

»Ich wüsste auch nicht, warum dich das interessieren sollte.« Es war Jona klar gewesen, dass sie ihn nicht mit offenen Armen empfangen würde. Er betrachtete sie genauer. Eine lange Schramme zog sich von ihrer linken Schläfe bis zum Wangenknochen, ihr rechter Arm war bandagiert, Zeige- und Mittelfinger der linken Hand eingegipst.

Trotzdem war sie unzweifelhaft eines der hübschesten Mädchen, denen Jona je begegnet war. Allerdings berührte ihr Aussehen ihn überhaupt nicht mehr.

»Erzähl mir, was passiert ist.«

Sie drehte den Kopf weg.

»Ich weiß, dass die Polizei heute bei dir war.« Er beugte sich ein Stück vor, um leiser sprechen zu können. »Sie vermuten, dass dein Sturz in die Baugrube kein Unfall war, stimmt's?«

Nun sah sie ihn doch an. »Woher weißt du das?«

»Spielt keine Rolle. Aber die Leute, die dich in die Mangel genommen haben, sind auch hinter mir her. Deshalb ist es so wichtig, dass du mir sagst, was du weißt. Damit ich uns beiden helfen kann.«

Nun lachte sie. »Du weißt noch, was ich zu dir gesagt habe? Das mit der Krabbelgruppe? Daran hat sich nichts geändert, im Gegenteil.« Sie verlagerte vorsichtig ihr Gewicht. »Du kannst mir nicht helfen. Geh jetzt bitte.«

Er rührte sich nicht vom Fleck. »Weißt du eigentlich«, sagte er nach kurzem Nachdenken, »dass Beate Lichtenberger hier Ärztin ist?«

Linda funkelte ihn an. »Und?«

»Wäre ich du«, sagte er langsam, »würde mich das beunruhigen.«

Er hatte mit einer scharfen Antwort gerechnet, stattdessen füllten sich ihre Augen mit Tränen. Sie weinte stumm, was ihn wirklich beinahe aus dem Zimmer getrieben hätte, bloß, um seiner eigenen Hilflosigkeit zu entkommen.

Er brauchte seinen ganzen Mut, um vorsichtig nach ihrer Hand zu greifen. Am Nebenbett erreichte das Kreischen der Kinder einen neuen Dezibelrekord.

»Sag mir, was passiert ist. Hat dich jemand gestoßen?«

Er glaubte, ein Nicken gesehen zu haben, so winzig, dass er es sich ebenso gut eingebildet haben konnte.

»Wer?«

Keine Antwort. Allerdings war ihr lautloses Weinen jetzt in Schluchzen übergegangen.

»Sag es mir, Linda. Bitte.«

Keine Reaktion. Jona fühlte, wie Ungeduld in ihm aufstieg, was nicht gut war, denn dann neigte er zu unüberlegten Handlungen. Also: durchatmen.

»Hast du es wenigstens der Polizei erzählt? Alles, was du weißt?«

Sie schloss die Augen, noch mehr Tränen quollen unter ihren Lidern hervor. Ihre Lippen zitterten, aber trotzdem sagte sie jetzt etwas, endlich sagte sie etwas. »Das wäre alles nicht passiert … wenn nicht Schratter so ausgerastet wäre. Wenn er ihn nicht so sehr unter Druck gesetzt hätte.«

»Wen unter Druck gesetzt? Lichtenberger?«

Nun nickte sie. »Ja. David war so ein toller Mann. Einfühlsam, humorvoll, zärtlich … und dann …« Sie konnte nicht weitersprechen. Erstickte ihr Schluchzen im Kissen.

Jona betrachtete ihren bebenden Rücken, streichelte ein wenig darüber, als wollte er ein ängstliches Tier beruhigen.

»Du denkst, Schratter hat ihn in den Selbstmord getrieben?«

Sie weinte jetzt lauter. Als hätte sie sich die Trauer um den Mann, in den sie verliebt gewesen war, bisher nicht erlaubt. Nun wurde auch der Familienvater, der am zweiten Bett zu Besuch war, darauf aufmerksam.

»Hat Ihre Freundin große Schmerzen? Sollen wir vielleicht nach der Schwester klingeln?«

Die Einmischung von anderer Seite ließ Linda blitzartig ihre Fassung wiedergewinnen. »Nein«, flüsterte sie. »Das ist sehr freundlich von Ihnen, aber nicht notwendig. Es geht mir schon wieder besser.«

»Sicher?«, fragte der Mann besorgt.

»Ganz sicher.« Sie rang sich so etwas wie ein Lächeln ab.

Jona reichte ihr ein Papiertaschentuch und wartete, bis sie sich vollkommen wieder im Griff hatte. »Ich gehe dann gleich«, murmelte er. »Du willst mir nicht sagen, wie du in der Grube gelandet bist – okay. Kann ich nicht ändern. Aber sag mir wenigstens, was Schratter getan hat. Die Leute, mit denen ich geredet habe, meinen alle, er sei ein netter Kerl.«

Schwer zu sagen, ob es ein Auflachen oder ein Aufschluchzen war, mit dem Linda reagierte. »Ein netter Kerl? Ein Teufel, das trifft es eher.« Wieder liefen Tränen. Sie hatte ihre heile Hand als Faust um das nasse Taschentuch geballt. »Er hat alles zerstört. Einfach alles.«

Jona nickte, wartete, hoffte, dass sie weitersprechen würde. Doch sie tastete nur nach dem tiefen Kratzer in ihrem Gesicht und drehte den Kopf zum Fenster.

Erst als die Tür zum Krankenzimmer sich öffnete, wandte sie

sich wieder um und der Ausdruck in ihrem Gesicht ließ Jona ebenfalls einen Blick über die Schulter werfen.

Beate Lichtenberger war eingetreten. In ihrem Arztkittel, mit dem Clipboard in der Hand. Sie blätterte lässig in den dort angebrachten Papieren und sah dann lächelnd hoch, bevor sie näher kam.

»Hallo, Jona. So ein Zufall, wie oft wir uns in letzter Zeit begegnen.«

»Ja. Da haben Sie recht.« Er sah die Wachsamkeit in Lichtenbergers Augen und die Angst in Lindas. Fühlte, wie sein eigenes Herz begann, schneller zu schlagen.

Die Ärztin lehnte sich gegen das Fußende des Bettes. »Na, Linda? Wie geht es dir heute?«

»Ganz gut, danke.«

»Ich sehe, du hast einen neuen Freund.« Die Art, wie sie die letzten beiden Worte betonte, stellte klar, welche Sorte Freund sie meinte. Als hätte Jona ihren Mann unmittelbar abgelöst.

»Er ist nur ein Kommilitone«, sagte Linda hastig. »Wir kennen uns kaum.«

Lichtenberger strahlte Jona an. »Dann ist es umso netter, dass du auf Krankenbesuch kommst. Du machst das gerne, hm? Leute besuchen, denen gerade etwas zugestoßen ist, obwohl du sie eigentlich nicht näher kennst.«

Mit dem Gefühl, in eine Falle ungeahnten Ausmaßes getappt zu sein, suchte Jona nach einer Antwort. »Linda und ich kennen uns zwar noch nicht lange, aber sie war eine der Ersten in Rothenheim, zu denen ich Kontakt hatte.« Er erwiderte Lichtenbergers Lächeln, so herzlich er es vermochte. »Und sie war sehr nett zu mir.«

Die Ärztin blickte zwischen ihm und Linda hin und her. »Ja,

das erklärt es dann wohl«, sagte sie nach einigen Sekunden. »Aber du solltest sie nicht allzu lang strapazieren. So ein Heilungsprozess ist anstrengend, und Linda hatte heute schon mehr als einmal Besuch, nicht wahr?«

Unter all der freundlichen Besorgtheit, die Lichtenberger an den Tag legte, schimmerte etwas Bedrohliches durch. Das, wenn Jona seinen Instinkten trauen konnte, eher mit dem erwähnten Besuch zu tun hatte als mit der Affäre, die Linda mit ihrem Ehemann gehabt hatte.

Auch wenn Jona nicht begriff, warum, die Angst stand Linda deutlich ins Gesicht geschrieben. »Ich denke auch, es ist besser, wenn du jetzt gehst«, wisperte sie. »Schön, dass du hier warst, obwohl wir ja kaum etwas gesprochen haben. Aber ich bin eben müde. Sehr.«

Jona drückte ihre Hand und stand auf. Ging unter Lichtenbergers aufmerksamem Blick zur Tür. Die beiden Kinder am anderen Bett waren seit ein paar Minuten deutlich leiser, man hatte ihnen ein Tablet gegeben, auf dem sie jetzt einen Disney-Film sahen.

Im Bus nach Hause ließ Jona das Gespräch mit Linda noch einmal Revue passieren. Sie machte Schratter verantwortlich für Lichtenbergers Selbstmord, sagte, er hätte alles zerstört. Er wäre ein Teufel.

Unwillkürlich musste Jona an den Abend denken, an dem er in dem Besprechungszimmer gefangen gewesen war. An den plötzlichen Krach an der Tür, der nur dazu gedacht gewesen sein konnte, ihm einen möglichst großen Schrecken einzujagen.

Ein Teufel.

30

Völlig in Gedanken versunken ging er von der Bushaltestelle nach Hause. Das Gartentor stand einen winzigen Spalt offen, das war sicher er gewesen, eilig, wie er es gehabt hatte.

Sie packten ihn, noch bevor er den Schlüssel ins Türschloss stecken konnte. Jemand riss ihm die Arme auf den Rücken, zerrte ihn hinters Haus; ein Zweiter tauchte nun in seinem Blickfeld auf, das Gesicht hinter einer Skimaske verborgen.

Sie warfen ihn auf die Wiese beim Geräteschuppen, dort war der Garten nicht einsehbar. Jona versuchte, sich aufzurappeln, als ihn der erste Tritt gegen die Rippen traf.

Die Luft wich aus seinem Körper, er krümmte sich, der nächste Tritt traf einen Oberschenkel, danach ging es zu schnell, er verlor den Überblick. Versuchte nur, mit beiden Armen seinen Kopf zu schützen und sich so klein wie möglich zusammenzurollen, um wenig Angriffsfläche zu bieten.

Er wunderte sich selbst, dass er nicht schrie. Aber dazu hatte er nicht genug Luft in den Lungen, und er brauchte seine ganze Kraft, um bei Bewusstsein zu bleiben.

Irgendwann hielten die Männer inne. Einer packte ihn am Hals. »Wo ist sie?«

»Wer?«, hauchte Jona. Er konnte es selbst kaum hören.

»Die Drohne. Mit der du die Leute hier ausspionierst. Manchen passt das ganz und gar nicht. Also. Wo ist das Ding?«

Wieder ein Tritt, gegen den Oberarm. »Kaputt«, stöhnte Jona.
Einer der beiden Angreifer zog ihn hoch, bis er saß. »Erzähl
mir ja keinen Blödsinn.«

»Ist kein Blödsinn. Letzte Nacht war es windig, da ist die
Drohne mit einer Fensterscheibe in Berührung gekommen.
Danach war sie instabil und auf dem Rückweg ist sie abgestürzt.« Er hustete, es tat weh. »Ich habe sie gesucht und nicht
mehr gefunden. Hat wahrscheinlich schon jemand anders ent-
sorgt.«

Die beiden wechselten einen Blick durch ihre Sehschlitze.
»Erstens, Junge: Wenn du uns verarschst, wird dir das richtig
leidtun. Zweitens: Du hörst auf, in anderer Leute Angelegenheiten herumzuschnüffeln. Und drittens: Erpressung ist keine feine Sache. Klar?«

Ein letzter Tritt, vergleichsweise halbherzig, dann gingen sie.
Jona ließ sich ins Gras zurücksinken, wartete, bis er wieder Luft
bekam, dann versuchte er, Bestandsaufnahme zu machen.

Am heftigsten schmerzten seine Arme, sein Rücken und seine Beine – doch er konnte alles bewegen. Nichts gebrochen, wie
es schien. Nicht einmal eine Rippe.

Sein Kopf war völlig unbehelligt geblieben, die Angreifer hatten kein einziges Mal dagegengeschlagen oder -getreten. Was,
wenn man es sich genauer überlegte, merkwürdig war.

Nach etwa einer Viertelstunde war Jona so weit, dass er sich
zumindest aufrichten konnte. Weitere zehn Minuten später
griff er nach dem Stamm des Apfelbaums direkt neben ihm und
zog sich daran hoch.

Es ging. Es tat furchtbar weh, aber die Knochen, Sehnen und
Muskeln hielten.

Unter Aufbietung seines ganzen Willens und seiner restlichen

Kraft schleppte Jona sich zur Vorderseite des Hauses. Der Schlüssel lag vor der Tür, wo er ihn fallen gelassen hatte. Beim Bücken traten ihm Tränen in die Augen und er hörte sich selbst wimmern, aber er bekam den Schlüssel zwischen die Finger und schon beim ersten Versuch ins Schloss.

Er durfte sich nicht gehen lassen, noch nicht. Wenn jemand von den Helmreichs früher nach Hause kam ... Er glaubte nicht, dass sie die beiden Schläger beauftragt hatten. Silvia und Martin wollten ihn beseitigen, nicht verprügeln. Aber vorher wollten sie Elanus finden, wahrscheinlich in Schratters Auftrag. Konnte einer der Männer Erich gewesen sein? Unmöglich war es nicht.

Die Treppe nach oben erwies sich als echte Herausforderung. Jona fühlte, wie ihm Tränen über die Wangen liefen, jedes Mal wenn er eine weitere Stufe erklomm. Er hatte jetzt schon Angst davor, seine Sachen auszuziehen und sich den Zustand seines Körpers ansehen zu müssen.

Bevor er ins Bad ging, holte er sich Unterwäsche, ein Sweatshirt und seine Jogginghose aus dem Zimmer, dann drehte er die Dusche auf und schloss die Badezimmertür ab.

Jeans aus. Pulli über den Kopf ziehen. Beides dauerte gut zehnmal so lange wie normalerweise. Schon ohne Spiegel stöhnte Jona zwei- oder dreimal erschrocken auf, als er seinen Brustkorb, seine Arme und Beine zu sehen bekam.

Rote Flecken, die sich sehr schnell blau und schwarz zu färben begannen. An der rechten Hüfte fand er eine Rissquetschwunde, nicht tief, aber immer noch blutend.

Noch einmal tastete er seine Rippen ab. Die Männer hatten genau gewusst, was sie taten. Wie weit sie gehen durften, ohne ihn zu einem Fall fürs Krankenhaus zu machen.

Wofür er ihnen beinahe dankbar war. Dieser Gedanke wiederum ließ ihn auflachen, was entsetzlich schmerzte. Trotzdem: Um keinen Preis hätte er stationär aufgenommen werden wollen. Wenn man nach einmal Abrutschen in die Baugrube ins Koma fallen konnte, so klappte das bestimmt auch nach einmal Verprügeltwerden im Garten der Helmreichs.

Allein die Vorstellung, Beate Lichtenberger auf Gedeih und Verderb ausgeliefert zu sein, ließ Angst in ihm hochsteigen. Er hatte nicht vergessen, wie Linda sie heute Nachmittag angesehen hatte. Verschreckt und flehend.

Die Dusche war schmerzhaft und wundervoll zugleich. Das heiße Wasser brannte doppelt an den aufgeschürften und aufgeplatzten Stellen, aber es machte auch Jonas Kopf wieder klar.

Er tupfte sich vorsichtig trocken, zog sich an – alles wieder in Zeitlupentempo – und trug seine schmutzigen, zerrissenen Jeans und den Pulli in sein Zimmer, wo er sie im Schrank versteckte.

Sein Handy hatte zu seinem eigenen Erstaunen überlebt, keiner der Tritte schien es getroffen zu haben. Er legte sich ins Bett, zog sich die Decke bis zu den Schultern hoch und rief Pascal an.

»Pass auf, was ich dir jetzt sage, ist wichtig.«

»Jona?« Pascal wirkte erstaunt. »Du klingst so anders. Alles okay?«

»Nein, nichts okay. Mir tut das Atmen weh, deshalb rede ich so leise. Ich bin gerade von zwei Männern zusammengeschlagen worden, die wissen wollten, wo Elanus steckt.«

»Und? Kommen sie jetzt zu mir?« Es klang nicht die Spur ängstlich.

»Nein, natürlich nicht. Ich habe ihnen gesagt, er wäre abgestürzt und kaputt, das scheinen sie geglaubt zu haben. Aber ich kann Elanus heute nicht mehr holen. Ich kann kaum vom Bett bis zum Klo kriechen.«

»Auweia. Warst du bei einem Arzt?«

»Nein. Will ich auch nicht. Ich will nur, dass du weißt, dass du vorsichtig sein musst.«

»Okay.«

»Und falls du zufällig etwas Merkwürdiges vor dem Haus der Helmreichs siehst – oder jemanden, der dir seltsam vorkommt, dann ruf mich an, ja?«

»Das mache ich.« Pascal klang eher erfreut als besorgt. Als wäre die Aussicht auf weitere Schlägertrupps eine willkommene Abwechslung in seinem langweiligen Leben.

Jona legte auf und schloss erschöpft die Augen. Als er hörte, dass unten die Tür ins Schloss fiel, wusste er nicht, ob er zwischendurch geschlafen hatte. Vermutlich, denn draußen war es deutlich dunkler als zuvor.

Nach ihm sehen würden sie erst, wenn er nicht zum Abendessen erschien. Sollten sie. Immerhin hatte er ja heute früh schon verkündet, dass er sich krank fühlte. Nun war er es in gewisser Weise. Dank der Schläger würde es ihm nun erspart bleiben, Silvia anzulügen.

Aua. Lachen tat weh.

Als zwei Stunden später Kerstin an seiner Tür klopfte und ihn fragte, wo er denn blieb, riss sie ihn aus tiefem Schlaf. »Ich bin krank«, krächzte er.

»Hey, du siehst echt nicht gut aus. Soll ich dir etwas zu essen raufbringen?«

»Nein, danke. Kein Hunger.«

Sie schien sich damit zufriedenzugeben, tauchte aber trotzdem eine Viertelstunde später wieder auf, mit einer Tasse Tee in der einen und einem Ohrthermometer in der anderen Hand.

»Mama sagt, du sollst Fieber messen. Es grassiert gerade ein scheußlicher Infekt, meint sie.«

»Mache ich dann gleich.«

Den Rest des Abends ließen sie ihn in Ruhe. Er dämmerte vor sich hin. Überlegte und kam immer wieder zu dem gleichen Schluss. Es musste Tims Vater gewesen sein, der Baumeister, der ihm die Männer auf den Hals geschickt hatte. Sie waren ziemlich schnell bereit gewesen, von ihm abzulassen, als er ihnen die Geschichte von der kaputten Drohne erzählt hatte, die zuvor gegen ein Fenster geflogen war. Offenbar stimmte das mit dem überein, was Baumeister Zeman ihnen gesagt hatte.

Aber was, wenn er sich mit der Version von der abgestürzten Drohne nicht zufriedengab? Würden seine Leute dann wiederkommen?

Stöhnend drehte Jona sich auf die andere Seite. Morgen war Wochenende, er würde einfach liegen bleiben können. Und hoffen, dass er bis Montag wieder so weit ausgeheilt war, dass er zur Uni humpeln konnte.

Den ganzen Samstag über blieb er im Bett, von Abstechern aufs Klo und zum Kühlschrank abgesehen. Silvia brachte ihm mittags ein Stück Rinderbraten mit Kartoffeln und Gemüse und bedauerte, dass er nicht mit den anderen unten essen konnte. Es klang nicht sehr überzeugend.

Er fragte sich nur kurz, ob er dem Essen trauen konnte – klar konnte er. Wenn sie ihn hätte vergiften wollen, hätte sie dazu schon jede Menge Gelegenheiten gehabt.

Außerdem würden die Helmreichs sich nicht selbst die Finger schmutzig machen. Das überließen sie Erich.

Am späteren Sonntagvormittag hörte Jona die Türklingel. Das Aufstehen fiel ihm schon eine Spur leichter als am Tag zuvor, aber schnell war er immer noch nicht, und so war der Gast bereits im Haus, bis Jona es geschafft hatte, aus dem Fenster zu sehen.

Draußen stand ein dunkler Wagen, ein BMW, der sehr teuer aussah. Unwillkürlich dachte er an den Baumeister, zu ihm hätte das Auto gepasst.

Er ging zur Tür und öffnete sie vorsichtig. Unten war ein Gespräch im Gange, aber zu leise, als dass Jona auch nur ein Wort hätte verstehen können.

Seit gestern hatte er nicht nur Schmerzen, er fühlte sich auch, als hätte man ihm eines seiner Sinnesorgane genommen. Die Vorstellung, dass da draußen wer weiß was passierte, ohne dass er es beobachten konnte, machte ihn fast verrückt.

Nach einer halben Stunde war der Besuch immer noch da und Jona fasste einen Entschluss. Er würde nach unten gehen und behaupten, Hunger zu haben.

Auf der Treppe biss er die Zähne zusammen. Offiziell war er schwer erkältet, Hinken war kein Symptom, das in dem Zusammenhang einleuchten würde. In den letzten zwei Tagen hatte er es vermeiden können, sich vor einem der Helmreichs bewegen zu müssen.

»... müsst euch keine Sorgen machen«, hörte er eine tiefe Männerstimme sagen, als er das Wohnzimmer betrat.

Vier Köpfe drehten sich zu ihm herum. Silvia und Martin natürlich, außerdem aber noch dieser Restauranttyp, Roginski. Und ein Mann, den Jona bisher noch nie gesehen hatte ... oder doch? Doch. Ein Mal, ganz kurz, an der Uni. An dem Tag, an dem Lichtenberger gestorben war.

»Oh. Ich wusste nicht, dass Besuch da ist«, murmelte Jona und versuchte, verlegen zu wirken. »Sonst wäre ich nicht in Jogginghose runtergekommen.« Er deutete auf die Küchentür. »Ich wollte mir nur schnell ein Brot machen.«

Der Mann, dessen Namen er noch nicht kannte, kam lächelnd auf ihn zu. »Du bist Jona, nicht wahr? Schön, dich kennenzulernen. Mein Name ist Hans Ackermann, ich bin der Polizeichef von Rothenheim.«

Sie schüttelten einander die Hand, währenddessen überschlugen sich die Gedanken in Jonas Kopf. Was tat der Polizeichef hier? »Freut mich«, stammelte er.

Roginski ergriff ebenfalls seine Hand und schlug ihm bei der Begrüßung so hart auf die Schulter, dass Jona einen Aufschrei nur mit Mühe unterdrücken konnte. Dieses Arschloch. Tat er das mit Absicht? Wusste er, dass er eben einen der schwärzesten Blutergüsse an Jonas Körper getroffen hatte?

»Wir kennen uns ja schon«, dröhnte der Mann.

»Allerdings«, meinte Jona frostig. »Und, was führt Sie heute her? Ist irgendwo wieder eine Glühbirne einzuschrauben?«

Einmal mehr war seine Klappe schneller gewesen als sein Kopf. Das durfte doch einfach nicht wahr sein.

Doch Roginski lachte bloß. »Heute nicht, nein. Ich wollte bloß Silvia und Martin zum Essen einladen und vor der Haustür ist mir Hans über den Weg gelaufen.«

»So ist es«, bestätigte der Polizeichef. »Sag mal, Jona – sind dir hier in den letzten Tagen seltsame Gestalten aufgefallen? Vielleicht jemand, der sich zwischen den Häusern herumgedrückt und die Bewohner beobachtet hat?«

Sofort dachte Jona an die zwei Typen von vorgestern. Und an Aron und seinen Kumpel, mit ihren Motorradhelmen.

»Nein«, erklärte er im Brustton der Überzeugung. »Ich wohne ja noch nicht lange hier, aber es war alles wie immer.«

»Tatsächlich?« Ackermann legte die Stirn in Falten. »Noch etwas hat man mir erzählt. Es wurde in der Nähe einige Male ein Flugobjekt gesichtet, wahrscheinlich eine Drohne. Vor allem nachts soll sie geflogen sein. Weißt du etwas darüber?«

Hitze stieg in Jona auf und er hoffte inständig, dass er nicht rot wurde. »Nein, keine Ahnung.«

»Hm. Schade. Wir wären sehr dankbar, wenn wir wüssten, wem das Ding gehört. Es wird nämlich ohne Genehmigung geflogen und da kann wirklich viel passieren. Abstürzende Drohnen können Menschen erschlagen. Wenn sie zu hoch fliegen, gefährden sie den Flugverkehr … du weißt wirklich nichts von einer Drohne, die hier rumsaust?«

Jona zuckte mit den Schultern. »Ich habe nichts fliegen sehen.« Er log und wusste, dass Ackermann es wusste. Aber er würde ihm nichts nachweisen können; Elanus war bei Pascal gut untergebracht. Hoffentlich. Ob der Polizeichef den Bittners ebenfalls einen Besuch abstattete?

Mit einem letzten höflichen Lächeln drehte Jona sich um und ging auf den Kühlschrank zu. War sich dabei jeder einzelnen schmerzenden Stelle seines Körpers bewusst. Er holte Butter und Käse heraus, schnitt eine Scheibe Brot vom Laib und bemühte sich dabei, kein Wort des Gesprächs zu verpassen, das im Wohnzimmer weiterging.

»Wir haben natürlich ein Auge auf die Gegend«, erklärte Ackermann gerade eben. »Ihr müsst euch keine Sorgen machen, ja? Besonders du nicht, Silvia. Martin sagte, du bist recht ängstlich in letzter Zeit.«

»Ach, ich bin nur …« Sie stockte.

»Wie gesagt, es besteht kein Anlass.« Ackermann drückte ihr die Hand. »Ich sehe mal zu, dass ich mich verabschiede. Meine Frau kocht gerade, ich bin zum Tischdecken abgestellt.«

Allgemeines Lachen. Jona drapierte seine Käsescheiben schuppenartig auf das Brot.

Sollte er Ackermann nachlaufen? Ha. Von wegen laufen.

Aber nachgehen konnte er ihm. Und wenigstens kurz mit ihm sprechen, ohne dass Roginski und die Helmreichs es mitbekamen. Von Elanus würde er ihm natürlich nichts erzählen, aber eventuell von den zwei Schlägern? Um überzeugend zu sein, würde es reichen, wenn er sein Shirt ein Stück hochschob und ihm die blaurot verfärbte Haut über seinen Rippen zeigte.

Doch sein Instinkt bremste ihn und sein Verstand lieferte Sekundenbruchteile später die Begründung dafür. Es war nicht üblich, dass der Polizeichef die Häuser abklapperte, um nachzufragen, ob sich auffällige Personen in der Nachbarschaft herumtrieben. Bei dem Auto, das Ackermann fuhr, musste er ein ausgezeichnet bezahlter Beamter sein, also ein wirklich hohes Tier. Warum erledigte er Aufgaben, die er ganz leicht seinen Untergebenen überlassen konnte? Und das auch noch an einem Sonntag? War er vielleicht mit den Helmreichs befreundet? Dann würde Jona ihm keinesfalls vertrauen. Außerdem wollte er vermeiden, dass die Sprache noch einmal auf *die Drohne* kam.

Mit dem Brot zog er sich wieder auf sein Zimmer zurück. Checkte sein Handy, heute bestimmt schon zum zwanzigsten Mal.

Immer noch keine Antwort von Schratter.

31

Obwohl er sich am Montagmorgen nicht sonderlich viel besser fühlte und jede Bewegung schmerzte, entschied Jona sich dafür, zur Uni zu gehen. Einen weiteren Tag im Bett hätte er nicht ertragen – schon gar nicht, wenn er Elanus nicht fliegen lassen konnte. Nachdem der quasi schon polizeilich gesucht wurde. Der hauptsächliche Grund war aber, dass Jona beschlossen hatte, Schratters Ausweichtaktik ein Ende zu setzen. Gilles hatte sich nicht mehr bei ihm gemeldet, um einen Termin zu vereinbaren, also würde Jona vor dem Rektorat warten, egal wie lange es dauerte, bis Schratter erschien, und er würde sich nicht vertreiben lassen. Es war zwar nicht logisch, trotzdem wurde Jona das Gefühl nicht los, dass er endlich alles begreifen würde, sobald er nur mit dem Rektor gesprochen hatte.

Wieder gesund? Marlenes Textnachricht erreichte ihn, als er schon im Bus saß.

Wie man's nimmt, schrieb er zurück. Er hatte sich das ganze Wochenende nicht dazu durchringen können, ihr von dem Überfall zu erzählen. Ich lege mich heute vor dem Rektorat auf die Lauer, bis Schratter auftaucht. Wir sehen uns später, vielleicht.

Wie nervös er wirklich war, merkte er erst, als er das Gebäude betrat. Schratter war es, dem er seinen Studienplatz und das Stipendium zu verdanken hatte. Gleichzeitig war er auch der

Mann, der laut Linda an allem schuld war, was gerade passierte. Wenn man ihr glaubte, hatte sich Lichtenberger seinetwegen umgebracht. Martin hatte in der Nacht, in der Jona ihn und Silvia abgehört hatte, das Gleiche gesagt: Im Grunde genommen sei einzig und allein Schratter daran schuld.

Es war Zeit, sich sein eigenes Bild zu machen, auch wenn Jona immer stärker den Eindruck gewann, dass der Rektor das nicht wollte. Dass er sich vielleicht wohler damit fühlte, einen Jona Wolfram beiseiteschaffen zu lassen, den er nicht persönlich kannte.

Auf den Stühlen vor dem Rektorat saß bereits ein Mädchen, etwa achtzehn, und spielte auf seinem Smartphone. Als Jona näher kam, blickte sie auf. »Hallo.«

Er grüßte zurück. »Wartest du auch auf Schratter?«

»Nein, ich brauche ein Formular, aber Frau Gilles ist wohl gerade in einer Besprechung. Dauert schon ziemlich lange.«

Das hörte sich vielversprechend an. Da war er diesmal vielleicht früh genug dran – bevor der Rektor den Campus verließ und erst spätabends wieder zurückkehrte. Jona lehnte sich zurück. Sein Blick blieb an einer der Glasvitrinen hängen, die auf dem Gang aufgestellt waren. Sie beherbergte das Modell eines Gebäudes, und er ahnte, was das war.

Er stand auf, humpelte hin und fühlte sich dabei, als wäre er mindestens neunzig.

Ja. Treffer. »Technologiezentrum Victor-Franz-Hess-Universität«, besagte die Schrift auf einer Messingplakette an der Vitrine.

Das Gebäude würde beeindruckend sein, wenn es einmal fertig war. Drei Trakte waren vorgesehen: einer in der Mitte, zwei rechts und links, die bogenförmig vom Haupttrakt abzweigten.

Vladimir-Treplow-Trakt hieß der linke, Samuel-Berkshaw-Trakt der rechte. Der in der Mitte schien namenlos zu sein, jedenfalls fand Jona keine Beschriftung.

Etwas klickte in seinem Kopf. Die Baustelle, die Unfälle, die Namen. Zwischen alldem gab es einen Zusammenhang, irgendwie. Es fühlte sich an, als wäre die unlösbare Gleichung plötzlich ein Stück verständlicher geworden, obwohl immer noch das Wichtigste fehlte, um sie zu lösen …

»Es wird jetzt endlich weitergehen!« Eine tiefe, aufgebrachte Stimme. Jona kannte sie, es war dieselbe, die er an seinem ersten Tag aus dem Büro hatte dringen hören. Dieselbe, die Elanus vor dem Fenster des Rektorats aufgezeichnet hatte. Schratter war tatsächlich hier.

»Ich warte jetzt seit Wochen und es reicht mir«, fügte er an, noch ein wenig lauter. »Übermorgen kümmern wir uns um dieses … Problem, endgültig, und lassen es für immer verschwinden.«

Jemand schien zu widersprechen, Jona hörte eine wesentlich leisere, weibliche Stimme, die jedoch sofort wieder unterbrochen wurde.

»Das alles kostet Geld, ist Ihnen das nicht klar? Ich habe lange genug Rücksicht genommen. Es muss endlich weitergehen, egal, was Sie sagen.«

Die Tür flog auf und Jona brachte sich in Position. Egal, wie schlecht gelaunt der Rektor war, er musste ihm jetzt zumindest zwei Minuten seiner Zeit widmen.

Doch es war nicht Schratter, der aus dem Rektorat gestürmt kam, sondern Tims Vater. Der Baumeister, Zeman. Er lief an Jona vorbei, aber nur einige Schritte, dann bremste er und drehte sich um.

Er erkannte Jona, gar keine Frage. Obwohl sie sich noch nie begegnet waren.

»Du wartest auf den Rektor, nicht wahr?«

Jona nickte und begriff nicht, warum der andere plötzlich zu lachen begann. »Würde ich an deiner Stelle nicht tun.« Er kam einen Schritt näher, als wolle er Jona etwas im Vertrauen sagen. »Die Begegnung würde ganz anders ablaufen, als du dir das vorstellst. Glaube mir.«

Damit ging er und ließ Jona stehen, der einfach nur noch die Schnauze voll hatte. Genug mit dem Höflichkeitsscheiß, er würde jetzt weder warten noch klopfen noch sich entschuldigen, sondern in diese Besprechung reinplatzen.

So schnell sein angeschlagener Zustand es erlaubte, durchquerte er Gilles' Büro und stand einen Atemzug lang vor der Tür zu Schratters Zimmer. Dann riss er sie auf.

Vier Menschen saßen an dem Tisch, vor sich Kaffeetassen und Schreibutensilien. Zwei Frauen, zwei Männer.

Am meisten überraschte Jona, dass Martin einer von ihnen war. Bei dem zweiten handelte es sich um Ackermann, den Polizeichef. Die beiden Frauen waren Andrea Gilles und Beate Lichtenberger.

Kein Schratter.

Martin war aufgesprungen, sichtlich blass. »Was machst du hier, Jona?«

Er lächelte seinem Gastvater zu. »Das Gleiche könnte ich dich fragen.«

»Ich bin geschäftlich hier.« Nervös fuhr Martin sich durchs Haar. »Meine Firma wird die Heizungs- und Wasserinstallationen in dem neuen Technologiezentrum übernehmen. Da gibt es eine Menge zu besprechen.«

Klar. Mit dem Baumeister, der eben wutschnaubend abgerauscht war.

»Okay, dann sind Dr. Lichtenberger und Herr Ackermann natürlich hier, um ein Update zu den Unfällen zu liefern. Kolja und Linda. Leuchtet mir alles ein. Auch dass Frau Gilles als Schriftführerin fungiert.« Er blickte in die Runde. »Das Einzige, was ich nicht verstehe, ist: Warum verpasst Dr. Schratter diese Besprechung?«

Martin hatte seine Fassung wiedergewonnen und die Arme vor der Brust verschränkt. »Ich bin nicht dein Vater, Jona, aber doch in gewisser Weise für dich verantwortlich, und was du hier abziehst, geht gar nicht. Du kannst nicht einfach in ein fremdes Büro reinplatzen und Leute zur Rede stellen. Was denkst du, wer du bist?«

Gilles hob beschwichtigend die Hände. »Lassen Sie gut sein, Jona wartet wirklich schon lange auf einen Termin mit dem Rektor, ich verstehe, dass ihm alle möglichen Fragen auf dem Herzen brennen und er allmählich die Geduld verliert.« Sie sah ihn bedauernd an. »Es hilft nur leider nichts, Jona. Er ist nicht da.«

»Das ist er nie.« Martins gönnerhaftes Getue hatte Jonas Laune nicht verbessert.

»Fast nie«, seufzte Gilles. »Glauben Sie mir, Sie sind nicht der Einzige, dem auffällt, dass Dr. Schratter sich merkwürdig verhält. Nur sollte davon möglichst wenig nach draußen dringen. Die Eltern vieler Studierender hier sind sehr empfindlich.«

»Und sehr reich«, ergänzte Jona. »Da täte es weh, wenn sie ihre Kinder von der Uni nehmen würden, nicht wahr?«

Ackermann nickte und seufzte. »Ja, natürlich. Die Universität ist wichtig für die Stadt. Und so, wie Dr. Schratter sich verhält … er ist ja erst seit einem halben Jahr Rektor, aber ich befürchte, er wird bald ersetzt werden müssen.«

Jona blickte in die Runde. Er konnte spüren, dass es so etwas wie eine stumme Übereinkunft zwischen den vieren gab. Sie wussten, was mit Schratter nicht stimmte, er konnte es ihnen ansehen. Aber sie würden es ihm nicht sagen. Speziell dann nicht, wenn der Mann gefährlich war, wenn er zum Beispiel wirklich Kolja und Linda in die Baugrube gestoßen hatte.

Nur – warum sollte er so etwas tun?

»Am besten ist, du machst ganz normal weiter«, schlug Martin vor. »Sieh mal, du brauchst doch den Rektor nicht, um erfolgreich zu studieren. Die anderen Studenten haben wahrscheinlich noch nicht mal gemerkt, dass er sich so rarmacht in letzter Zeit.«

Damit hatte Martin ganz sicher recht. Die anderen Studenten waren aber auch nicht zusammengeschlagen worden. Sie wussten nicht, dass es Leute gab, die Schratter für schuldig an Lichtenbergers Tod hielten. Sie sollten nicht vom Hausmeister des Schloss Deluxe aus dem Weg geschafft werden.

Erich hinterlässt keine Spuren.

Sie wissen es, aber sie sagen es nicht. Der Gedanke arbeitete in ihm, als er die Treppen nach unten ging. Der kleinen Runde, die sich im Rektorat zusammengefunden hatte, war völlig klar, dass Schratter sich wer weiß was zuschulden hatte kommen lassen, aber sie deckten ihn, damit die Uni nicht in ein schlechtes Licht gerückt wurde.

Jona war so in seine Überlegungen vertieft, dass er das Klingeln seines Handys fast überhört hätte. Hastig zog er es aus der Hosentasche, die Nummer, die angezeigt wurde, kannte er. Nur wem sie gehörte, fiel ihm auf die Schnelle nicht ein. Vielleicht war es ja die von Schratter und er meldete sich endlich.

»Jona Wolfram.«

Kurzes Schweigen. »Wie, Jona Wolfram?«, sagte dann eine empörte Stimme, die definitiv nicht dem Rektor gehörte. »Soll das heißen, du hast mir diese SMS geschickt?«

Nun fiel der Groschen, allerdings einige Sekunden zu spät. Tim Zeman. Was für ein Mist.

»Das ist ja wohl nicht zu fassen.« Tim wurde mit jedem Wort lauter. »Wieso schreibst du, dass ich dir nicht mehr aus dem Kopf gehe? Bist du bescheuert? Oder schwul?«

»Weder noch.« Jona versuchte, einen beschwichtigenden Ton anzuschlagen. »Das war bloß ein Witz, kein besonders guter, das gebe ich zu, aber …«

Tim unterbrach ihn mit einem verächtlichen Schnauben. »Von wegen Witz. Du wolltest herausfinden, auf wen ich stehe, nicht wahr? Oder …« Er schnappte hörbar nach Luft. »Nein, es ist noch hinterhältiger, stimmt's? Die SMS kam doch am gleichen Abend, an dem mein Vater eine Drohne vor dem Fenster gesehen hat! Eine halbe Stunde vorher, höchstens! Ich glaube keine Sekunde, dass das ein Zufall ist.«

Jona wurde heiß. Dieser Tim dachte ein ganzes Stück zu logisch für seinen Geschmack. »Ich wollte dich bei nächster Gelegenheit ein bisschen aufziehen, das ist alles. Mit Carina oder Michelle.«

»Nein, du Arschloch. Das kannst du jemand anderem erzählen. Du hast irgendein System entwickelt, so wie die Paketdienste, die demnächst Lieferungen auch über Handyortung zustellen wollen. Und jetzt spionierst du uns aus! Erst direkt an der Baustelle und dann auch noch durch die Fenster.«

Jona bereute zutiefst, das Gespräch überhaupt angenommen zu haben. Tim traf den Nagel so perfekt auf den Kopf, dass es beinahe unheimlich war.

»Das ist völliger Quatsch«, widersprach er ein bisschen zu schnell. »Was für einen Grund hätte ich denn, dich auszuspionieren? Ich kenne dich doch kaum.«

»Tja.« Der Triumph in Tims Stimme war nicht zu überhören. »Und trotzdem hast du meine Handynummer. Interessant eigentlich. Im Übrigen habe ich nicht gesagt, du würdest mich ausspionieren, sondern meinen Vater.« Damit legte er auf.

Jona hatte sich an die Wand des Gangs gelehnt, ihm war elend zumute. Seine ganze Intelligenz hatte ihn nicht davor bewahrt, Elanus bei zu starkem Wind fliegen zu lassen – das war der entscheidende Fehler gewesen. Dass es die Drohne gab, war ja schon länger kein Geheimnis mehr – davon hatte er sich unter Schmerzen überzeugen können, während die zwei Schläger ihn verprügelt hatten. *Wo ist die Drohne? Mit der du die Leute hier ausspionierst?*

Sie hatten es gewusst, und bestimmt nicht nur sie.

Doch nun hatte zum ersten Mal jemand begriffen, wie die Dinge zusammenhingen. Die Textnachricht mit dem versteckten Anhang würde analysiert werden, Zeman würde ihn anzeigen. Es war eine Katastrophe. Doch solange sie wenigstens Elanus nicht fanden, gab es keine Beweise außer den Filmaufnahmen, die er auf dem Notebook gespeichert hatte. Die würde er löschen müssen, und zwar so, dass sie nicht wiederherstellbar waren.

Mit einem Mal war Schratter Nebensache. Viel wichtiger war es, dass Jona es schaffte, seine Spuren zu verwischen.

Oder er kümmerte sich gleich um seine Heimreise. Kehrte

zurück zu seinen Eltern, betrachtete das Abenteuer Universität erst mal als beendet.

Bloß würde das nicht helfen, wenn er angezeigt wurde. Was, wenn schon jemand Beweise hatte? Polizeichef Ackermann hatte Jona ebenfalls auf die Drohne angesprochen, das hieß, er war informiert worden – fragte sich nur, von wem. Den Helmreichs selbst?

Mit dem Gefühl, Bleigewichte an den Beinen zu tragen, trat Jona aus dem Verwaltungsgebäude hinaus. Er war viel zu unvorsichtig gewesen, hatte sich auf die Dummheit und Unaufmerksamkeit der anderen verlassen. Weil das in seiner Heimatstadt immer völlig problemlos geklappt hatte.

Kaum war er draußen, klingelte wieder das Handy. Jona sah, wie es in seiner Hand zitterte, erwartete entweder noch einmal Tim oder bereits die Polizei. Doch es war Marlene. Erleichtert hob er ab.

»Können wir uns sehen?«, fragte sie ohne Begrüßung. »Ich würde dir gerne etwas zeigen.«

Sie trafen sich an einer abgelegenen Ecke des Campus, nahe dem Park, in dem Schloss Deluxe lag. Marlene wirkte angespannt, blickte sich immer wieder um. Erst als sie eine Bank in der Nische einer hohen Buchsbaumhecke erreichten, machte sie halt und setzte sich. »Du gehst komisch«, stellte sie fest. »Hast du Muskelkater?«

»So etwas Ähnliches.« Er zog den Ärmel seiner Jacke weiter nach unten, um den Bluterguss am Handgelenk zu verbergen. »Was möchtest du mir zeigen?«

Marlene blickte auf ihre Handtasche, die sie zwischen sich und Jona abgestellt hatte. »Du weißt doch noch, dass ich einen Handyakku in dem Beet gefunden habe, das Erich angelegt hat.«

»Ja. Natürlich.«

»Es hat mir keine Ruhe gelassen. Dass er nachts gegraben hat. Also war ich noch einmal dort und habe mir selbst die Finger ein wenig schmutzig gemacht.« Sie fischte eine kleine, durchsichtige Plastiktüte aus ihrer Tasche. Zuerst sah Jona nur die Blumenzwiebel, die darin lag. »Aha. Er hat doch bloß gegärtnert.«

Sie legte den Kopf schief. »Nicht nur. Ziemlich genau neben dieser Zwiebel habe ich noch etwas gefunden. Siehst du es nicht?«

Er nahm ihr den Beutel aus der Hand. Entdeckte jetzt ein Stück schmales, gebogenes Plastik, das blau schillerte. In Jonas Kopf rastete eine Erinnerung ein. »Das sieht aus wie das Bruchstück einer Brille.«

»Ganz genau«, bestätigte Marlene. »Du weißt auch, wem sie gehört hat?«

Das Bild stand deutlich vor Jonas Augen. Sein erster Tag an der Victor-Franz-Hess, sein völlig überzogener, großer Auftritt und der Dozent, der sich in einer ratlosen Geste die geflickte Brille zurechtrückte. »Das war mal die von Lichtenberger, nicht wahr?«

»Genau das denke ich auch.« Marlene holte sich die Tüte zurück und hielt sie gegen das trübe Sonnenlicht. »Offenbar ist sie kaputtgegangen. Ich wüsste bloß gerne, warum Erich sie eingegraben hat. Lichtenberger hat sich umgebracht. Wozu Dinge verstecken, die einmal ihm gehört haben? Was bringt das?«

Die bösen Ahnungen in Jonas Innerem verdichteten sich, denn Marlene lag vollkommen richtig. Kein Mensch, der noch ein paar graue Zellen übrig hatte, verbuddelte die kaputte Brille eines Toten.

Außer, der Selbstmord war doch keiner gewesen. Jona schloss die Augen, versuchte, sich das Szenario vorzustellen. Jemand packte Lichtenberger, zerrte ihn in den Hörsaal, in dem die Schlinge schon vorbereitet war. Brachte ihn irgendwie dazu, auf einen Stuhl zu steigen, legte ihm das Seil um den Hals und trat dann den Stuhl weg ...

Es ergab nach wie vor keinen Sinn. Gut, Lichtenberger konnte bei dem Handgemenge die Brille verloren haben. Und dann ... war sein Mörder draufgetreten. Okay, langsam begann es, einleuchtender zu werden. Eine zertretene Brille war ein starkes Indiz dafür, dass ein Zweiter im Raum gewesen war, oder gar mehrere. Das konnte nicht im Interesse des Mörders gewesen sein.

Allerdings hatte Erich die Brille auf eine Art zum Verschwinden gebracht, die untypisch war. Warum nicht einfach in einen großen Müllcontainer in der Stadt werfen? Niemand suchte danach, das wäre kein Risiko gewesen.

Die Antwort lag auf der Hand. Weil er Lichtenberger vielleicht nicht selbst getötet, sondern nur hinter jemand anders »aufgeräumt« hatte und gern ein Druckmittel in der Hand behalten wollte. In dem Beet fand er die Brillenteile wieder, wenn er sie brauchte.

»Erich hinterlässt doch Spuren«, murmelte Jona.

Marlene drehte den Beutel in ihren Händen. »Sollten wir damit zur Polizei gehen?«

»Nein.« Er hatte ihr geantwortet, während sich noch weitere Puzzleteile in seinem Kopf zusammenfügten. Ackermann hatte eben mit Gilles, Beate Lichtenberger und Martin zusammengesessen – und zuvor natürlich mit Zeman. Was, wenn die Polizei ebenfalls zu denen gehörte, die Schratter deckten? Das Auto, das Ackermann fuhr, war, wenn man es genau überlegte, wirklich um einiges zu teuer für einen Polizisten, selbst wenn er in leitender Funktion tätig war. Was, wenn ganz Rothenheim unter einer Decke steckte und vertuschte, was nötig war, um den Ruf der Uni und damit die reichen Studenten nicht zu verlieren?

Da war dieser Satz gewesen, den der Baumeister geschrien hatte, bevor er hinausgestürmt war: *Übermorgen kümmern wir uns um dieses Problem, endgültig, und lassen es für immer verschwinden.*

Der Polizeichef wusste also davon, dass Jona aus dem Weg geschafft werden sollte, und akzeptierte es. Nein, er würde keinesfalls zur Polizei gehen, sondern einfach abhauen. Er hatte noch einen Tag, um alles vorzubereiten, und dann würde er nach Hause fahren. Fünfhundert Kilometer zwischen sich und diesen Wahnsinn hier bringen.

Schwer würde nur der Abschied von Marlene sein. Die Vorstellung tat ihm jetzt bereits weh.

»Du?« Er nahm ihre Hand, innerlich darauf vorbereitet, dass sie sie wegziehen würde. Doch es ging nur ein überraschter Ruck durch ihren Körper, mehr nicht.

»Ich werde deinen Rat befolgen und von hier verschwinden. Vor drei Tagen bin ich zusammengeschlagen worden, im Garten der Helmreichs, und heute habe ich gehört, wie Tims Vater sagte, dass *dieses Problem* übermorgen beseitigt werden soll. Für immer.« Er fühlte, wie ihm Tränen in die Augen traten, teils aus Angst, teils, weil er die Vorstellung, weglaufen zu müssen, so unerträglich fand.

Marlene strich ihm zart übers Gesicht. »Normalerweise würde ich ja sagen, du machst dir unnötig Sorgen, aber nachdem ich deine Gasteltern letztens selbst gehört habe –« Sie ließ den Satz im Nichts enden. »Mit deinem Briefchen hast du dich ganz schön in die Nesseln gesetzt.«

Er nickte mutlos. »Das war unglaublich dumm von mir. Aber wenigstens bei dir kann ich mich dafür entschuldigen. Es tut mir ehrlich leid.«

»Für mich spielt es keine Rolle. Ich habe keine roten Vorhänge.« Beinahe schaffte sie es, ihn mit ihrem Lächeln anzustecken.

»Ich werde dich vermissen«, sagte er düster.

»Wir halten Kontakt. Und vielleicht kommst du ja wieder, wenn das alles vorbei ist.«

Er blickte auf. »Wie soll ich denn wissen, wann es vorbei ist? Ich weiß noch nicht mal, was genau dann vorbei sein soll.« Endlich konnte er das nagende Gefühl erfassen, das ihn nicht losließ, seit er den Entschluss getroffen hatte abzuhauen. Er würde nicht erfahren, was eigentlich passiert war.

32

Vorlesungen zu besuchen, hatte keinen Sinn mehr. Jona machte sich auf den Weg nach Hause und hatte die ganze Zeit über das Gefühl, beobachtet zu werden. Einmal wurde ein Auto neben ihm langsamer und beschleunigte dann wieder, aber die Frau, die am Steuer saß, hatte er noch nie gesehen.

Vielleicht bildete er sich auch alles nur ein und die beiden Typen in den schwarzen Lederjacken, die an der Ecke nahe der Bushaltestelle standen, beobachteten ihn gar nicht.

Bei den Helmreichs war niemand zu Hause und Jona überlegte kurz, ob er nicht seinerseits einmal in fremden Sachen wühlen sollte. Aber wozu noch? Besser war es, die Koffer zu packen und schon morgen zu fahren. Geld genug für ein Taxi und ein Bahnticket hatte Jona allemal noch.

Er öffnete das Notebook, um sich die Bahnverbindungen anzusehen, und entdeckte dabei, dass er acht neue E-Mails bekommen hatte.

Eine davon kam von Schratter.

Jonas Herz hämmerte gegen seine Rippen. Er klickte auf den Betreff. Unser Treffen.

Lieber Jona!
Ich möchte mich noch einmal herzlich bei Ihnen dafür entschuldigen, dass ich Sie beim letzten Mal versetzt

habe. Das wird kein zweites Mal passieren, das versichere ich Ihnen. Es gibt jetzt einen neuen Termin, den ich
Ihnen vorschlagen möchte, und zwar übermorgen um
sieben Uhr abends in meinem Büro. Da ist auch Andrea
Gilles schon fort, wir können ungestört reden und ich
kann Ihnen endlich alle Fragen beantworten, die Ihnen
auf dem Herzen brennen.
Antworten Sie mir bitte kurz, ob der Termin passt.

Herzliche Grüße
Carl Schratter

Übermorgen. Jona biss sich auf die Lippen. Das war eine Falle,
völlig klar. In Schratters Büro würde Erich warten und seinen
Job tun. Oder vielleicht schnappte er ihn sich auch schon früher, in irgendeiner dunklen Ecke des Gebäudes. War ja einfach,
wenn man genau wusste, wann jemand auftauchen würde.

Jona ließ seine Finger über der Tastatur schweben. Vorsicht
und Neugier lieferten sich in ihm einen heftigen Kampf – was,
wenn er doch zusagte?

Das wäre unendlich bescheuert, wie er selbst wusste, aber
vielleicht würde er die Möglichkeit bekommen, die Dinge zu
durchschauen.

Oder einen schweren Stein auf den Kopf.

Er las die Mail noch einmal durch. Etwas störte ihn, doch er
konnte nicht exakt den Finger darauflegen. Sie erinnerte ihn an
etwas – aber was war es?

Noch viel entscheidender war aber die Frage, was er antworten sollte. Absagen? Wie sollte er das begründen? Außerdem
war Schratter dann gewarnt und würde Jonas Abreise verhin-

dern, irgendwie. Zusagen und hingehen? Zusagen und nicht hingehen?

Jona warf sich auf sein Bett und vergrub den Kopf im Kissen. Wog all seine Möglichkeiten gegeneinander ab. Am klügsten war es, den Termin jetzt erst einmal zu bestätigen und sich im Anschluss zu überlegen, ob er ihn auch wirklich einhalten wollte. Und wenn ja … musste er sich eine Art Sicherheitsnetz schaffen.

Er dachte es noch einmal durch, dann schrieb er Schratter eine kurze Antwort zurück. Dass er sich auf das Treffen freue und pünktlich da sein werde.

Als Pascal ein paar Minuten später um die Ecke bog, fing Jona ihn noch vor der Haustür ab. »Ich muss mit dir reden, ich brauche deine Hilfe.«

Er hatte sein Notebook im Rucksack dabei, und sobald sie in Pascals Zimmer waren, packte Jona es aus und öffnete das Steuerungsprogramm für Elanus. »Ich möchte, dass du mich übermorgen Abend verfolgst.«

Pascal sah ihn an, als hätte er ihn um einen Handkuss gebeten. »Du möchtest – was?«

»Ich habe wieder ein Treffen mit Schratter vereinbart. Und da alle Zeichen darauf hindeuten, dass mir dort etwas zustoßen könnte, wäre es gut, wenn du mir Elanus hinterherschickst.«

Pascal sah nun noch fassungsloser aus, sofern das möglich war. »Du bist kein Genie, du bist ein Vollidiot. Ich kann doch überhaupt nichts machen, wenn dir dort jemand eins über die Rübe gibt. Ich kann nur mit deiner Drohne hübsche Aufnahmen von allen Seiten schießen.«

»Aber die sind dann ein perfekter Beweis für das, was passiert ist.« Jona hörte selbst, wie verrückt das klang. »Außerdem werde ich zusehen, dass Marlene in der Nähe ist. Wenn sie per Handy die Security von Schloss Deluxe anruft und sagt, dass sie angegriffen wird, sind die innerhalb von ein paar Minuten da.«

Pascal schüttelte nur noch den Kopf. »Ein unfassbar dämlicher Plan. Bis dahin kannst du tot sein.«

»Das werde ich nicht sein.« Er legte so viel Gewissheit in seine Antwort, dass er sich fast selbst überzeugte. Und er würde für den Notfall etwas mitnehmen, das sich als Waffe verwenden ließ.

»Wir machen jetzt Folgendes.« Jona zog Pascal am Ärmel zum Notebook und deutete auf die Steuerungssoftware. »Ich habe meine eigene Nummer hier eingegeben, das heißt, Elanus folgt mir, sobald du ihn startest. Hier –«, er führte den Mauszeiger über die blaue Schaltfläche, »schaltest du auf manuelle Steuerung um. Dann musst du dir schnell den Flight Controller greifen und Elanus mit diesen beiden Joysticks steuern. Das Display in der Mitte zeigt dir die wichtigsten Daten an: Höhe, Geschwindigkeit, Akkustand und so weiter.«

Er sah das Leuchten in Pascals Augen. Wie er seine Bedenken vergaß, angesichts der Aussicht, die Drohne fliegen zu dürfen.

»Auf dem Bildschirm des Notebooks siehst du die Umgebung, danach richtest du dich. Außerdem aktivierst du die Aufnahmefunktion, sobald sich etwas Interessantes tut.« Er zeigte ihm, wie man die Kamera schwenkte, wie man zoomte, erklärte ihm das Failsafe-Programm. Pascal kapierte das System außerordentlich rasch, wesentlich schneller jedenfalls als seine Matheaufgaben.

»Und jetzt machen wir einen Testlauf.« Jona überprüfte Elanus' Ladung. Achtundneunzig Prozent, ausgezeichnet. »Ich gehe einfach eine Runde um den Block, okay? Du wirfst Elanus aus dem Fenster, sobald ich draußen bin. Lass ihn mir erst automatisch nachfliegen, probiere ein bisschen mit der Kamera herum, dann stell auf Handsteuerung um und schau, ob du damit zurechtkommst. Wenn nicht, sofort wieder den Selbststeuerungsmodus aktivieren, ja?«

»Jaaaa.« Genießerisch strich Pascal über die glatte Oberfläche der Drohne. »Keine Sorge, ich mach dir das Teil nicht kaputt.«

Das wollen wir schwer hoffen, dachte Jona. Er lief die Treppe nach unten und spähte erst einmal zur Haustür hinaus. Niemand da, der auffällig wirkte. Gut. Mit schnellen Schritten lief er nach rechts, Richtung Bushaltestelle. Über sich konnte er Pascal »Wow« rufen hören, vermutlich weil Elanus eben Fahrt aufgenommen hatte.

Jona blickte nach oben. Ja, da war er. Gut zwölf Meter über und ein Stück hinter ihm. Nur zu sehen, wenn man wusste, wonach man suchen musste.

Jona ging zügig die Straße entlang, bog dann nach links ab, bei der nächsten Gelegenheit nach rechts, durch einen kleinen Park, in dem Kinder spielten, dann wieder zurück auf die Straße.

Etwa zwanzig Minuten lang lief er einen Zickzackkurs durch die Nachbarschaft, bevor er zu Pascals Haus zurückkehrte. Er hatte es so gut wie möglich vermieden, nach oben zu sehen, obwohl er sich keine geringen Sorgen um Elanus machte. Einen Absturz oder Crash hätte er allerdings gehört, und als er jetzt, kurz vor der Haustür, doch noch einmal in den Himmel blickte, war die Drohne direkt über ihm. Pascal hatte sehr gute Arbeit geleistet.

Dementsprechend begeistert war er auch. »Das ist ja unfassbar geil«, rief er. Elanus war auf seiner Hand gelandet, und Pascal starrte ihn an, als wäre er eine Glaskugel, aus der man die Zukunft lesen konnte. »Okay, wir machen das übermorgen. Und wenn etwas schiefgeht, dann rufe ich sofort die Polizei. Marlene informiert die Security und wir haben dich in Nullkommanix da raus. Und jetzt sieh dir mal diese Aufnahmen an!«

Pascal hatte den ganzen Ausflug mitgefilmt, was zwar viel Speicher in Anspruch nahm, aber egal, man konnte die Datei ja jederzeit löschen.

Sich selbst von oben durch die Straßen laufen zu sehen, war ein eigenartiges Gefühl. Jona betrachtete sein dahinspazierendes Ich so fasziniert, dass er es erst nach gut fünf Minuten bemerkte.

Da war ein Mann. Etwa zehn, fünfzehn Schritte hinter ihm. Braune Lederjacke, sandfarbenes Haar. Elanus flog fast genau über ihm, deshalb war das Gesicht nicht zu erkennen. Doch der Mann folgte Jona durch jede Gasse, durch den Park, bis fast zurück zum Haus der Bittners. Zwischendurch hielt er sich immer wieder sein Handy ans Ohr. Was er sagte, verstanden sie nicht, dafür hatten die Mikrofone nicht die richtige Einstellung gehabt. Kurz bevor Jona an seinem Ausgangspunkt ankam, bog der Mann rechts in eine Seitengasse ab.

»Ich seh den wirklich jetzt erst«, stellte Pascal verblüfft fest. »Ich war so auf die Fliegerei und auf dich konzentriert – er ist mir einfach nicht aufgefallen.«

»Kann passieren«, beschwichtigte Jona ihn. »Immerhin hat der Typ Elanus nicht entdeckt. Jedenfalls hat er kein einziges Mal nach oben gesehen.«

»Was, wenn er dir übermorgen wieder folgt?«

Jona dachte einen Augenblick lang nach. »Dann werden wir

das nicht erfahren, denn du schickst Elanus erst los, wenn ich am Campus bin.« Er hängte die Drohne ans Ladegerät. »Sonst ist der Akku viel zu früh leer.«

Marlene, bei der Jona eine halbe Stunde später anrief, um sie in seine Pläne einzuweihen, sah die Sache deutlich skeptischer als Pascal. »Entweder du hast ein ganz normales Gespräch mit Schratter und deine Vermutungen lösen sich in Nichts auf. Oder er will dir wirklich an den Kragen, dann wird er nicht allein sein. Vielleicht ist er dann gar nicht dort, sondern es warten nur seine Schläger auf dich. Und Erich, der ja offenbar den Auftrag hat, sich um dich zu kümmern. In keinem der beiden Fälle hilft dir Elanus auch nur das Geringste.«

»Aber du kannst mir helfen!«, unterbrach Jona, als Marlene endlich einmal Luft schnappen musste. »Du wartest in der Nähe des Verwaltungsgebäudes, und sobald ich bei dir anrufe, informierst du die Security-Leute, dass du überfallen wirst. Im Rektorat.«

»Ein Plan für Kindergartendetektive«, stellte sie nüchtern fest. »Du denkst wirklich, du hättest noch Zeit zu telefonieren, wenn jemand dich aus dem Dunkel heraus anspringt? Dich niederschlägt? Ehrlich, Jona, die Idee, nach Hause zu fahren, war deutlich besser.«

Natürlich verunsicherten ihn ihre Worte. Aber sie änderten nichts daran, dass er sich entschieden hatte. »Ich muss das tun, Marlene. Bitte hilf mir dabei.«

Er hörte sie seufzen. »Einmal pro Tag jemandem unter die Arme greifen, der ein lebensmüder Idiot ist«, sagte sie schließlich. »Ein neuer Punkt auf der Liste.«

33

Den nächsten Tag nutzte Jona für Vorbereitungen. Er lief über den Campus, prägte sich das Gelände rund um das Verwaltungsgebäude ein, legte sich optimale Fluchtwege zurecht.

Auch bei der Baustelle ging er vorbei und duckte sich, als er Zeman in der Nähe einer der Bagger entdeckte. Der Baumeister deutete nach unten, während er offenbar einem der Arbeiter etwas erklärte.

Jona suchte sich eine Stelle, an der ein Container die Sicht auf ihn verdeckte, und blickte ebenfalls in die Grube hinab.

Eine erste Schicht Beton war gegossen worden. Es ging tatsächlich los, wie Zeman angekündigt hatte. Das Fundament wurde gelegt. Wenn jetzt jemand hier nach unten stürzte …

Vielleicht war die Idee, morgen allein auf dem Campus aufzukreuzen, doch nicht so gut, wie Jona gedacht hatte. Vorsichtig zog er sich wieder zurück, bedacht darauf, dass niemand ihn entdeckte.

Das Technologiezentrum würde einen Berkshaw- und einen Treplow-Trakt bekommen. Er fragte sich, ob Treplow vielleicht Koljas Nachname war.

»Ja, ist er«, bestätigte Marlene ihm zwanzig Minuten später. »Kolja Alexandrowitsch Treplow. Sein Vater sponsert den Bau mit einer Summe, von der man einen Kleinstaat finanziell sanieren könnte.«

»Und das, obwohl sein Sohn im Koma liegt, nach einem Unfall auf genau dieser gesponserten Baustelle?« Jona hob die Schultern. »Begreifen kann ich das nicht.«

Sie drehten eine gemeinsame Runde über das Gelände. Irgendwann griff Marlene nach Jonas Hand und verschränkte ihre Finger in seine. Seinen überraschten Blick schien sie nicht zu bemerken. »Lass uns ins Café gehen. Du könntest mir noch einen Kuchen spendieren, bevor du morgen beseitigt wirst.« Sie sagte es in scherzhaftem Ton, aber Jona spürte die Sorge hinter ihren Worten und fühlte, wie gut ihm das tat.

»Wenn ich dich morgen informiere, ruf die Security, nicht die Polizei, okay?« Er schärfte es ihr zum dritten Mal ein, während sie an ihrem Latte macchiato nippte.

»Natürlich. Weil Ackermann eingeweiht ist und die Tat eher vertuschen als dir helfen wird. Ich habe es kapiert, Jona, auch wenn ich es ehrlich gesagt immer noch nicht glauben kann.«

»Wenn ich mich irre, umso besser.« Er schob die Reste seines Schokomuffins auf dem Teller hin und her. »Dann habe ich morgen einfach mein Gespräch mit Schratter und ab übermorgen läuft alles geregelt und ordentlich weiter, ohne dass mir irgendwo Schlägertypen auflauern.«

Nachdenklich sah Marlene ihn an. »Der eine Teil von mir hat echt Angst um dich«, sagte sie so leise, dass man es an den Nebentischen nicht hören konnte. »Der andere weigert sich zu glauben, dass jemand wie Schratter einen Studenten umbringen würde, weil er ein paar Zettelchen verteilt hat, auf denen ›Ich kenne dein Geheimnis‹ steht.«

»Ich würde es ja auch nicht glauben«, murmelte Jona, »wenn nicht alle Zeichen darauf hindeuten würden.«

Nachdem sie gezahlt hatten, begleitete Jona Marlene noch zu

ihrer nächsten Vorlesung, er selbst setzte sich auf eine der Parkbänke und beobachtete das Treiben rund um sich. Studenten, die lachend vorbeiliefen. Andere, die beim Gehen so in ihre Bücher vertieft waren, dass sie fast vom Weg abkamen. Wieder andere, die unter einem Baum standen und sich küssten.

Jona gehörte nicht mehr dazu, wahrscheinlich hatte er das nie getan. Er stand auf und ging auf den Ausgang zu. Es fühlte sich wie ein Abschied an.

»Was hast du heute denn vor?« Silvias Wangen glühten, als sie Jona am Mittwochmorgen sein Frühstück auf den Tisch stellte. Sie sah ihn so erwartungsvoll an, dass er gelacht hätte, wenn ihm nicht vor Nervosität beinahe übel gewesen wäre.

»Ich werde an einer Seminararbeit schreiben«, erklärte er. »Und am Abend habe ich einen Termin an der Uni. Mit dem Rektor.«

Sie nickte eifrig. »Mit Dr. Schratter, nicht wahr? Grüß ihn bitte unbedingt von mir. Und von Martin.«

Wäre Jona bisher völlig arglos gewesen, so hätten spätestens jetzt alle Alarmglocken bei ihm geläutet. Letztens hatte Silvia behauptet, sie kenne Schratter nur flüchtig. Nun lag in ihrer unnatürlichen Fröhlichkeit so viel Anspannung, dass er den Eindruck hatte, sie würde gleich Funken sprühen.

Kerstin bemerkte es auch. Ihr Löffel, den sie eben ins Müsli getaucht hatte, blieb auf halbem Weg zu ihrem Mund in der Luft hängen. »Alles okay bei dir, Mama?«

»Ja. Klar. Was sollte denn nicht okay sein?« Das Lächeln, das Silvia nun in ihr Gesicht zwang, machte Jona tatsächlich Angst. Nein, es würde kein ganz normaler Termin bei Schratter werden und sie wusste es. »Er muss weg hier, egal auf welche Weise«, hatte sie gesagt und nun war es endlich so weit. »Trotzdem, du bist anders als sonst«, beharrte Kerstin.

»Wirklich?« Silvia begann, Besteck aus dem Geschirrspüler zu räumen. »Ähm, das liegt dann wahrscheinlich daran, dass ich heute einen wichtigen Termin habe. Eine Villa, ein Stück außerhalb. Wenn ich die verkaufe, gibt das eine sehr schöne Provision …«

Kerstin runzelte die Stirn, gab sich aber mit der Erklärung zufrieden. »Na dann, viel Glück.«

Das Glück werde ich brauchen, dachte Jona bedrückt. Er ließ die Hälfte seines Frühstücks stehen und ging wieder in sein Zimmer. Hörte, wie ein Helmreich nach dem anderen das Haus verließ, und versuchte, seine Gedanken zu ordnen.

Er konnte immer noch einen Rückzieher machen. Einfach zu Hause bleiben oder ins Kino gehen oder bei Pascal untertauchen. Die Vorstellung beruhigte ihn ein wenig. Es war heute ein ganz normaler Tag, und es lag in seinen eigenen Händen, ob es dabei blieb.

Erst als der Nachmittag anbrach, fühlte Jona wieder das nervöse Ziehen im Bauch. Nicht mehr lange, dann musste er eine Entscheidung treffen. Die Herumsitzerei im Zimmer ertrug er plötzlich nicht mehr, also warf er sich seine Jacke über und ging nach draußen.

Lief einmal die Straße rauf, dann wieder runter. Pascal war noch nicht wieder von der Schule zurück, was schade war. Mit ihm hätte Jona sich gerne besprochen.

Als leichter Regen einsetzte, kehrte Jona zum Haus zurück. Stutzte einen Moment – etwas war anders. Er versuchte, den gegenwärtigen Zustand des Hauses zu erfassen und mit seiner Erinnerung zu vergleichen, kam aber zu keinem Ergebnis.

Trotzdem. Da war eine Veränderung, und wäre er nicht von seiner Angst abgelenkt gewesen, hätte er sie sicher erkannt, das wusste er.

Um halb fünf kam endlich Pascal nach Hause. Zu diesem Zeitpunkt war Jona nur noch ein Nervenbündel. Er schoss quer über die Straße und erreichte Pascal noch, bevor die Tür hinter ihm zufiel.

»Hey!« Pascal klopfte ihm auf die Schulter. »Heute ist der große Tag! Ich bin so gespannt darauf, wie es laufen wird, ich kann es dir gar nicht beschreiben.«

»Ich weiß noch nicht, ob ich wirklich hingehe.«

Wenn Pascal enttäuscht war, ließ er es sich nicht anmerken. »Das ist ganz klar deine Entscheidung. Ich könnte verstehen, wenn du's sein lässt.«

»Ich schätze, ich werde es erst genau wissen, wenn ich vor dem Campuseingang stehe«, überlegte Jona. »Hör mal, wir machen es so: Wenn ich wirklich reingehe, dann rufe ich dich an. Du musst nicht abheben, das ist bloß das Zeichen dafür, dass du Elanus losschicken sollst. Wenn du keinen Anruf von mir kriegst, ist die Sache abgeblasen.«

»Ist in Ordnung.« Pascal salutierte andeutungsweise. »Darf ich ihn dann ein andermal fliegen?«

»Klar.« Jona öffnete die Tür und ging wieder nach draußen.

Die nächsten Stunden schlichen dahin, wie er es bisher noch nie erlebt hatte. Jede Minute verging zäh und widerwillig, Ablenken funktionierte nicht, Entspannen erst recht nicht. Jona tigerte durch sein Zimmer, ging im Kopf immer wieder alle möglichen Szenarien durch. Dass er schon am Eingang zum Verwaltungsgebäude von Erich geschnappt und fortgezerrt werden würde. Dass ihn vor dem Rektorat ein Schlag von hinten außer Gefecht setzen würde, bevor er noch Marlene kontaktieren konnte.

Als es endlich halb sieben war, checkte er ein letztes Mal, ob sein Handy voll geladen war, und machte sich dann auf den Weg. Eine Minute lang stand er vor dem Messerblock in der Küche der Helmreichs, entschied sich aber dagegen, eine Waffe mitzunehmen. Er war nicht geübt im Umgang. Seine größte Stärke war seine Intelligenz, auf die musste er sich verlassen und hoffen, dass ihm Zeit genug bleiben würde, sie einzusetzen.

Er zog die Tür hinter sich zu und schlug den Weg zur Bushaltestelle ein. Allerdings nur etwa zwanzig Meter weit, denn an der nächsten Querstraße entdeckte er etwas, das ihn anhalten ließ.

Ein Lieferwagen, eigentlich schon ein kleiner Lkw, der am Straßenrand parkte. *Roginski Catering* stand darauf und Jona blickte sich alarmiert um. War Roginski etwa wieder hier? Wartete er darauf, dass Martin und Silvia nach Hause kamen?

Im Wagen saß er jedenfalls nicht, auch sonst war kein Fahrer zu sehen. Vielleicht war es Zufall und die Firma belieferte einfach eine Party in der Nähe.

Dann fiel Jonas Blick auf das Wort, das unterhalb des Firmennamens stand, und er tastete unwillkürlich nach etwas, woran er sich festhalten konnte. Fand einen Baum und lehnte sich dagegen, während sein Gehirn in atemberaubender Geschwindigkeit Verbindungen herstellte, logische Zusammenhänge, klare Verhältnisse.

Wie hatte ihm das alles entgehen können?

Er setzte neue Werte für die Variablen ein, die er kannte, wie er es bei einer Gleichung getan hätte, und vergaß dabei fast zu atmen.

Es ergab alles Sinn. Es kam immer die gleiche Lösung heraus. Und er würde sie überprüfen können, sofort. Sobald er wieder genug Luft bekam, um die nötige Strecke zurückzulegen. Alles nur wegen eines einzigen Wortes, das hier blau unter dem roten Firmenlogo stand.

Von einem *bescheuerten Deal* hatte Silvia gesprochen, in der Nacht, als er ihr und Martin Elanus vor das Schlafzimmerfenster geschickt hatte. Ja, das konnte man nicht anders nennen. Fragte sich, was sie dafür bekommen hatten.

Dann Silvias Reaktion, als plötzlich alles dunkel geworden war. Stromausfall. An ihrer Stelle hätte Jona vermutlich noch heftiger reagiert.

Und schließlich die Worte, die Jona so lange verfolgt hatten. *Er muss weg hier. Egal auf welche Weise.*

Aber er war immer noch da. Jona stützte die Hände auf die Knie, atmete tief ein und aus, um die schwarzen Punkte zu vertreiben, die vor seinen Augen tanzten.

Wie viele Menschen wohl davon wussten? In einer ersten Schätzung kam Jona auf acht, Linda inbegriffen. Starben sie nicht alle vor Angst, dass einer von ihnen die Nerven verlor?

Er richtete sich langsam auf. Dachte an die Textnachrichten, die der Rektor alle unbeantwortet gelassen hatte. An die beiden Männer, die er auf der Unitoilette belauscht hatte. *Was denkt ihr, wie lange es dauert, bis so ein Lügengebäude einstürzt?*

Es war tatsächlich eine beachtenswerte Leistung gewesen, und ein Teil in Jona war voller Neugier, wie es weitergegangen wäre. Wie der nächste Schachzug ausgesehen hätte.

Doch so weit würde es nicht mehr kommen.

Er machte kehrt und ging die Straße zurück, vorsichtig und mit aller Wachsamkeit, die er aufbringen konnte. Sobald jemand sich zeigte, der aussah, als könnte er zu ihnen gehören, würde Jona rennen, egal wohin, Hauptsache schnell.

Aber ihm begegnete nur eine alte Frau mit ihrem keuchenden Pekinesen – die beiden kannte er vom Sehen. Sie grüßte, er nickte freundlich zurück, setzte weiterhin einen Schritt vor den anderen. Es fühlte sich an, als ginge er unter Wasser.

Endlich stand er wieder vor dem Haus der Helmreichs. Nun, da er wusste, wie die Dinge sich verhielten, erkannte er auf den ersten Blick, was sich verändert hatte. Sein Eindruck von heute Morgen hatte ihn nicht getäuscht, und er fragte sich, ob sein Verstand allmählich begann, an Schärfe zu verlieren. Warum hatte er das nicht sofort gesehen? Hätte er dann gleich begriffen, was Sache war?

Vielleicht.

Aber jetzt war keine Zeit zu verschwenden. Ein Blick verriet Jona, dass das Auto von Pascals Mutter schon vor dem Haus stand. Ihn einzuweihen, kam also auf die Schnelle nicht infrage.

Er sah, wie seine Hand zitterte, als er das Gartentor aufsperrte. Mit schnellen Schritten, als wäre er sich seiner Sache völlig sicher, ging Jona zur Seitenfront des Hauses, zu der breiten Metalltür, die den Außeneingang zum Keller verschloss. Anders als in den Wochen bisher steckte ein Schlüssel im Schloss, an dem ein dünnes gelbes Band hing. Unterbewusst hatte Jona das am Morgen wahrgenommen, als Fehler im Muster, nur orten hatte er ihn nicht können.

Er sah sich noch einmal sorgfältig um. Die Wohnstraße lag ruhig da, irgendjemand parkte in einiger Entfernung ein. Die wenigen Autos, die vorbeifuhren, reduzierten ihre Geschwindigkeit vor dem Haus der Helmreichs nicht und Passanten waren keine in der Nähe. Jona drehte den Schlüssel im Schloss.

34

Die Tür öffnete sich ohne Quietschen, als wäre sie erst kürzlich geölt worden. Jona fand den Lichtschalter, und die Neonröhre an der Wand flackerte auf. Behutsam zog er den Schlüssel aus dem Schloss, steckte ihn von innen ein und sperrte ab. So würde ihn fürs Erste niemand unliebsam überraschen können.

Er ging die Treppen nach unten und gelangte in einen Raum, der etwa vier mal vier Meter groß war. Eine Glühlampe hing an ihrem nackten Kabel von der Decke, in den Regalen an den Wänden stapelten sich Konservendosen und Familienpackungen von Nudeln, Reis, Zucker und Ähnlichem. Er warf nur einen kurzen Blick in den Raum und ging weiter, das mulmige Gefühl in seinem Magen breitete sich bis in den Hals aus. Er wusste, er würde dorthin zurückkehren müssen.

Der Heizungskeller lag gegenüber, der große rote Kessel strahlte Wärme ab. Daneben standen eine ausgemusterte Waschmaschine und ein Trockner, beides sichtlich ältere Modelle.

Ein dritter, kleinerer Raum diente gewissermaßen als Sammelplatz für Zeug aller Art. Kerstins Kinderfahrräder, diverse Skier, Kisten mit Bastelzeug, einige Koffer – vermutlich gefüllt mit alten Kleidungsstücken. An einer Wand stand ein schwarzes Rennrad, das wahrscheinlich Martin gehörte. Daneben ein Spiegel mit einem Sprung drin.

Jona trat näher heran und betrachtete sein blasses Gesicht. *Soll ich?*, fragte er sein Gegenüber stumm. *Oder soll ich nicht?* Das Spiegelbild erwiderte seinen Blick wortlos und voller Angst. Er sah und fühlte gleichzeitig, wie seine Unterlippe zitterte.

Schluss, befahl er sich. Er war bis hierhin gekommen, jetzt würde er den letzten Schritt auch noch machen. Langsam und zögernd ging er zurück in den ersten Raum, in dem die Vorräte gelagert waren. Lehnte sich an die Wand und atmete durch. Jetzt, wo er der Wahrheit gleich buchstäblich ins Gesicht blicken würde, suchte sein Kopf plötzlich nach neuen Erklärungen für alles, was passiert war. Vielleicht irrte er sich ja mit seiner Vermutung. Vielleicht würde sich alles gleich als der größte Trugschluss herausstellen, den er je produziert hatte.

Doch trotz aller Ablenkungsmanöver wusste er es besser. Ihm stand ein schauderhafter Moment bevor.

Jona wappnete sich innerlich. Dachte an Marlene, die er jederzeit anrufen konnte. An das Haus der Bittners, das gegenüber lag, wo man ihn aufnehmen und ihm helfen würde.

Er presste sich die Fingernägel in die Handflächen und machte den ersten Schritt auf die gegenüberliegende Wand zu. Dann noch einen und noch einen, bis er vor der Tiefkühltruhe stand.

Sie war riesig, genau wie Pascal es beschrieben hatte, und sie surrte leise. Jona schloss seine rechte Hand um den Griff. Es hatte keinen Sinn, die Dinge weiter hinauszuzögern. Also zog er, schnell und kräftig, und klappte den Deckel hoch.

Da war er.

Schratter, so wie Jona ihn von den Bildern aus dem Internet und der Unibroschüre kannte. Nur, dass er nicht freundlich lächelte. Seine Augen waren halb geschlossen, in den Wimpern

hatten sich Eiskristalle gebildet. An seiner Stirn klebte getrock-
netes Blut und an seinem Kinn waren etwas wie … Kratzer. In
denen sich ebenfalls Eiskristalle gebildet zu haben schienen.

Erst als Jona sich tiefer über die Leiche beugte, um die Wunde
zu finden, an der Schratter gestorben war, entdeckte er, dass es
kein Eis war, das in den Kratzern steckte. Sondern zwei kleine
Glassplitter. Und, am Hemdkragen festgefroren, ein kurzes, gebogenes Stück Plastik. Blau.

Wieso, hämmerte es in Jonas Kopf, wieso hat er Splitter von
Lichtenbergers Brille an sich, wieso?

Sie war beschädigt gewesen, aber der Dozent hatte sie trotzdem noch getragen. Nach seinem Tod hatte Erich sie gemeinsam mit einem Handyakku, der vermutlich auch Schratter oder
Lichtenberger gehörte, in dem neu angelegten Blumenbeet vergraben – vielleicht als Druckmittel? War ja möglich, dass sich
interessante Fingerabdrücke darauf befanden.

Die Haut an Schratters Gesicht und Händen war grau, er lag
in zusammengekrümmter Haltung auf der Seite – ein großer
Mann, dessen lange Arme und Beine auch angewinkelt kaum in
die Truhe passten.

Jona hörte ein Geräusch, irgendwo zwischen Schluchzen und
Stöhnen, und begriff erst nach ein paar Sekunden, dass er es
selbst ausgestoßen hatte.

Wie ohne sein Zutun streckte er eine Hand aus und berührte
einen von Schratters verkrümmten Fingern. Eiskalt. Steinhart.
Tiefgefroren.

Er zog seine Hand wieder zurück, langsamer als er es eigentlich wollte. Jetzt keinen Fehler machen. Den Deckel zu. Zur
Hintertür hinaus und dann zu den Bittners rennen.

Doch der tote Blick des Rektors ließ ihn nicht los und es wurden immer mehr Fragen, die in Jonas Kopf kreisten. Warum hatte Schratter sterben müssen? Dass jemand tot war, hatte Jona beim Anblick von Roginskis Klein-Lkw begriffen. *Kühlwagen.* Dazu die Geschichten, die Pascal erzählt hatte – wie Silvia hektisch Selbstgekochtes an die ganze Nachbarschaft verschenkte. Und dass sie eine so riesige Kühltruhe im Keller stehen hatten.

In der offenbar Platz geschaffen werden musste. Für die Leiche des Rektors der Victor-Franz-Hess-Universität.

Wieder stand Jona Silvias Entsetzen vor Augen, als der Strom ausgefallen war. Von wegen, Angst im Dunkeln. Ihre ganze Angst galt der Leiche, die nach einiger Zeit auftauen und zu riechen beginnen würde. Als ob das so schnell gehen könnte.

Silvia war weder clever noch mutig, sie hatte Schratter ganz bestimmt nicht auf dem Gewissen. Sie hatte sich nur bereit erklärt, ihn zu verstecken. Wobei das wohl eher Martin gewesen war. *Wie konntest du diesem bescheuerten Deal je zustimmen?*, hatte Silvia ihn gefragt.

Der Deal: Schratters Leiche in der Tiefkühltruhe verstecken – und dafür was bekommen? Ein paar Tausend Euro in einem Umschlag, so wie Beate Lichtenberger?

All die Mails, die er mit dem Rektor gewechselt hatte – wahrscheinlich war keine einzige von ihm selbst gekommen. Er schloss kurz die Augen. Was hatte Gilles vor zwei Tagen gesagt? »Ich verstehe, dass ihm alle möglichen Fragen auf dem Herzen brennen.« Und kurz darauf, in der Mail, die über Schratters Account geschickt worden war: »Ich kann Ihnen endlich alle Fragen beantworten, die Ihnen auf dem Herzen brennen.«

Die Formulierung war die gleiche. Er hatte schon beim ersten Lesen der Mail gespürt, dass etwas nicht stimmte, doch er hatte es noch nicht benennen können. Jetzt konnte er.

Gilles war mit Lichtenberger zusammengesessen, außerdem mit Martin Helmreich und … mit Ackermann. Dem Polizeichef. Der Silvia bei seinem Besuch versichert hatte, sie müsse sich keine Sorgen machen, er würde die Gegend im Auge behalten. Dann, bei dem Gespräch im Rektorat, hatte er orakelt, dass Schratter wohl bald ersetzt werden müsste.

Wieder musste Jona sich ein nervöses Kichern verbeißen. Na, das war nicht allzu prophetisch gewesen, wenn man wusste, wo der Rektor sich aktuell aufhielt.

Tatsache war, Jona konnte keine Polizei zu Hilfe rufen. Er musste das Problem auf andere Weise lösen.

Beweise schaffen war eine erste gute Idee. Er öffnete die Foto-App seines Handys und schoss Bilder des toten Rektors, von allen Seiten. In der Totale, aus der Nähe. So, dass man auch Teile des Kellers erkennen konnte.

Ein Geräusch von oben ließ ihn hochschrecken. Die Klingel. Es war jemand an der Tür. Jona drückte den Deckel der Truhe wieder zu und lief die Treppen hoch, die vom Keller in die Diele führten. Zu der Tür, die immer versperrt gewesen war. Nun wusste er auch, warum.

Er kauerte sich hinter die Tür, lauschte. Noch einmal ging die Klingel, dann war Stille.

Er ahnte, was dahintersteckte. Man wollte wissen, ob Jona noch zu Hause oder bereits auf dem Weg zu seinem angeblichen Termin mit Schratter war.

Als ob der nicht schon stattgefunden hätte.

Es musste am Adrenalin liegen, dass er das plötzlich unwiderstehlich lustig fand. Er presste sich beide Hände vor den Mund, um sein Lachen zu dämpfen, während er gleichzeitig überlegte, worauf er sich als Nächstes gefasst machen musste. Roginski und ein bis zwei Helfer würden jetzt gleich versuchen, mit dem Schlüssel über die Außentür des Kellers hereinzukommen, um die Leiche des Rektors zu holen. Allerdings war der Schlüssel fort, also …

Jona lief zurück zur anderen Tür. Ja, von draußen hörte er gedämpfte Laute. Stimmen.

»… sollte doch stecken, so war es verabredet.«

»Vielleicht liegt er auf dem Boden?«

Jemand drückte mehrmals die Türklinke hinunter, trat dann gegen das Metall. Es knallte wie ein Schuss.

»Ruf Martin an, schnell!«

Von dem Gespräch bekam Jona nichts mit, die Männer mussten ein Stück zur Seite gegangen sein.

Er fragte sich, ob Kerstin etwas ahnte, und kam zu dem Schluss, dass das unmöglich war. Sie war die ganze Zeit über völlig unbefangen gewesen. Redselig, sensationsgierig und überhaupt nicht Jonas Fall – aber sie hatte sicher keine Ahnung davon gehabt, wer tiefgefroren in ihrem Keller lag. Sie tat Jona leid, es würde nicht einfach für sie werden, sobald aufflog, was ihre Eltern getan hatten.

Aber er konnte es nicht ändern.

Während er darauf wartete, dass die Männer zurückkehrten, fragte er sich, wer es wohl wirklich gewesen war, der Schratter getötet hatte. Kam Martin infrage? So, wie Jona ihn kennengelernt hatte, eher nicht. Roginski? Dem traute Jona es zu. Am verdächtigsten schien ihm der Baumeister zu sein, Zeman. Dessen Wutausbrüche mussten stadtbekannt sein, Jona selbst hatte schon zwei davon miterlebt.

Oder … war es gar Ackermann gewesen? Dann war klar, dass er alle deckte, die ihm halfen, es zu vertuschen.

»Er sagt, er hat den Schlüssel selbst ins Schloss gesteckt. Soll ein gelbes Band dran sein«, hörte Jona gedämpft von draußen.

»Aber da ist nichts.«

»Kann den jemand mitgehen haben lassen?«

Wieder Rütteln an der Tür. Dann Hämmern. »Hallo? Ist da einer drin?«

Jona, der beim ersten Schlag gegen das Metall zwei Stufen nach unten gewichen war, hielt die Luft an. Wenn sie ihn hörten, wenn sie begriffen, dass er hier war, hatte er ausgespielt. Mit dem, was er wusste, konnten sie ihn nicht davonkommen lassen.

»Er muss weg hier, egal auf welche Weise«, hatte Silvia gesagt und Jona war immer davon ausgegangen, dass sie ihn meinte. Tja, das war ein Irrtum gewesen, aber nur bis zu diesem Abend. Jetzt würden sie ihn wirklich beiseiteschaffen, ohne mit der Wimper zu zucken. Sie hatten viel zu viel zu verlieren. Nicht nur die Helmreichs.

Die irgendwann zurückkehren würden. Mit einem Schlüssel für die innere Kellertür. Jona kauerte sich auf der Treppe zusammen. Er hatte sich zu lange Zeit gelassen. Er hätte, sobald er auf Schratters Leiche gestoßen war, einfach davonlaufen müssen, sich in Sicherheit bringen und alles andere danach überlegen.

Dafür war es jetzt zu spät, aber er konnte immerhin dafür sorgen, dass die da draußen nichts würden vertuschen können.

Er suchte sich aus seinen Aufnahmen ein Bild aus, auf dem man den Rektor und seine Umgebung erkennen konnte, öffnete das Textnachrichtenprogramm und schickte das Foto an Pascal.

Nicht erschrecken, schrieb er vorab. Die Helmreichs haben eine Leiche im Keller, im wahrsten Sinn des Wortes. Ich bin auch hier unten und kann nicht raus, weil das Haus umzingelt ist. NICHT DIE POLIZEI RUFEN!!! Die stecken mit drin!

Die Nachrichten gingen nach draußen und Jona fühlte sich sofort besser. Er schaltete sein Handy stumm, damit Klingeltöne eingehender Anrufe oder Textnachrichten ihn nicht verraten würden. Gerade noch rechtzeitig, denn Pascals Antwort kam schon nach einer halben Minute.

Scheiße!!! Das gibt's doch gar nicht. Was machst du jetzt? Kann ich helfen?

Erst wollte Jona mit Nein antworten, dann überlegte er es sich anders.

Ruf Marlene an. Sie soll zu dir kommen, gemeinsam seid ihr ein unschlagbares Team. Sag ihr, was Sache ist, aber schick ihr nicht das Foto.

Er wartete Pascals Okay ab, dann steckte er das Handy in die Hosentasche. Die Frage war, was er als Nächstes tun sollte. Würden die Männer da draußen die Tür aufbrechen? Dafür müssten sie extrem viel Lärm in Kauf nehmen und mit der Aufmerksamkeit der gesamten Nachbarschaft rechnen. Das konnte nicht in ihrem Sinn sein.

Aber da gab es noch die Innentür. Die in der Diele. Sie war abgesperrt, aber das würde sich innerhalb von Minuten ändern, sobald Martin nach Hause kam.

Blockieren? Jona sah sich um. Ja, aber womit? Wenn er einen der alten Stühle nahm, die herumstanden, und es tatsächlich schaffte, ihn so unterhalb der Klinke zu platzieren, dass sie sich nicht mehr bewegen ließ, konnten sie immer noch die Tür aus den Angeln heben.

Okay. Vielleicht gab es noch eine andere Möglichkeit. Unorthodox, aber wirksam.

Jona drückte sich selbst die Daumen, als er begann, den Raum mit den Koffern und Kinderfahrrädern zu durchstöbern; es gab mehrere Kisten mit Bastelzeug. In den ersten beiden wurde er nicht fündig, aber die dritte war ein Geschenk des Schicksals. Superkleber, originalverpackt.

Er riss die Packung auf und lief die Treppe zur Innentür hoch. Mit der Nadel, die sich im Schraubverschluss befand, stach er die Versiegelung auf und drückte die zähflüssige Masse ins Türschloss, bis sie herausquoll. Eine weitere große Portion verteilte er in den Türscharnieren, sorgte mit einem kleinen Stück gefalteten Papiers dafür, dass der Kleber auch wirklich tief in die Ritzen drang.

Jetzt gab es nur noch einen Weg hier rein. Und nach draußen natürlich ebenso.

35

Das Rumoren im Garten hatte für den Moment aufgehört. Sie warteten auf Martin, damit sie ins Haus konnten. Würden sie an irgendeinem Punkt die Hintertür unbewacht lassen? Wenn ja, musste Jona diese Gelegenheit nutzen, um abzuhauen.

Nur leider konnte er nicht nach draußen sehen. Die Tür zum Garten hatte keinen Spion, nicht einmal der untere Türspalt war breit genug, um wenigstens ein bisschen durchlugen zu können.

Jona kehrte zur Tiefkühltruhe zurück. Er konnte es nicht leugnen, sie zog ihn fast magnetisch an. Mit einer Mischung aus Neugier, Mitleid und Widerwillen klappte er den Deckel noch einmal auf.

Tödlich war vermutlich eine Wunde knapp über dem linken Ohr gewesen. Natürlich war sie auch gefroren, sah aber trotzdem tief aus und hatte stark geblutet. Jona wagte es nicht hinzufassen und er hätte ohnehin nicht feststellen können, ob der Schädelknochen gebrochen war, aber er ging stark davon aus.

Womit hatte der Täter zugeschlagen? Mit einem Stein? Es musste jedenfalls etwas sehr Schweres, Hartes und vielleicht auch Scharfkantiges gewesen sein.

Ganz unten in der Truhe, neben Schratters Oberschenkel, entdeckte Jona noch etwas. Ein Smartphone, das sehr mitgenommen wirkte. Es war festgefroren, natürlich, aber es lehnte so am Körper, dass man zweierlei sehen konnte: Das Display war zertrümmert und der Akku fehlte. Jona war bereit, sein Stipendium darauf zu verwetten, dass Marlenes Fund im sogenannten Blumenbeet genau zu diesem Telefon passen würde. Was ihn an Erich denken ließ. Den Hausmeister von Schloss Deluxe. Was er wohl dafür bekam, hier so sauber zu machen, dass anschließend nichts mehr von Schratters Aufenthalt in dieser Truhe zeugen würde?

Es war nur leise zu hören, trotzdem setzte das Geräusch Jona sofort in Alarmbereitschaft. Er schloss hastig den Deckel und lief die Treppe zur Innentür hinauf.

Jemand war nach Hause gekommen. Er wusste, wie es klang, wenn die Haustür der Helmreichs geöffnet und wieder geschlossen wurde. Martin war da.

»… natürlich stecken lassen!« Der Ärger in seiner Stimme war deutlich zu hören. »Ich kann es wirklich nicht glauben, dass ihr ihn einfach verschlampt!«

»Haben wir nicht«, antwortete jemand ruhig. »Als wir ankamen, war da kein Schlüssel.«

»Ist ja auch egal. Ich habe den Ersatzschlüssel im Safe. Oder wollt ihr die Leiche lieber über den Vordereingang raustragen?«

Jona hörte ihn die Treppen hinauflaufen und bemühte sich, das Flattern in seinem Magen zu unterdrücken. Gleich würde es losgehen, so richtig.

Er wechselte seinen Standort. Andere Tür. Kaum zwei Minuten später hörte er ein Kratzen am Schloss. »Das ist …« Martin klang ratlos. »Ich bekomme den Schlüssel nicht rein. Verstehe ich nicht. Versuch du mal.«

Neue Geräusche. »Nein, keine Chance. Fühlt sich an, als würde er von innen stecken.«

»Aber das kann überhaupt nicht sein.«

War der zweite Mann da draußen Roginski? Sie sprachen nicht laut, aber es hörte sich nach dem Restaurantbesitzer an.

»War Silvia vielleicht noch mal zu Hause? Ist hier in den Keller, hat von innen abgesperrt und ist dann durch die andere Tür raus?«

Martin schnaubte. »Nein. Silvia ist mit Kerstin nach München gefahren. Sie sollen beide nicht hier sein, wenn …« Er unterbrach sich. »Sag mal, hat Andrea sich schon gemeldet?«

»Nein, bisher noch nicht.«

»Oh Scheiße.«

Es dauerte keine halbe Sekunde, bis Jona begriff, worum es ging, und ihm wurde kalt vor Angst. Andrea Gilles. Wahrscheinlich hielt sie die Stellung im Rektorat und hätte Jona dort festhalten und anrufen sollen, sobald er aufgetaucht war.

Jetzt würde es nicht mehr lange dauern, bis die Typen da draußen eins und eins zusammengezählt hatten.

Kurz herrschte Stille, dann war wieder Martins Stimme zu hören, immer noch leise, damit die Nachbarn möglichst nichts mitbekamen. »Andrea? Wie sieht es aus? Warum meldest du dich nicht?« Kurze Pause, dann: »Was? Und da gibst du uns nicht Bescheid? Wir verlassen uns darauf, dass alles nach Plan läuft, und du …« Er hörte noch einmal zu, dann fiel er Gilles ins Wort. »Stopp, stopp. Keine Rechtfertigungen. Ist dir eigentlich nicht klar, was auf dem Spiel steht? Du bleibst, wo du bist, und du rufst sofort an, wenn er auftaucht.«

So energisch hatte Jona Martin noch nie erlebt. Musste die Panik sein.

»Wir gehen jetzt ins Haus und durch die innere Kellertür rein, dann sehen wir weiter.«

Schritte entfernten sich. Auch Jona ging wieder zur Innentür und beschwor dabei alle guten Mächte, dass seine Superkleber-Konstruktion halten würde.

Das tat sie.

Die verzweifelten Bemühungen der Männer – wie viele waren es eigentlich? –, den Schlüssel auch nur einen Zentimeter weit ins Schloss zu bekommen, scheiterten.

»Bist du sicher, es ist der richtige?«, fragte der, den Jona für Roginski hielt.

»Natürlich! Ich weiß, dass er es ist, aber … er passt einfach nicht mehr.«

Sie fluchten. Traten gegen das Türblatt. Dann hörte Jona ein leises Klicken und kurz darauf Martins triumphierenden Aufschrei. »Da! Seht ihr? Wenn ich hier dunkel mache, sieht man erst, dass Licht durch den Türspalt fällt. Er ist hier drin. Die miese kleine Kröte ist im Keller.«

Jona lehnte seinen Kopf gegen die kühle Wand. Zu dumm. Daran hätte er denken müssen. Andererseits – ohne Licht würde er sich nicht zurechtfinden und konnte auf nichts reagieren, was passierte. Und immerhin hatten sie keinen Beweis dafür, dass er wirklich hier war. Ebenso gut konnte er längst wieder fort sein.

Heftiges Hämmern gegen die Tür. »Jona?« Es fiel Martin hörbar schwer, seine Wut zu zügeln. »Bist du da drin? Was soll denn der Quatsch?«

Er rührte sich nicht. Atmete kaum.

»Wenn du da drin bist, komm raus. Was suchst du überhaupt da unten?«

Das weißt du genau, dachte Jona. Und ich habe es schon gefunden.

»Los, hör mit den Spielchen auf. Komm heraus und wir reden vernünftig miteinander.«

Beinahe hätte Jona gelacht. Dass Martin dachte, er könnte ihn mit so billigen Tricks fangen, war schon fast beleidigend.

Er hielt an seinem eisernen Schweigen fest und hörte an den Geräuschen in der Diele, dass sich die Anwesenden zur Beratung zurückzogen. Ins Wohnzimmer.

Jetzt zur Hintertür raus. Es wäre der perfekte Zeitpunkt gewesen, hätte Jona mit Sicherheit gewusst, dass niemand mehr hinter dem Haus war. Aber er brauchte Gewissheit …

Der Gedanke war so plötzlich und glasklar da, dass Jona sich fragte, wie dick das Brett vor seinem Kopf bis eben eigentlich gewesen war. Natürlich. Er *konnte* hinter das Haus sehen.

Er griff sich sein Handy und schrieb Pascal eine Textnachricht.

Habe mich im Keller eingeschlossen. Martin ist da, Roginski auch und noch ein paar andere, schätze ich.

Schick Elanus los. Auf Autopilot, mit meinen Daten. Flughöhe: acht Meter. Die Kamera auf höchste Empfindlichkeit und …

In diesem Moment ging im Keller das Licht aus. Das Brummen der Tiefkühltruhe erstarb.

Sie hatten den Strom abgestellt, in der Hoffnung, dass er dann rauskommen würde. Jona fluchte innerlich. Es war stockdunkel, das einzig verbliebene Licht war das am Display seines Handys. Von nun an würde er sich nur noch langsam und sehr vorsichtig durch die Räume tasten können.

… und das Mikrofon ebenfalls, tippte er weiter. Sie haben mir eben das Licht abgedreht. Sitze im Dunkeln. Ist Marlene schon da?

Er drückte auf Senden und kam sich sofort nicht mehr ganz

so alleine vor. Zumindest funktionierte das Netz in diesem dämlichen Keller. Er hatte Verbindung zur Außenwelt.

Wird gemacht, schrieb Pascal umgehend zurück. Marlene ist gerade angekommen und es tut mir leid: Sie wollte das Foto sehen. Ich konnte es ihr nicht ausreden.

Das tröstliche Gefühl verdoppelte sich. Sie waren da, nur wenige Meter entfernt, und sie würden ihn nicht im Stich lassen.

Bisher hatte er direkt an der Innentür gesessen, nun stieg er vorsichtig die Treppen nach unten. Erst als er um die Ecke war, schaltete er die Taschenlampenfunktion seines Handys ein. Damit musste er sparsam umgehen, die Lampe fraß Akkuladung ohne Ende.

Er suchte sich einen Platz in der Gerümpelkammer und setzte sich, den Rücken gegen die Wand gelehnt. Die App, über die er Elanus beim Flug beobachten konnte, hatte er auch auf dem Handy installiert – nur benutzte er sie dort fast nie.

Im Moment zeigte das Display noch nichts außer Schwärze. Klar, Pascal war mit der Handhabung der Drohne nicht vertraut, also dauerte alles ein wenig länger.

Dann baute sich ein Bild auf. Das Haus der Bittners von oben. Elanus setzte sich in Bewegung, flog quer über die Straße und direkt zum Garten der Familie Helmreich, über dem er Position bezog.

Jonas Herz wurde leichter. Es funktionierte, trotz Dunkelheit. Wäre er jetzt an der Steuerung gewesen, hätte er Elanus ein Stück sinken lassen und die Kamera gezielt auf die zwei Gestalten gelenkt, die sich an der Tür zum Keller herumdrückten.

Als hätte er ihn darum gebeten, zoomte Pascal genau in diesem Moment näher heran. Konnte einer der beiden Aron sein?

Theoretisch möglich. Größe und Körperbau stimmten, das Gesicht hatte er leider der Tür zugewandt. Der andere war möglicherweise Tim Zeman. Er trug eine Jacke mit Hoodie und war damit noch schwerer zu identifizieren.

Im Grunde war es auch egal. Sie waren da und sie würden nicht einfach weggehen. Sobald Jona die Tür öffnete, hatten sie ihn, gar keine Frage.

Er ließ die Anwendung im Hintergrund laufen und rief Marlene an. Sie war sofort am Apparat. »Wie geht es dir? Ist alles in Ordnung? Sollen wir etwas tun? Wir könnten rübergehen, unter irgendeinem Vorwand.«

»Nein!« Jona musste aufpassen, dass er nicht zu laut sprach. »Auf keinen Fall, ich weiß nicht, ob sie euch nicht etwas antun würden. Sie sind noch nicht ganz sicher, ob ich wirklich im Keller bin, und sie kommen nicht rein. Die sind verzweifelt.«

»Das kann ich mir vorstellen.« Marlene klang angriffslustig. »Also. Sag. Was sollen wir tun?«

»Behaltet das Haus im Auge, versucht, brauchbare Aufnahmen von den Autos zu bekommen, die ringsherum parken. Und gebt mir Bescheid, wenn sich etwas ändert. Ich kann die Drohnen-App nicht die ganze Zeit über verwenden, sonst ist der Akku in einer halben Stunde leer.«

»Okay. Du hast das Handy leise gestellt?«

»Klar.« Er grinste unwillkürlich. »Ich bin nicht dumm, weißt du?«

Sie lachte und er war ihr unendlich dankbar dafür. Wenn sie lachte, konnte alles nicht so schlimm sein. »Gut, cleverer Jona in der Falle. Wir melden uns.«

»Moment«, sagte er noch, kurz bevor sie auflegte. »Keine Polizei informieren, ja? Ackermann steckt mit drin.«

Sie zögerte ein wenig zu lange für seinen Geschmack, bevor sie zustimmte. »In Ordnung. Keine Polizei.«

Dann war sie fort. Jona schaltete die Drohnen-App aus, das Display erlosch und die Dunkelheit wurde allumfassend. Trotzdem blieb er nicht auf der Treppe sitzen, sondern stieg vorsichtig Stufe um Stufe nach unten. Er hatte sich die Umgebung eingeprägt, keine Wand, kein Hindernis sollte ihn überraschen.

Hier ging es links in den Vorratsraum, wo auch die Tiefkühltruhe stand. Einen kurzen, verrückten Moment lang schauderte Jona bei dem Gedanken, wie es wäre, plötzlich das Geräusch des sich öffnenden Deckels zu hören. Dann ein Rumpeln, eisiges Klirren – und kurz darauf das Gefühl, wie sich eine gefrorene Hand auf seine Schulter legte.

Er wischte sich nervös übers Gesicht. So ein Unsinn. Das würde natürlich nicht passieren; die Angst, die er dabei empfand, mit einem Toten in einem dunklen Keller eingeschlossen zu sein, war völlig irrational.

Vielmehr sollte er sich vor den höchst lebendigen Männern fürchten, die nun wieder begannen, die Tür zu bearbeiten.

»Du musst den Hebel anders ansetzen!«

»Lass mich mal – das kann doch nicht so schwer sein.«

Sie hatten ganz offensichtlich die Schicht Superkleber noch nicht bemerkt. Das war gut, denn je länger sie ihre sinnlosen Versuche fortsetzten, desto mehr Zeit blieb Jona, sich einen Ausweg zu überlegen.

Gut auch, dass die Helmreichs in eine teure Kellertür aus massivem Holz investiert hatten. Sie einfach durchzutreten, würde nicht klappen. Da brauchte man schon härtere Methoden.

Nach geschätzt zehn Minuten gaben sie es wieder auf. »Jona!«

Mit neuer Vehemenz hämmerte Martin gegen die Tür. »Mach auf! Ich verspreche dir, du bekommst keine Schwierigkeiten. Ich werde nicht einmal deine Eltern informieren, aber bitte komm aus dem Keller!«

Wieder schwieg Jona. Hörte in die Stille eine andere Stimme zischen: »Verdammt, uns läuft die Zeit davon. Ich habe eben mit Herbert telefoniert, der tobt! Er sagt, er kann nicht mehr lange warten, er hat schon angefangen und jetzt alles wieder gestoppt, aber das Zeug wird hart.« Der Mann stieß hörbar die Luft aus. »Wenn es heute Nacht nicht klappt, müssen wir wieder eine Woche lang warten, sagt Herbert.«

Es fiel Jona nicht schwer, eins und eins zusammenzuzählen. Herbert war mit ziemlicher Sicherheit Zeman, und das, was hart wurde, war Beton. Sie wollten Schratters Leiche in das Fundament des Technologiezentrums einmauern, wo die Chance, dass jemand ihn entdeckte, gleich null war. Wahrscheinlich würden Spürhunde ihn wittern können, doch dazu musste erst einmal der Verdacht bestehen, dass in den Mauern ein Toter versteckt war.

Jona spürte, wie ihm das Schlucken zunehmend schwerer fiel. Sie konnten ihn nicht leben lassen. Wenn sie auch nur drei Gramm Hirn besaßen, würden sie dieses Risiko nie eingehen.

Er dachte an Kolja auf der Intensivstation. Er war der Baugrube zu nahe gekommen und das hatte jemandem nicht gepasst. Er lag wohl nur deshalb noch im Koma, weil er etwas wusste, das er nicht wissen durfte … allmählich war Jona klar, wofür Beate Lichtenberger so viel Geld zugeschickt bekam. Sie war dafür zuständig, dass Kolja nicht aufwachte. Würde auch sie es sein, die dafür sorgte, dass sein Krankheitsverlauf eine tragische Wendung nahm, falls nötig?

Und – neuer Gedanke – hatte sich ihr Mann das Leben genommen, weil er es nicht ertrug zu wissen, was seine Frau getan hatte?

Nicht sehr wahrscheinlich. Aber auch nicht ausgeschlossen.

Linda hingegen war wach, wenn auch zu Tode verängstigt. Bei ihr mussten sie sich sicher sein, dass sie den Mund halten würde.

Wieder Geräusche an der Innentür. Quietschen, wie Metall auf Metall. Machten sie sich mit einer Zange an den Scharnieren zu schaffen?

Jona ging zwei Schritte aus dem Vorratsraum hinaus und aktivierte währenddessen die Taschenlampen-App.

Eine Sekunde zu spät. Er stieß mit der Hüfte gegen etwas Hartes, das ins Rutschen geriet und mit Getöse zu Boden stürzte. Im nächsten Augenblick zeigte seine Handyleuchte ihm, was es war: eine Kiste mit Farbdosen, zum Teil schon gebraucht. Einer der Deckel hatte sich geöffnet, blauer Lack sickerte heraus.

»Wusste ich es doch!« Martin brüllte seine Wut heraus und drosch mehrmals mit der Faust gegen die Tür. »Du bist da unten! Los, mach jetzt auf, dann bleiben wir auch alle Freunde, okay? Wenn nicht, dann wird es dir leidtun. Klingt abgedroschen, ist aber mein voller Ernst!«

Jona fühlte, wie sich der bekannte Schalter in ihm umlegte. Der Grund dafür war weniger Martins Drohung, sondern vor allem die Frustration über seine eigene Ungeschicklichkeit. Ein unachtsamer Moment im Dunkeln, und seine ganze bisherige Vorsicht war vergebens gewesen.

»Wir bleiben Freunde?«, rief er hinauf. »Wer ist denn *wir*? Du, ich und der Mann aus dem Eis?«

So, spätestens jetzt hatte er sich sein eigenes Grab geschaufelt.

Weniger Arbeit für Erich – obwohl, vielleicht musste der sich gar nicht die Hände schmutzig machen. Im Fundament eines großen Gebäudes war bestimmt Platz für mehr als einen lästigen Toten.

»Wir reden vernünftig, wenn du die Tür aufgemacht hast«, versuchte Martin es noch einmal, sanfter diesmal. »Ich schätze, du hast dich ziemlich erschreckt bei dem Anblick, nicht wahr? Aber ich erkläre dir das alles. Es war ein Unfall.«

Ja, natürlich. Jona grinste, seine Angst war wie weggewischt. Auch das kannte er von sich, in dem Zustand machte er die Dinge üblicherweise schlimmer. Also sollte er jetzt am besten die Klappe halten. Tat es aber wie immer nicht.

»Ach, ein Unfall. Tja, das ist natürlich unangenehm. Ist der Rektor auf der Suche nach Silvias Tomatensoße in die Truhe gefallen und hat sich den Schädel gebrochen? Klar, das leuchtet mir ein. Soll ja immer wieder passieren.«

Keiner antwortete, also setzte Jona noch einen drauf. »Unfälle scheinen in der Gegend sowieso häufig zu sein. Kolja Treplow stürzt in die Baugrube am Campus, kurz danach macht Linda Koren es ihm nach – vielleicht war ja auch Dr. Lichtenbergers Tod ein Unfall. Ist aus Versehen mit dem Hals in eine Schlinge geraten und zack – schon war es vorbei mit ihm.«

Immer noch herrschte Stille auf der anderen Seite der Tür. Dann meldete sich jemand anders. Roginski, diesmal war Jona ziemlich sicher.

»Komm jetzt einfach raus, Junge. Du denkst doch nicht, dass du da drin auf Dauer die Stellung halten kannst? Mach die Tür auf, und wir unterhalten uns wie vernünftige Menschen. Wir finden eine Lösung, mit der wir alle leben können.«

»Tatsächlich?« Jona war aus dem Provokations-Modus immer

noch nicht raus. »Eine Lösung, mit der ich leben kann? Wie lange denn, was schätzen Sie? Eine Stunde oder eher eine halbe?«

Keine Antwort. Jona wartete eine Minute, zwei. Zückte dann sein Handy und öffnete die Drohnen-App. Ja, Elanus flog noch. Mit knapp sieben Prozent Restenergie, er würde in Kürze an die Ladestation müssen. Aber im Moment schickte er gestochen scharfe Bilder von Roginskis Kühlwagen, der immer noch ein Stück weit entfernt parkte, und den beiden Männern, die im Inneren saßen und rauchten. Einer davon war Erich.

Pascal musste mittlerweile ziemlich gut mit dem Flight Controller umgehen können, denn er flog jetzt eine elegante Kurve über einen Garten mit Swimmingpool und gelangte direkt wieder über den Garten der Helmreichs. Wo immer noch die beiden Gestalten den äußeren Kellereingang bewachten. Es war zum Aus-der-Haut-Fahren.

Ansonsten schien sich seit dem letzten Mal nichts geändert zu haben. Niemand hatte mehr versucht, von außen in den Keller zu gelangen, klar, wäre ja auch viel auffälliger gewesen.

Jona war gerade dabei, sein Handy wieder auszuschalten, als ihm eine Idee kam. Sie war so einfach, dass sie eigentlich klappen musste. Ein bisschen Vorarbeit war noch nötig, aber dann …

Die Verwendung der Drohnen-App und der Taschenlampenfunktion hatten dem Ladestand seines Handys nicht gutgetan. Noch knapp fünfzig Prozent, aber okay. Er würde ab jetzt sparsam sein.

Marlene anzurufen, war allerdings unumgänglich, wenn sein Plan funktionieren sollte. Wieder nahm sie unmittelbar nach dem ersten Klingeln ab.

»Jona! Wie geht es dir?«

»Gut, alles in Ordnung. Sie wissen jetzt leider, dass ich hier unten bin, aber das macht nichts. Dafür weiß ich, dass sie Schratter ins Fundament des Technologiezentrums einmauern wollen.«

»Wie bitte?«

»Ja. Grundsätzlich keine schlechte Idee, apropos, ich habe auch eine Idee und ich brauche eure Hilfe. Hat sich das Failsafe-Programm schon eingeschaltet?«

»Vor ungefähr zehn Sekunden. Pascal ist gerade dabei, Elanus am Fenster einzufangen.«

»Gut. Er soll ihn sofort wieder an den Strom hängen. Und dann gib ihn mir bitte ans Telefon.«

Eine knappe Minute lang hörte Jona nichts als Rumoren und gedämpfte Stimmen, dann hatte er Pascal in der Leitung. »Das Teil ist einfach nur unfassbar klasse«, sagte er atemlos. »Ich will auch so eins.«

»Wenn das klappt, worum ich dich gleich bitten werde, dann bau ich dir deine eigene Drohne«, versprach Jona. »Nicht ganz so gut, nicht ganz so teuer, aber deine.«

»Deal«, sagte Pascal. »Und jetzt leg los. Was soll ich tun?«

Jona erklärte es ihm.

36

Er behielt die Drohnen-App im Auge. Checkte alle paar Minuten die Ladung. Fünf Prozent bisher, das war zu wenig. Sie brauchten zehn, noch besser zwanzig, aber Jona wusste nicht, ob ihnen noch so viel Zeit bleiben würde.

Martin und seine Kumpane hatten nämlich eben wieder begonnen, sich an der Innentür des Kellers zu schaffen zu machen. Diesmal klang es, als hätten sie eine Säge.

»Das ist deine letzte Chance, uns die Tür zu öffnen, ohne dass du anschließend eine blutige Nase haben wirst.« Auch Roginski hatte seine vorgetäuschte Freundlichkeit abgelegt. »In ein paar Minuten sind wir hier durch. Sag mal, Martin, hast du keine Axt? Dann ginge es schneller.«

Eine Axt. Die Vorstellung erschreckte Jona mehr, als er gedacht hätte. Ein paar wütende Männer, die sich mit einer Axt durch die Tür hacken würden … dann reichte ein gezielter Hieb und Jona war Geschichte.

»Sie wissen, dass Sie eigentlich schon verloren haben, oder?«, rief er nach oben.

Sie hielten kurz in ihrer Arbeit inne. »Lass das, Junge«, blaffte Roginski. »Schließ auf oder halt die Klappe.«

»Na ja. Es ist bloß so – ich kann von hier unten ziemlich genau beobachten, was Sie so tun. Wussten Sie übrigens, dass Erich in Ihrem Kühlwagen raucht? Haben Sie ihm das erlaubt?«

Er konnte die Schrecksekunde, die die Männer durchlebten, förmlich spüren.

»Scheiße«, hörte er Roginski brüllen. »Ich wusste, wir müssen diese verdammte Drohne loswerden, bevor wir hier an die Arbeit gehen. Aber dazu warst du ja zu unfähig, Martin.«

Perfekt. »Ich bin schon sehr gespannt, wie Sie die Leiche aus dem Haus kriegen, ohne dass es davon auch so richtig hübsche Bilder gibt.«

Immer noch keine zehn Prozent. Jona biss sich auf die Lippen. Es war zu riskant, jetzt schon loszulegen. Er musste noch ein paar Minuten Zeit rausschinden, irgendwie.

»Wir haben Ackermann«, hörte er Martin leise sagen. »Der biegt das für uns hin. Muss er ja.«

»Und wie soll er das machen, wenn die Drohne im Anschluss von irgendjemandem gefunden wird? Wenn sie filmt und diese Filme in die falschen Hände geraten …«

»Da ist was dran«, mischte Jona sich in das Gespräch ein, in ausgesprochen fröhlichem Ton. »Im Moment macht sie zum Beispiel echt tolle Aufnahmen von den beiden traurigen Figuren an der Hintertür. Hey, der eine von ihnen ist Aron, nicht wahr?«

Wieder fluchte Roginski. Setzte sich aber nicht in Bewegung, wie Jona gehofft hatte. Okay, dann musste er noch mal zur anderen Tür.

Er stellte sich auf die oberste Stufe und klopfte gegen das Metall. »Hey, Aron. Verschlägt es dich wieder mal in die Gegend, hm? Schön, dich zu sehen!«

Kaum fünf Sekunden später schlug auch von außen jemand gegen die Tür. »Hey, Arschloch. Ich freue mich schon sehr darauf, dich in die Finger zu bekommen.«

»Das kann ich mir vorstellen. Du hast auch wieder diesen dümmlichen Schläger-Gesichtsausdruck drauf.«

»Kannst du doch überhaupt nicht sehen.«

Gleich hatte er ihn. »Klar kann ich. Warum setzt du dir eigentlich keine Kapuze auf, so wie dein Kumpel?«

Nun fiel der Groschen. »Er hat seine Scheißdrohne hier irgendwo rumfliegen. Siehst du sie?«

Ein Blick aufs Handy. Dreizehn Prozent. Sie mussten es jetzt riskieren.

Jona entfernte sich ein Stück von der Tür und rief Pascal an. »Leg jetzt los. Und mach es genau so, wie wir es besprochen haben. Handsteuerung an, Failsafe deaktivieren. Und pass mir ja gut auf den Kleinen auf.«

»Und du auf dich.«

»Worauf du dich verlassen kannst.« Er beendete das Gespräch und zählte bis zwanzig, dann schaltete er die Drohnen-App ein.

Perfektes Timing. Elanus flog eben nach draußen, richtete sich sofort aus und steuerte auf das Haus der Helmreichs zu. Pascal hatte die Höhe im Griff, er flog direkt auf den Garten zu. Blieb über Aron und Tim – wenn er es denn war – stehen. Dann begann er langsam zu sinken.

»Ich sehe euch«, rief Jona durch die Tür. »Gestochen scharf, jeden einzelnen Pickel. Das gibt coole Fahndungsfotos. Obwohl – viel zu fahnden wird's da nicht geben, oder?«

Nun blickten sie beide hoch, direkt in Elanus' Kamera. Er schwebte auf knapp über drei Meter Höhe, zum Greifen nah.

»Da ist das Ding!« Der Kerl neben Aron war tatsächlich Tim Zeman. Er griff nach einem der Steine, die Silvias Rosenbeet begrenzten, und warf.

Pascal war mit einem eleganten Schwenker ausgewichen und

brachte Elanus jetzt wieder auf Position. Die Kamera übertrug nun Bilder von Aron, wie er ein an den Zaun gelehntes Holzbrett nahm und versuchte, Elanus damit zu treffen, doch der zog sich zurück, nicht weit, nur ein paar Meter.

»Versuch es noch einmal mit einem Stein!«, rief Aron gedämpft, während Pascal die Drohne um die Ecke in Richtung Straße steuerte.

Tim und Aron folgten ihr, auch als sie schneller wurde, und während die beiden die Straße überquerten, drehte Jona den Schlüssel im Schloss.

Ein Blick auf sein Handy, sie liefen jetzt auf den Park zu. Das würde nicht lange dauern, in spätestens einer Minute würde Aron die Aussichtslosigkeit seiner Bemühungen erkennen, kehrtmachen und seinen Wachposten wieder beziehen – bis dahin musste Jona fort sein.

Er zog den Schlüssel ab, warf die Tür zu und versperrte sie von außen, dann floh er. Kletterte über den Zaun zum Nachbargrundstück und über einen weiteren Zaun auf eine der Nebenstraßen. Dort rannte er, wie er noch nie gerannt war. Keinesfalls würde er bei Pascal Schutz suchen; ihn und Marlene ins Blickfeld seiner Verfolger zu rücken, war das Letzte, was er wollte.

Nicht lange, und er erreichte eine Reihenhaussiedlung, hinter der ein Spazierweg begann. Und ein Stück Wald. Dort lief er hinein, sank auf den feuchten Boden und versuchte, wieder zu Atem zu kommen.

Ich hab's geschafft, simste er an Marlene.

Glückwunsch, schrieb sie zurück. Und Kuss.

Vielleicht war es dieses *und Kuss*, das ihn tun ließ, was er schließlich tat.

37

Er hatte Fotos von Schratters Leiche. Es gab Aufnahmen, die Aron und Tim zeigten. Beweise dafür, dass Martin, Roginski, Zeman und Ackermann mit dem Tod des Rektors zu tun hatten, gab es allerdings nicht.

Das musste sich ändern lassen.

Jona warf einen Blick auf seine Uhr, es war fast elf. Bis wann die Busse fuhren, wusste er nicht, aber von da, wo er sich jetzt befand, würde er in zwanzig Minuten am Campus sein. Wenn er sich beeilte.

Jona begann zu laufen.

An dem gelben Band, das er sich um den Hals gelegt hatte, baumelte der Schlüssel zur äußeren Kellertür – Martin, Roginski und Co würden es also nicht ganz leicht haben, zu Schratter zu gelangen. Vermutlich gingen sie auch davon aus, dass Jona noch im Keller war. Die Vorstellung, wie sie vor der Tür standen und ins Nichts redeten, schrien und drohten, brachte ihn zum Kichern. Das alles war besser gelaufen, als er je zu träumen gewagt hatte. Nun würde er der Sache ihren perfekten Abschluss geben.

Trotz seiner Euphorie blieb er vorsichtig. Mied auf seinem Weg die allzu gut beleuchteten Hauptstraßen – jetzt aus Nachlässigkeit plötzlich in die Scheinwerferkegel von Roginskis Kühlwagen zu geraten, wäre wirklich bescheuert gewesen.

Als er etwa die Hälfte des Weges hinter sich hatte, vibrierte sein Handy. Nachricht von Marlene.

Wo steckst du? Kommst du zu uns? Oder brauchst du Hilfe?

Er schrieb ihr zurück, ohne sein Tempo zu reduzieren.

Alles in Ordnung, ich möchte nur noch ein paar Dinge erledigen. Der Vollständigkeit halber.

Es dauerte nur wenige Sekunden, da kam bereits ihre Antwort.

Du bist aber nicht auf dem Weg zum Campus, oder? Wenn doch: Lass das! Es ist nicht gut, sein Glück zu sehr zu strapazieren.

Die Gewissheit, dass sie sich Sorgen um ihn machte, beflügelte ihn.

Ich gehe kein Risiko ein. Bis später!

Diesmal dauerte es länger, bis sie zurückschrieb.

Einmal pro Tag jemand anderen klüger sein lassen. Und zwar jetzt. Bitte.

Jona steckte sein Handy zurück in die Hosentasche. Seine Begeisterung hatte Risse bekommen, er fand es nicht schön, Marlene ihre Bitte abschlagen zu müssen, aber er konnte seinen Plan nicht einfach abblasen. Sie hatten ihn viel zu lange verarscht, Gilles, Martin, Roginski … wie sie alle hießen. Nun war er an der Reihe.

Der Campus lag völlig ruhig da, als er ihn durch einen Nebeneingang betrat. Kurz hatte er sich Sorgen gemacht, dass die Tore bei Nacht abgesperrt sein könnten, doch das war natürlich Unsinn. Die Studierenden konnten ja nicht vor verschlossenen Türen stehen, wenn sie den Abend außerhalb verbracht hatten und es spät wurde.

Er versuchte, nur auf Gras zu laufen und die Kieswege zu vermeiden. Zwar drang aus dem einen oder anderen Wohnheim noch Musik und Gelächter, aber das würde das Geräusch knirschender Schritte nicht übertönen.

Die Baustelle lag noch weit entfernt, abgelegen von allen anderen Gebäuden, von seiner Position aus konnte Jona sie nicht sehen. Dafür aber das Verwaltungsgebäude. Er wusste genau, welche Fenster die des Rektorats waren. Dahinter brannte Licht. Mittlerweile musste Gilles allerdings wissen, dass er nicht mehr kommen würde.

Warum war sie dann immer noch hier?

Der Reiz war groß, bei ihr ins Büro reinzuplatzen und etwas zu rufen wie »Sorry für die Verspätung, aber ich hatte ja diesen Termin mit Ihrem Chef. Ziemlich cooler Typ, nicht?«.

Das würde er aber ganz sicher nicht tun. Er würde zuschlagen, aber leise und unbemerkt. Nicht seine Art, normalerweise, doch manchmal musste man eben gegen den eigenen Typ handeln.

Immer noch empfand er etwas von dem Gefühl der Unverwundbarkeit, das ihn knapp nach seiner gelungenen Flucht erfüllt hatte, und er schärfte sich selbst ein, dass er sich darauf nicht verlassen durfte.

Kein unnötiges Risiko. Keine coolen Aktionen, nur des Effekts wegen. Dafür war die Sache zu ernst.

Der Ladestand seines Handys betrug immerhin noch knapp dreißig Prozent. Neue Nachrichten waren nicht mehr gekommen.

Jona pirschte sich weiter vorwärts, mied dabei die Lichtkegel der Laternen, die die Wege erhellten. Allmählich kam die Baustelle in Sicht, die riesigen Schemen des Krans zeichneten sich undeutlich gegen den Nachthimmel ab. Jona meinte außerdem, etwas aus dieser Richtung zu hören … ein mahlendes Geräusch. Nicht sehr laut, dafür aber stetig.

Beleuchtet war dort nichts. Nur ein winziges Licht strahlte hinter einem der Container hervor, auf die Entfernung kaum auszumachen.

Jona beschloss, einen Umweg zu gehen, einen Bogen, hinter dem Institut für Theoretische Physik vorbei. Von dort waren es nur knapp hundert Meter bis zum ersten Begrenzungszaun. Wenn er leise war, würde niemand seine Anwesenheit bemerken, denn dort war es stockdunkel.

Er packte sein Handy so fest, als wäre es ein Glücksbringer, und machte sich auf den Weg.

Den Bauzaun erreichte er schneller und problemloser, als er selbst es erwartet hatte. Allerdings war es in der Finsternis schwierig, einen Spalt zum Durchschlüpfen zu finden. Er tastete sich an den Drahtmaschen entlang, immer weiter auf den Container zu, an dem das Licht brannte.

Von dort hörte er nun auch eine Stimme. Gedämpfter, als er sie kannte, aber immer noch merklich aufgebracht. Zeman.

»… diese Idioten so lange brauchen. Das hätte zack-zack gehen sollen! Ohne stundenlange Warterei, wir ziehen hier noch die Aufmerksamkeit der Besoffenen auf uns, die dann bald von ihren Partys kommen.«

Jona schlich zwei Schritte näher heran. Ja, jetzt sah er Zeman auch, so wie er sich an ihn erinnerte. An den wütenden Baumeister, den er durchs Fenster gefilmt hatte.

Die Kamera des Handys war mit der von Elanus leider nicht zu vergleichen. Alles, was Jona einfangen konnte, war eine verschwommene Leuchte im Dunkeln und daneben etwas, das bestenfalls wie der unscharfe Schatten eines Menschen aussah.

Er zoomte an Zemans Gesicht heran, das immerhin schwachen Lichtschein abbekam, doch mehr als ein undefinierbarer graurosa Fleck war auf dem Display nicht zu erkennen.

Also näher ran. Mit angehaltenem Atem bewegte Jona sich vorwärts, Zentimeter für Zentimeter. Ertastete plötzlich eine Lücke im Bauzaun – zwei Elemente waren gewissermaßen auseinandergerutscht und schlossen nicht mehr dicht aneinander an. Stattdessen bildeten sie etwas wie ein großes X, durch dessen untere Öffnung Jona kriechen konnte.

Wenn er sich traute.

Er war immer noch ein ziemliches Stück von Zeman entfernt, aber sobald er sich ins Innere des Bauzauns begab, war eine Flucht fast unmöglich. Denn dann musste er wieder durch diese Lücke kriechen und sie würden ihn unweigerlich erwischen. Ihn an den Beinen zurück in die abgesperrte Zone zerren.

Er zögerte, wusste aber eigentlich schon, wie er sich entscheiden würde, als er in die Knie ging und die Ausmaße der Öffnung prüfte.

Ja, die war groß genug. Er würde nirgendwo anstoßen, den Zaun nicht klirren lassen.

Sein Handy steckte er in die hintere Jeanstasche, dann ging er auf alle viere. Kroch durch die weiche Erde auf einen Stapel Paletten zu, die einen perfekten Sichtschutz abgaben.

Nun war er näher am Baumeister dran. Der eben knapp an die Grube herangetreten war und hinunterblickte. Den Kopf schüttelte.

Das mahlende Geräusch, das Jona vorhin gehört und das zwischendurch wieder aufgehört hatte, setzte nun erneut ein. Diesmal begriff er auch, was es war: ein kleiner Lkw mit einer ebenfalls kleinen Betonmischanlage auf der Ladefläche. Kein

Wunder, dass Zeman allmählich die Nerven verlor – über Stunden hinweg den Beton flüssig zu halten und dabei fürchten zu müssen, dass das jemandem auffiel, hätte jedem Stress gemacht.

Noch ein Stück näher. Jona stellte sicher, dass er alle Töne seines Handys ausgeschaltet hatte, und schoss ein Bild von dem Betonmischer. Dann eines von Zeman, allerdings von hinten und wieder zum Verzweifeln undeutlich.

Während er noch auf sein Display schaute und gleichzeitig versuchte, mit einer Hand jeden Lichtschein abzuschirmen, der davon ausgehen konnte, ließ ein neues Geräusch ihn aufschrecken. Ein Dieselmotor, der immer lauter wurde. Völlig klar, was das bedeutete.

Jona hätte alles denkbar Mögliche dafür gegeben, jetzt Elanus einsatzbereit bei sich zu haben. In sicherer Entfernung abzuwarten und die Drohne per Flight Controller überall dahin zu steuern, wo etwas Interessantes passieren würde.

Zur Ladeklappe des Kühlwagens zum Beispiel, wo nun zwei Männer hantierten. Zu weit entfernt für sein Handy. Jona versuchte, auf die Gesichter der beiden zu zoomen, doch ihm war völlig klar, dass er keine Chance auf ein erkennbares Bild hatte. Unterschiedliche Abstufungen von Dunkelheit waren alles, was er erhielt.

Aber er glaubte, Martins Stimme zu erkennen. »Der kleine Widerling ist uns entwischt.«

»Was?« Zemans Ausbruch war immerhin mehr als deutlich zu verstehen. Jona entschloss sich, auf Fotos zu verzichten und stattdessen die Tonaufnahme zu starten.

»Seid ihr denn irre? Wie konnte euch das passieren, ihr Vollidioten!«

Was Martin darauf erwiderte, hörte Jona nicht, aber es musste etwas mit Polizei zu tun haben, denn Zeman machte ihm laut und deutlich klar, dass Ackermann zwar Schadensbegrenzung betreiben, aber trotzdem keine Wunder vollbringen konnte.

»Sicher hilft er uns, aber wenn die kleine Ratte überall rumläuft und erzählt, dass er Schratter tot und tiefgefroren in eurem Keller gesehen hat, werden alle hellhörig werden. Und dann kann auch Ackermann nichts mehr tun!«

Bingo. Das war doch mal ein schönes Zitat, das später jeden Richter freuen würde.

»Wozu überhaupt der Kühlwagen?«, polterte Zeman weiter. »Dachtet ihr, auf den paar Kilometern zwischen eurem Haus und dem Campus taut Schratter auf und geht sofort in Verwesung über? Benutzt ihr euer Hirn auch manchmal zum Denken?«

Dass der Baumeister sich so offen gab, ließ Jona allmählich stutzen. Okay, bis zu den Wohneinheiten konnte niemand ihn hören, aber wenn jemand zufällig in der Nähe spazieren ging und ohne böse Absicht in die Nähe der Baustelle gelangte …

Wahrscheinlich hielt jemand Wache. Passte auf, dass niemand sich unbemerkt näherte. Hätte Jona nicht den Umweg über die Theoretische Physik genommen, wäre er wohl entdeckt worden. Es wussten tatsächlich viele Menschen von dem Komplott rund um den Rektor und bisher hatten sie alle dichtgehalten. Vermutlich, weil sie alle von Schratters Tod profitierten. Das Kuvert mit dem Geld in Lichtenbergers Briefkasten fiel Jona wieder ein.

Die Laderampe des Kühlwagens senkte sich langsam und die allgemeine Aufmerksamkeit richtete sich auf das, was dort lag. Niemand sah in Jonas Richtung, er konnte es also riskieren, für ein paar Sekunden seine Deckung hinter den Paletten zu verlassen und weiter nach vorne zu laufen. Bis zu einem Bagger, der nur noch etwa dreißig Meter vom Ort des Geschehens entfernt war.

Jona ging in die Hocke und spähte zwischen den Baggerketten und der zur Hälfte angehobenen Schaufel hindurch.

Sie hatten Schratter in eine Art Plane gewickelt, was schwierig gewesen sein musste, da sein Körper immer noch gefroren war und die gleiche Haltung einnahm, die ihm die Form der Tiefkühltruhe aufgezwungen hatte. Man sah, wo Kopf, Ellenbogen und Knie das dunkelgrüne Plastik spannten.

»War eine schauderhafte Arbeit, ihn aus dem Kühler zu kriegen«, ächzte Roginski, zu Zeman gewandt. »An allen Seiten festgefroren. Wäre Helmreich einigermaßen clever gewesen, hätte er ein paar Stunden vorher damit begonnen, die Truhe abzutauen.«

Martin fuhr herum. Bisher hatte er mit verbissenem Gesicht neben Schratters Leiche auf der Ladefläche gestanden, jetzt sprang er hinunter und versetzte Roginski einen Stoß gegen die Brust.

»Du«, zischte er. »Hast du auch nur die geringste Ahnung, wie weit ich mit den Nerven runter bin? Ich funktioniere überhaupt nur noch auf Beruhigungstabletten, also halt ja den Mund, du … Koch. Dreieinhalb Wochen lang habe ich einen Toten in meinem Haus beherbergt, während du bloß dumm rumgequatscht und die erste Abholung vermasselt hast.«

Dreieinhalb Wochen! Jona musste nicht nachrechnen. Er war fast gleichzeitig mit Schratter bei den Helmreichs eingezogen. Hatte Silvia ihn deshalb zu spät am Bahnhof abgeholt? Weil sie zuerst noch damit beschäftigt war, ihren anderen »Gast« zu versorgen?

Roginski war nicht der Typ, der sich anfassen ließ, ohne sich zu revanchieren. Er packte Martin an den Schultern und stieß ihn zurück zum Kühlwagen, wo er gegen die Ladeplattform stieß und rücklings daraufstürzte, direkt neben den toten Schratter.

Leise lief all das nicht ab. Jona begann bereits, darauf zu hoffen, dass jemand aufmerksam werden würde, jemand, der nicht mit den Tätern unter einer Decke steckte, doch selbst wenn: Im besten Fall würde derjenige die Polizei rufen. Die ihn auf Ackermanns Geheiß hin abwimmeln würde.

Allerdings sorgte Zeman bereits für Ruhe, er packte Roginski am Kragen. Was er zu ihm sagte, verstand Jona nicht, denn ganz gegen seine sonstige Gewohnheit dämpfte der Baumeister diesmal seine Stimme. Aber es war eine Warnung gewesen, dessen war Jona sicher.

Gemeinsam gruppierten sie sich nun um die Leiche. Erich war auch aus dem Fahrerhaus gestiegen und griff nach dem Kopf des Toten. Roginski packte die angewinkelten Beine und Martin stützte die Mitte. Mit vereinten Kräften und wenigen Schritten trugen sie den Rektor in seiner Plane bis zum Rand der Baugrube.

Jona kroch zum hinteren Ende des Baggers, von dort aus konnte er ebenfalls nach unten blicken. Er sah nicht viel, bis Zeman eine Taschenlampe hervorzog und in den Teil der Grube hineinleuchtete, der vor ihm lag.

Die Erde war dort noch ein Stück tiefer ausgehoben worden, in einem Quadrat von etwa zwei mal zwei Metern. Jona konnte sehen, dass es an der Stelle feucht schimmerte – die erste Schicht Beton, vermutete er. In die Schratter hineingelegt und wo er mit einer zweiten bedeckt werden sollte.

»Macht die Plane weg«, befahl Zemann, »ich will so wenige Lufteinschlüsse wie möglich.«

Martin und Roginski zögerten, also trat Erich heran und riss mit ein paar wenigen, energischen Bewegungen die Plastikumhüllung von dem toten Körper.

Schratter hier so liegen zu sehen, in dieser unnatürlich verkrümmten Haltung, die erst ein Auftauen beenden würde, verursachte Jona beinahe Übelkeit. Er wandte den Blick ab und senkte ihn stattdessen auf sein Smartphone. Noch zwölf Prozent, das war verdammt wenig.

Zeman leuchtete mit seiner Taschenlampe nun direkt auf die Leiche – eine Gelegenheit, die Jona sich nicht entgehen lassen durfte. Er schoss drei Fotos, die alle verhältnismäßig gut waren. Man erkannte Gesichter. Man konnte auf einem der Container Zemans Firmenlogo sehen. Und natürlich auch den Toten, der …

Sein Handy vibrierte, und Jona gelang es nur knapp, einen Schreckensschrei zu unterdrücken. Was ihm leider nicht mehr gelang, war, ein Zusammenzucken zu verhindern, bei dem ihm das Gerät aus den Händen glitt. Sein Versuch, es wieder zu fangen, bevor es zu Boden fiel, machte nichts besser, im Gegenteil. Mit einer hektischen Bewegung seiner linken Hand versetzte er dem Smartphone noch in der Luft einen Stoß, der es auf die Baugrube zuschleuderte, wo es in der Dunkelheit verschwand.

Keiner von den Männern hatte das gesehen, Jona stand im Dunkeln und weit genug entfernt. Allerdings hörten sie alle, wie das Telefon mit einem lauten, metallischen Geräusch unten aufschlug.

Sämtliche Köpfe fuhren herum, und Jona war klar, dass er

diese Schrecksekunde nutzen musste. Sie würden nachsehen kommen, was den Krach ausgelöst hatte. Oder wer.

Er überließ das Handy schweren Herzens seinem Schicksal und lief gebückt auf die Lücke im Zaun zu, so schnell er irgendwie konnte.

Ja, jetzt würden sie seine Schritte hören, es würde keinen Zweifel mehr geben, dass da jemand war, und vermutlich würde er es nicht bis durch den Zaun schaffen … und dann?

Er wollte nicht daran denken. Konzentrierte sich darauf, in der Finsternis die richtige Stelle zu finden, warf sich dort auf den Boden, kroch durch – und war draußen.

Hinter sich hörte er, wie jemand Befehle rief, doch er verstand die Worte nicht, er konnte kaum glauben, dass er wirklich draußen war, es wirklich geschafft hatte.

Hastig richtete er sich wieder auf und begann zu rennen, am besten war es, den Weg gleich links zu nehmen. Vier-, vielleicht fünfhundert Meter, dann kam ein Ausgang, das war der nächste, den Jona von seiner Position aus erreichen konnte, alle anderen lagen …

Jemand warf sich mit Wucht von hinten gegen ihn, brachte ihn ins Straucheln und zu Fall. Ob es Absicht war oder Schwung, sein Angreifer fiel über ihn und presste ihn mit seinem ganzen Körpergewicht zu Boden.

Vergeblich rang Jona nach Luft. Hörte sich selbst wimmern, fühlte, wie verzweifelt sein Brustkorb sich dehnte, ohne dass es ihm gelang, Sauerstoff in seine Lungen zu saugen.

Als der Mann sich endlich von ihm rollte, hatte Jona keine Chance, aufzuspringen und davonzulaufen. Alles, was er tun konnte, war atmen, gierig wie ein Ertrinkender, dem es doch noch gelungen war, mit dem Kopf die Wasseroberfläche zu durchstoßen. Nur wie durch einen Schleier erkannte er, dass es Erich gewesen war, der ihn gefangen hatte.

Er wehrte sich kaum, als der Hausmeister ihm einen Arm auf den Rücken drehte und ihn in Richtung Kühlwagen schob. Sie krochen nicht durch den Zaun, natürlich nicht, sondern gingen durch einen der normalen Baustelleneingänge.

Zeman stand mit verschränkten Armen da, Roginski neben ihm. Martin hatte sich abgewandt.

»Das ist mir jetzt wirklich unangenehm«, sagte der Baumeister, als hätte er einem Geschäftspartner eine schlechte Nachricht zu überbringen. »Aber du verstehst natürlich, dass du ein Problem geworden bist, das wir beseitigen müssen?«

Jona wand sich in Erichs Griff. »Dafür ist es zu spät. Glauben Sie mir. Das Problem wird es weiter geben, ob Sie mich jetzt umbringen oder nicht. Aber dann haben Sie einen Toten mehr am Hals.« *Auf dem Gewissen*, hatte ihm auf der Zunge gelegen, aber das würde Zemann vermutlich mehr belustigen als beeindrucken.

»Erklär mir das. Ich gebe dir fünf Minuten.«

Jona überlegte blitzschnell. Statt etwas zu sagen, richtete er seinen Blick zum Himmel, als hoffte er, dort etwas zu sehen.

Zeman begriff sofort. Er trat auf Jona zu und packte ihn am Kinn. »Du hast die Drohne hier? Dann lande sie mal. Ganz schnell.«

»Sie ist auf Autopilot programmiert.«

Zemans Finger gruben sich fester in Jonas Gesicht. »Das kannst du aber ganz sicher ändern, nicht wahr? Oder gibt es jemand anders, der das Ding gerade überwacht?«

Wieder versuchte Jona, aus Erichs Umklammerung zu entkommen, doch das war reine Kraftverschwendung. Der Hausmeister hielt ihn so mühelos fest, als wäre er ein junges Kätzchen.

»Ich habe noch keine Antwort bekommen.« Zeman nickte Erich zu, woraufhin der Jonas Arm wieder auf den Rücken drehte, fester als beim letzten Mal.

»Wenn ich zu schreien beginne, wird das jemand hören«, presste er zwischen zusammengebissenen Zähnen hervor.

»Sehr nett von dir, dass du mitdenkst.« Der Baumeister drehte sich zu Martin um, der die Szene sichtlich gequält beobachtete.

»Egal, was gleich passiert, wir brauchen anschließend diese Drohne. Ich glaube ja, dass er blufft, aber wir müssen sichergehen.«

Martin nickte, zitterte. »Hör zu, wir können Jona nicht einfach … ich meine, er ist noch ein Kind. Ich kann doch nie wieder in den Spiegel sehen, wenn …«

Zeman schnitt ihm mit einer genervten Geste das Wort ab. »Du wirst anschließend diese Drohne auftreiben. Und überhaupt alles technische Zeug, das er besitzt. Wenn wir das haben, sollten wir auf der sicheren Seite sein.« Zeman gab dem Fahrer des Beton-Lkw einen Wink. »Das Gute ist ja«, fuhr er fort, »dass Jona schon ein paarmal durch Mangel an Disziplin und Benehmen aufgefallen ist, und Jugendliche verschwinden immer mal wieder spurlos. Finden wird ihn jedenfalls keiner.«

Die Erkenntnis, was Zeman gleich tun wollte, weckte in Jona neue Kräfte. Er ließ sich zu Boden fallen, trat nach Erich, schrie nach Hilfe, doch seine Stimme wurde vom Motor des Lkw übertönt.

Ja, wahrscheinlich würden in Kürze Leute auftauchen, die sich fragten, warum auf der Baustelle nachts gearbeitet wurde.

Oder auch nicht. So etwas gab es ja immer wieder, und die Studenten, die hier wohnten, würde das bisschen Lärm in so weiter Entfernung nicht irritieren.

Während er sich mit erlahmenden Kräften gegen Erich zur Wehr setzte, hoben die anderen drei Männer die Leiche des Rektors hoch und trugen sie zum Rand der Grube.

»Einfach werfen?«, fragte Martin mit tonloser Stimme.

»Fürs Erste ja«, gab Zeman zurück. »Es spielt ja keine Rolle und ihm tut es nicht mehr weh. Wenn wir die Stelle verfehlen, klettert einer hinunter und korrigiert das.«

Doch sie trafen. Jona war überzeugt davon, er würde das Bild nie wieder aus dem Kopf bekommen. Die verkrümmte Leiche, starr, als wäre sie aus Stein, wie sie drei, vier Meter nach unten stürzte, auf den allmählich fester werdenden Beton. Wie sie langsam versank, nicht ganz, nur zur Hälfte.

Der Anblick würde ihn sein Leben lang verfolgen. Auch wenn alles darauf hindeutete, als würde es damit in ein paar Minuten ohnehin vorbei sein. Er musste etwas tun, etwas sagen …

»Ich habe ein Foto von Schratter geschossen«, spuckte Jona hervor, nachdem Erich ihn trotz aller Gegenwehr wieder auf die Beine gezerrt hatte. »Man sieht die Tiefkühltruhe, man sieht ein bisschen von Martins Keller, man sieht Schratters Gesicht und vor allem kann man die Kopfwunde gut erkennen.« Zeman gab Erich einen Wink. »Such sein Handy.«

»Habe ich nicht hier.« Jona gab sich alle Mühe, sich seine Panik nicht anmerken zu lassen. Triumph, Arroganz, das war das Einzige, was sein Gegenüber vielleicht genug verunsichern würde, um noch einmal zu überlegen, wie klug es war, sich vor Gericht vielleicht für einen zweiten Toten verantworten zu müssen.

Erich klopfte ihn ab, suchte in Hosen- und Jackentaschen.

»Ich sage doch, ich habe das Telefon nicht hier«, erklärte Jona.

»Aber das Foto habe ich tatsächlich geschossen. Und ich habe es veröffentlicht.«

»Wie, veröffentlicht?« Zemans Augen waren nur noch enge Schlitze.

»Auf Facebook.« Er hätte sich dafür ohrfeigen können, dass er nicht tatsächlich daran gedacht hatte, als noch Zeit gewesen war. »Ich habe das Foto online gestellt und ein paar erklärende Worte dazugeschrieben. Egal, was ihr tut, das haben in der letzten Stunde sicher schon fünfhundert Leute gesehen, eher mehr.«

Sein und Zemans Blick kreuzten sich. Er wusste, er durfte jetzt nicht ängstlich wirken, nicht unsicher, dann würde der Baumeister seine Lüge vermutlich durchschauen. Im Hintergrund war Martin bereits in sich zusammengesunken, doch Zeman war aus einem anderen Holz geschnitzt.

Ein Wink und Jonas Arme waren frei, fühlten sich aber so taub an, dass er sie kaum bewegen konnte.

Im nächsten Moment traf ihn Zemans Faust so hart im Gesicht, dass er zu Boden ging. »Du dummes, kleines Arschloch.« Nun war seine Stimme ganz leise, fast ruhig. »Wenn du denkst, dass dich das rettet, dann irrst du dich gewaltig.« Er zerrte ihn wieder hoch.

»Du willst, dass wir auffliegen? Kann sein, dass du das geschafft hast. Aber ich schwöre dir eines: Du wirst nicht mehr da sein, um das Schauspiel zu genießen.«

Mit einer Kraft, die Jona ihm nicht zugetraut hätte, und einem Schwung, den die Wut ihm verleihen musste, packte Zeman ihn und schleuderte ihn über die Kante. Er stürzte rücklings ab, versuchte, sich im Fall zu drehen, seinen Kopf zu schützen. Der Aufprall kam plötzlich und unerwartet hart, er presste alle Luft aus Jonas Lungen. Benommen stellte er fest, dass er in einer zähen, klebrigen Masse gelandet war, die nun unter ihm nachzugeben begann. Sich an ihm festsaugte wie Treibsand.

Er hatte sich bei seinem Sturz nicht verletzt, zumindest fühlte er keine Schmerzen, nur allumfassende Angst. Der Versuch, seinen Kopf zu heben, scheiterte, die rechte Hälfte klebte im Beton fest und er konnte sich nicht mit dem Arm abstützen, ohne sofort tiefer zu versinken.

Direkt vor seinen Augen schwebte Schratters linke Hand in der Luft und verströmte Kälte, der Anblick verdoppelte Jonas Panik. Er kämpfte mit aller Kraft, um wenigstens Teile seines Körpers frei zu bekommen, schaffte es schließlich, ein Bein zu bewegen. Es zu heben, zumindest ein Stück.

Im nächsten Moment klatschte etwas Schweres, Warmes auf ihn nieder. Bedeckte Beine, Bauch, den rechten Arm, kroch über seine Brust, auf seinen Hals zu.

Das Loch wurde zugeschüttet.

Jona hörte zu kämpfen auf. Er war zu klug, um nicht zu wissen, dass es jetzt vorbei war. Seine Augen richteten sich zum Himmel, wo die Dunkelheit blau flackerte, er fühlte, wie der Beton sein Kinn erreichte, gleich würde er sein Gesicht bedecken und dann war es nur noch eine Frage von Minuten …

Dann war sein angeblich genialer Geist ausgelöscht. Das und alles andere. Seine Träume, seine Wünsche, alles was er empfand. Für seine Eltern, seine Freunde. Marlene.

Jetzt. Er presste die Lippen fest aufeinander, ebenso die Lider. Es würde hässlich sein, aber es würde schnell gehen.

Unwillkürlich holte er tief Atem, obwohl er sich geschworen hatte, es nicht zu tun, nichts unnötig hinauszuzögern.

Die breiige Masse bedeckte jetzt alles, er hörte sein Herz rasend schnell pochen, hielt die Luft an, versuchte dann doch noch einmal, sich zu befreien, als sie knapp wurde –

Dann riss etwas an ihm, mit viel mehr Kraft, als er selbst aufbringen konnte. Jemand zog an seinen Schultern, etwas drückte von hinten gegen seinen Rücken, brachte ihn in eine aufrechte Position.

Wischen über sein Gesicht, über seinen Mund, den er nun aufriss, um zu atmen, und es klappte. Luft, da war Luft.

Wieder Wischen, diesmal über seine Augen.

Das alles passierte in vollkommener Stille. Er hörte weder Stimmen rund um sich noch den Motor des Lkw – nichts bis auf sein sich überschlagendes Herz, das der Beweis dafür war, dass er lebte, immer noch lebte.

Hatten die Männer es sich anders überlegt? War Zeman zur Besinnung gekommen oder hatte Martins Gewissen die Überhand gewonnen?

Die Augen zu öffnen, klappte nicht, und irgendwo in Jonas Kopf stellte sich eine Erinnerung ein, dass Zementmischungen nicht ins Auge geraten sollten, nicht einmal kleine Spritzer …

Er kniff die Lider noch fester zusammen, dankbar dafür, dass die Masse zu dickflüssig war, um durchdringen zu können.

Dann wurde ihm ein Gurt unterhalb der Achseln angelegt. Jemand schob ihn vorwärts, hantierte an ihm herum. Kurz darauf fühlte er, dass er den Boden unter den Füßen verlor. Nach oben gezogen wurde. Arme griffen nach ihm, halfen ihm auf festen Grund, nahmen ihm den Gurt wieder ab. Stützten ihn.

Als ob sein Körper darauf nur gewartet hätte, gaben seine

Knie nach. Er ließ sich fallen, in dieser geräuschlosen und schwarzen Welt, fühlte, wie er aufgefangen und hingelegt wurde.

Er dachte an Elanus.

So lange hatte er an einem Gerät gearbeitet, das für ihn sehen und hören würde, an Orten, an die Jona selbst nicht gelangte.

Nun wünschte er sich nichts sehnlicher, als nichts mehr sehen und hören zu müssen.

38

Er erwachte ohne jedes Zeitgefühl. Wusste nicht, ob er zwei Stunden oder zwei Tage weggetreten gewesen war. Etwas war passiert, es war schlimm gewesen.

Tröpfchenweise stellte sich die Erinnerung ein. Ein Keller. Ein Bagger. Sein Telefon, das ihm vibrierend aus der Hand glitt, und … oh Gott, Schratters gefrorene Leiche, die Tiefkühltruhe –

Die Tröpfchen verwandelten sich in einen reißenden Strom, der auch die Erinnerung an die Baugrube mit sich trug, an das Gefühl, von flüssigem Beton umhüllt zu werden.

Unwillkürlich fuhren Jonas Hände hoch zu seinen Augen. Alles frei, nichts verklebt. Also konnte er es wagen, sie zu öffnen. Oder nicht?

Vorsichtig bewegte er die Augäpfel hinter den geschlossenen Lidern. Keine Schmerzen. Aber was, wenn er die Augen gleich öffnete und alles schwarz blieb? Wenn doch etwas hineingeraten war, das ihm das Augenlicht genommen hatte?

Es hinauszuzögern brachte gar nichts. Jona atmete einmal tief ein und aus, dann blinzelte er unter seinen Wimpern hervor.

Licht. Licht war gut. Licht war sogar hervorragend, es bedeutete, dass nichts Entscheidendes zu Schaden gekommen war.

Ein erster richtiger Blick zeigte ihm, dass er sich im Krankenhaus befand. Jona griff nach dem Trapez, das über seinem Bett hing, und richtete sich auf.

Schmerz in den Armen, an der Hüfte, im Kopf. Schwindel. Alles nicht zu leugnen, aber erträglich. Ebenso wie der Zugang, den sie ihm in die rechte Armvene gelegt hatten. Der Infusionsbeutel mit der blassgelben Flüssigkeit, der neben ihm an einem Aluständer hing, war noch etwa zur Hälfte gefüllt.

Jona war allein im Raum. Ein zweites Bett stand zwar gegenüber, doch das war nicht belegt.

Er versuchte, Bestandsaufnahme zu machen. Sich ein wenig zu bewegen, dabei stellte er fest, dass seine Arme bis hinauf zu den Schulterblättern schmerzten. Seine linke Gesichtshälfte fühlte sich wund und geschwollen an, und sobald er den Kopf drehte oder auch nur den Blick senkte, wurde ihm schwindelig und die Welt verschwamm vor seinen Augen.

Also doch nicht alles in Ordnung.

Die Klingel, mit der er nach jemandem vom Pflegepersonal rufen konnte, hing direkt vor seinem Gesicht, doch Jona beschloss, noch zu warten.

Er wusste einfach nicht, wie die Dinge standen. War bereits klar, dass Beate Lichtenberger ein falsches Spiel spielte? Oder lief sie noch hier herum und wartete nur auf die Anweisung, Jona etwas zu verabreichen, das ihn doch noch zum Schweigen brachte?

Schwer vorstellbar. Jemand hatte ihn schließlich gerettet, auch wenn er keine Ahnung hatte, wer das gewesen sein konnte. Er ließ sich in die Kissen zurücksinken und schloss wieder die Augen. Er würde erfahren, was passiert war. Früh genug.

Als er das nächste Mal aufwachte, war es, weil die Tür zu seinem Zimmer aufsprang und ein Rudel Ärzte hereinströmte. An ihrer Spitze ein groß gewachsener, kahlköpfiger Mann, der sich von einem anderen ein Clipboard reichen ließ.

»Jona Wolfram, siebzehn Jahre. Was haben wir denn da? Zerrung in der rechten Schulter, Platzwunde am Wangenknochen, leichte Commotio cerebri.« Er sah Jona lächelnd an. »Gehirnerschütterung.«

»Ich weiß.« Aha, so schlecht konnte es ihm also nicht gehen, wenn der Klugscheißermodus schon wieder funktionierte.

»Wie fühlst du dich?«, fragte der Chefarzt, während eine junge Ärztin Jona eine Blutdruckmanschette um den Oberarm legte und sie aufpumpte.

»Ganz okay. Nur ein bisschen schwindelig. Und müde.«

»Das ist normal. Denkst du, du bist fit genug, um mit ein paar Herren von der Polizei zu sprechen?«

Er fühlte, wie er innerlich eine Abwehrhaltung einnahm. »Mit wem? Polizeichef Ackermann?«

Der Arzt schüttelte den Kopf. »Nein. Zwei Beamte vom BKA. Sie haben ein paar Fragen an dich, aber ich kann sie bestimmt auf morgen vertrösten.«

Jona überlegte kurz. Er würde Fragen beantworten, aber sicherlich auch welche stellen können. »Ich denke, es geht. Lassen Sie sie ruhig zu mir.«

Die beiden Polizisten klopften schon zehn Minuten später an die Tür. Keiner von ihnen trug Uniform; der ältere, der Brandt hieß, trug Jeans und Pulli, der jüngere eine alte braune Lederjacke.

Dass er den Namen des zweiten Beamten nach ein paar Minuten wieder vergessen hatte, alarmierte Jona, denn das passierte ihm normalerweise nie. Der erste Buchstabe war ein T gewesen, an mehr konnte er sich nicht mehr erinnern.

Gehirnerschütterung. Hoffentlich waren das nur vorübergehende Nebenwirkungen.

Brandt schüttelte Jona die Hand. »Erst mal: gute Besserung. Ich bin froh, dass dir nicht noch Schlimmeres zugestoßen ist, das hätte ganz schön schiefgehen können.«

Jona verkniff sich ein Nicken, er wollte seinen Kopfschmerzen nicht mehr Futter geben als nötig.

»Okay. Erzählst du uns bitte einmal, wie der Abend gestern aus deiner Sicht abgelaufen ist?«

Gestern also. Dann war weniger Zeit vergangen, als er befürchtet hatte.

Er begann damit zu erzählen, wie oft er versucht hatte, Rektor Schratter zu treffen, ohne dass es je dazu gekommen wäre. Er berichtete von dem verschlossenen Keller und wie seltsam ihm manche Dinge von Beginn an erschienen waren. Spätestens ab Dozent Lichtenbergers Selbstmord. Soweit es ging, versuchte er, bei der Wahrheit zu bleiben, allerdings ohne Elanus auch nur mit einem Wort zu erwähnen.

»Was hat dich am Ende dazu gebracht, doch noch in den Keller zu gehen?«, warf Lederjacke ein.

»Die Erzählungen eines Nachbarn, Pascal Bittner. Er hat mir ein paarmal geschildert, dass Silvia Helmreich rundum selbst gekochtes Essen verteilte. Dass es in ihrem Keller eine riesige Tiefkühltruhe gäbe, aus der sie die Familie monatelang versorgen könnte. Als dann letztens einmal kurz der Strom ausfiel, wurde Silvia extrem nervös. Fast schon hysterisch.«

Brandt sah skeptisch drein. »Das allein kann dich aber nicht auf die Idee gebracht haben, oder?«

Jetzt bloß nichts Falsches sagen. »Nein. Sie und Martin haben sich auch sonst merkwürdig verhalten. Einmal habe ich ein Gespräch mitgehört, in dem es darum ging, dass sie jemanden loswerden müssten, und zwar schnell. Ich dachte erst, sie meinen mich. War dann aber doch nicht so.«

Brandts Blick war auf sein Notizbuch gerichtet. Er blätterte ein Stück zurück, bevor er wieder aufsah. »Du bist ziemlich intelligent, heißt es. Eine Art Wunderkind.«

Erwartete er, dass Jona das bestätigte? Er hob die Schultern. »In gewisser Hinsicht ja. Aber in manchen Bereichen bin ich mir da gar nicht mehr so sicher. Speziell seit gestern Nacht.«

Seine Besucher lachten auf, wurden aber schnell wieder ernst. »Ja, was da genau geschehen ist, interessiert uns besonders. Was ist in diesem Keller passiert? Wie bist du rausgekommen? Und warum zur Baustelle gelaufen?«

Es fiel Jona ungewohnt schwer, seinen Gedanken eine logische Ordnung zu verleihen. Und erst als er mitten in seinem Bericht steckte, wurde ihm klar, dass er Elanus' Existenz nicht würde verschweigen können. Aron und Tim hatten die Drohne gesehen, Zeman ebenfalls. Die Helmreichs hatten gemeinsam mit Roginski nach Elanus gesucht. Jona griff sich mit beiden Händen an den Kopf.

»Geht es dir nicht gut? Brauchst du eine Pause?«

»Nein.« Er griff nach dem Wasserglas, das auf dem Tischchen neben ihm stand. »Ich brauche einen Neustart, bis jetzt habe ich Ihnen nur die halbe Wahrheit erzählt.«

Es war nun einfacher, er musste sich nicht mehr selbst zensieren, doch während seines gesamten Berichts ließ ihn die Angst, Elanus zu verlieren, nicht los.

Es steckte so viel von seiner Zeit, Arbeit und Leidenschaft in dieser Drohne. Sie war für ihn wie ein sechstes Sinnesorgan geworden, ohne sie fühlte er sich nicht mehr vollständig.

Die beiden Polizisten unterbrachen ihn kaum, stellten nur zwei oder drei Zwischenfragen und beschränkten sich ansonsten darauf, zu nicken und sich Notizen zu machen.

Als Jona fertig war, wechselten sie einen Blick, den er nicht deuten konnte.

Nein, er würde nicht fragen, wie strafbar er sich gemacht hatte, das würde er demnächst ohnehin erfahren. Etwas anderes beschäftigte ihn viel mehr. »Haben Sie schon herausgefunden, warum Schratter sterben musste? Und wer es war, der ihn getötet hat?«

Brandt klappte sein Notizbuch zu und steckte es in die Innentasche seiner Jacke. »Laufende Ermittlungen. Wir dürfen dazu nichts sagen, das verstehst du sicher.«

»Natürlich.« Jona betrachtete seine Hände. Unter den Fingernägeln waren immer noch Spuren der Betonmischung zu sehen.

»Wer hat mich da gestern eigentlich rausgezogen? Ich weiß, dass die hiesige Polizei mitgeholfen hat, Schratters Tod zu vertuschen, die waren es also nicht.«

Über Brandts Gesicht ging ein Lächeln, vermutlich war er froh, dass er wenigstens diese Frage beantworten konnte. »Du hast ziemlich clevere Freunde. Sie haben das Bundeskriminalamt verständigt und ein Foto geschickt, das eine mehr als deutliche Sprache gesprochen hat.«

Der Rektor in der Truhe. Jonas verspätete Idee, das Bild über Facebook öffentlich zu machen, war nicht schlecht gewesen, aber Marlene handelte definitiv effizienter.

Er wusste überhaupt nicht, wie er sich dafür je revanchieren sollte. »Und der Einsatz an der Baustelle?«

»Frau Dornik hat uns sehr überzeugend klargemacht, dass

wir dort fündig werden würden, sowohl, was die Täter, als auch, was das Opfer angeht.«

Frau Dornik. Jona musste unwillkürlich lächeln.

»Dann werde ich mich aus tiefstem Herzen bei *Frau Dornik* bedanken.«

»Das solltest du.«

Sie gingen, kündigten aber an wiederzukommen. In der Tür drehte sich Lederjacke noch einmal um. »Diese Drohne – wo befindet die sich im Moment?«

Das wüsste ich selbst gern, dachte Jona und beschloss, sich zumindest eine einzige Lüge zu erlauben. »Ich schätze, sie ist kaputt. Abgestürzt, gestern Nacht, als der Akku leer war.«

Er war wieder eingeschlafen und erwachte davon, dass jemand sein Gesicht tätschelte. Nicht zärtlich, eher so, als müsse derjenige sich beherrschen, um nicht Ohrfeigen zu verteilen.

Er öffnete ein Auge. Marlene, natürlich. Und ein Stück weiter hinten, an der Tür, Pascal.

Jona stützte sich auf die Ellenbogen auf, trotz des Ziehens in seinen Schultern. »Hey. Da seid ihr ja.«

»Von wegen hey.« In Marlenes Gesicht war nicht die Spur eines Lächelns, keine Wiedersehensfreude, nur blanker Zorn. »Wann hat dir eigentlich das letzte Mal jemand gesagt, wie dämlich du wirklich bist? Was zum Teufel hast du auf der Baustelle gesucht?« Sie verschränkte die Arme vor der Brust. »*Ich möchte nur noch ein paar Dinge erledigen, der Vollständigkeit halber. Ich gehe kein Risiko ein*«, zitierte sie seine letzten Textnachrichten. »Damit warst du ja extrem erfolgreich.«

»Ja, das war bescheuert«, gab er zu.

»Gut.« Sie ging zum Fenster und blickte nach draußen, wo

der Wind die Äste der Bäume bog. »Und komm mir jetzt nicht mit: *Ohne dich wäre ich jetzt gar nicht mehr hier, du hast mich gerettet, ich werde dir ewig dankbar sein.* Stimmt zwar alles, aber ich will es nicht hören.«

»Dann sage ich es auch nicht.«

Sie wandte ihm wieder ihr Gesicht zu. Betrachtete ihn ein paar Sekunden lang stumm. »War es knapp?«

»Verdammt knapp.«

Sie biss sich auf die Unterlippe. »Ich hole uns Kaffee. Bis gleich.« Damit marschierte sie aus dem Zimmer.

Pascal, der sich bisher im Hintergrund gehalten hatte, zog sich nun einen der Besucherstühle an Jonas Bett heran. »Wow, du kannst dir gar nicht vorstellen, wie sauer sie war. Dagegen ist das jetzt nur noch ein müder Abklatsch. Gestern hatte ich Angst, sie stellt mir meine ganze Bude auf den Kopf.«

Die Chaosbude? war Jona versucht zu fragen, aber es war jetzt nicht der Zeitpunkt für schwache Witzchen. »Hör mal: Danke«, sagte er stattdessen. »Marlene will es nicht hören, also musst du herhalten. Ohne euch wäre das ganz anders ausgegangen.«

Pascal zuckte unbekümmert mit den Schultern. »Ich bin auch froh, dass du noch unter uns weilst, Alter. Boah, und ich bin gespannt, was da jetzt alles ans Tageslicht kommen wird. Martin dürften sie gestern gleich an der Baustelle festgenommen haben, und heute Mittag kam noch ein Polizeiwagen und hat Silvia abgeholt.«

Obwohl das einerseits beruhigend war, versetzte es Jona andererseits einen Stich. Sie war mit Kerstin in München gewesen, wahrscheinlich waren die beiden gerade nach Hause gekommen … wie es Kerstin jetzt wohl ging?

Was für eine Frage. Beschissen natürlich.

Jona kämpfte sein schlechtes Gewissen nieder. Er hatte allen möglichen Mist gebaut in den letzten Wochen, aber daran war er wirklich nicht schuld.

Bevor Marlene zurückkam, wollte er noch eine Sache klären. »Wo ist Elanus? Verloren gegangen?«

Pascal sah Jona an, als hätte er ihn gerade zutiefst beleidigt. »Wie kommst du denn darauf? Sobald die beiden Witzfiguren die Jagd aufgegeben hatten, habe ich ihn an eine sichere Stelle geflogen und dort gelandet. Bin auch gleich danach hin und habe ihn geholt, er ist in bestem Zustand. Keines der Rotorblätter auch nur zerkratzt.«

Jona nahm seine Hand und drückte sie. »Danke, auch dafür.«

»Jaaaa, du schuldest mir eine ganze Menge«, erklärte Pascal fröhlich. »Keine Sorge, ich fordere das alles ein.«

Die Tür sprang auf und Marlene kehrte zurück, mit einem Tablett, auf dem sie drei Plastikbecher balancierte.

»Kolja ist wieder wach«, verkündete sie. »Seit ungefähr vier Stunden, ich habe eben Sergej auf dem Gang getroffen, der hüpft vor lauter Freude.«

Das war eine gute Nachricht. »Wie steht es mit Beate Lichtenberger?«

»Festgenommen. War vorauszusehen. Ich glaube nicht, dass Zeman, Roginski und die anderen ihre Komplizen decken, nachdem sie selbst geschnappt worden sind. Sergej wusste schon eine ganze Menge – wie es aussieht, ist aber immer noch nicht raus, wer Schratter nun wirklich auf dem Gewissen hat. Vielleicht waren sie es alle gemeinsam.«

Nachdenklich zupfte Jona an seiner Bettdecke. Überlegte, ob er der Polizei die Aufnahmen zur Verfügung stellen sollte, die

Elanus gemacht hatte. Ob er sich damit selbst in grobe Schwierigkeiten bringen würde. Und ob das nicht am Ende völlig egal war.

Er vermutete, dass seine Eltern auch demnächst hier auftauchen würden, Lederjacke hatte vorhin in einem Nebensatz erwähnt, dass man sie informiert hatte. Der Gedanke war tröstlich, aber nicht ohne Wehmut. Er würde ihnen nicht die ganze Wahrheit anvertrauen können.

39

Nachdem Marlene und Pascal gegangen waren, mit der Ankündigung, morgen wiederzukommen, kämpfte Jona sich trotz Schmerzen aus dem Bett. Jemand musste ihm seine Hausschuhe und seinen Bademantel hergebracht haben, während er noch bewusstlos gewesen war.

Er zog beides an, griff nach dem Ständer mit der Infusion und machte sich auf den Weg.

Das Zimmer war noch immer das gleiche, doch die Frau, mit der Linda es geteilt hatte, war wohl entlassen worden. Sie waren allein, das war mehr Glück, als Jona sich erhofft hatte.

Sie wandte sofort den Kopf ab, als sie sah, wer sie besuchen kam, doch davon würde Jona sich nicht irritieren lassen. Er setzte sich neben ihr Bett und wartete. Irgendwann seufzte sie und sah ihn doch an. »Ich bin froh, dass du noch lebst«, sagte sie leise.

»Ich auch.« Jona versuchte ein Lächeln, das nicht erwidert wurde. »War die Polizei bei dir?«

Sie schüttelte den Kopf. »Ich warte schon den ganzen Tag darauf, dass sie hier reinstürmen, aber es passiert nicht. Sieht ganz danach aus, als würde niemand bei den Vernehmungen meinen Namen erwähnen.«

Jona musterte sie aufmerksam. »Gibt es denn da etwas zu erwähnen?«

Erst nickte sie, dann zuckte sie mit den Schultern. »Also, ich war es nicht, die Schratter getötet hat. Aber ich könnte ihnen sagen, wer es gewesen ist. Und warum.«

Unter Jonas Kopfhaut prickelte es. Er war nicht Lindas Vertrauter Nummer eins, sie waren nicht einmal lose befreundet. Würde sie ihm trotzdem verraten, was sie wusste?

»Du warst es auch nicht, die seine Leiche versteckt hat.« Wenn er ihr etwas Neues erzählte, würde sie sich vielleicht revanchieren. »Das waren die Helmreichs. Ich habe fast drei Wochen lang mit einem Toten unter einem Dach gewohnt, ohne es zu wissen.«

Er konnte ihr am Gesicht ablesen, dass sie diese Information schon lange vor ihm gehabt hatte. »Ich weiß. Am Anfang sollte es nur für eine Nacht sein, oder zwei, aber …« Linda unterbrach sich. »Es ist alles schiefgelaufen«, flüsterte sie.

Jona sah, dass ihre Hände auf der Bettdecke zitterten, und widerstand dem Impuls, danach zu greifen. Ohne Hintergedanken, nur freundschaftlich und beruhigend.

»Du hast beim letzten Mal gesagt, Schratter wäre an allem schuld. Ich würde das gern verstehen.«

Wahrscheinlich lag es daran, dass sie sich schon darauf eingestellt hatte, der Polizei alles erzählen zu müssen. Vielleicht wollte sie es auch einfach nur loswerden und er schien ihr harmlos genug. »Das ist er auch«, flüsterte sie. »Alles war schön, und er hat es zerstört, mit diesem übertriebenen Pflichtbewusstsein, dieser überkorrekten Art. Er war ja noch nicht lange da, erst ein halbes Jahr, und in dieser Zeit hat er überall herumgestöbert, sämtliche Unterlagen nachkontrolliert und sich in Dinge eingemischt, die ihn einfach nichts angegangen sind.«

Jona ahnte, worauf das hinauslaufen würde. »Das Technologiezentrum, nicht wahr?«

Sie nickte. »Sieh mal, die Sponsoren, die es finanziert haben, schwimmen in Geld. Du kannst dir nicht vorstellen, wie viele Milliarden Euro Koljas Vater auf Konten in der ganzen Welt gebunkert hat. Für ihn sind ein paar Millionen ein Klacks. Als würde jemand anders einmal nett essen gehen.«

Aha. In Jonas Kopf nahm die Geschichte Gestalt an. »Also erbittet die Universität von Herrn Treplow eine Spende, die weit über den tatsächlichen Ausgaben liegt, und Zeman und Konsorten teilen sich den Rest brüderlich auf.«

»Richtig.« Sie schniefte. »Wusstest du, dass Martin Helmreichs Firma alle Installationsarbeiten für das Technologiezentrum erledigen sollte? Allein die Vorauszahlung, die er verlangt hat, war dreimal so hoch wie das, was insgesamt angemessen gewesen wäre.«

Also war Schratter für alle, die so gut an dem Zentrum verdienten, eine echte Gefahr. Der korrekte, pflichtbewusste Schratter.

Nicht nur, weil er ihnen bald die Wirtschaftspolizei auf den Hals hetzen konnte, sondern auch, weil Koljas Familie vielleicht ebenso wie die von Sergej einem – wie hatte Marlene es genannt? – Mafiaclan ähnelte. Zumindest waren es mächtige Leute, die sich sicher nicht ungefragt verarschen ließen.

»Rothenheim ist eine Kleinstadt«, murmelte Linda. »Sicher nicht arm, aber auf einer Ölquelle sitzt man auch nicht gerade. Dem alten Rektor war klar, dass man die Uni und vor allem die reichen Eltern der Auslandsstudenten melken konnte wie eine Kuhherde, und alle haben mitgemacht.«

Jona ließ ein paar Sekunden lang sickern, was er gehört hatte.

»Ich nehme an, Kolja hat irgendwie rausgekriegt, dass sein Vater betrogen wurde?«

»Na ja.« Linda blickte in Richtung Fenster. »Er ist der Sohn eines Baulöwen, er hat Ahnung von der Sache. Außerdem ist er Wirtschaftsstudent, kann also kalkulieren. Nachdem er sich die Baustelle ein paarmal angesehen hatte, muss ihm aufgefallen sein, dass da kein sehr teures Material verwendet wurde. Wieso dann diese hohen Rechnungen an seinen Vater?«

»Also hatte Kolja einen Unfall.«

»Genau.«

»Und du kurz danach auch.«

Sie strich sich eine Haarsträhne aus der Stirn. »Das haben sie einen Warnschuss genannt. Als ich wieder aufgewacht bin, stand Beate Lichtenberger neben meinem Bett und sagte: Das war ein Schuss vor den Bug. Sei still oder du hast ganz schnell ein Drogenproblem und bald darauf eine Überdosis.« Sie schluckte. »Deshalb wurde ich auch noch nicht entlassen. Ich bin wieder völlig gesund, aber sie wollten mich hierbehalten. Da haben sie mich unter Kontrolle.«

Jona sah, wie blass sie geworden war. »Was ist es denn, das du niemandem sagen darfst?«

»Dass Schratter längst tot war. Von den Studenten wusste das doch kaum jemand. Aron und Tim, aber sonst … Sie dachten, nach allem, was passiert war, würde ich vielleicht auspacken.«

Jona hatte das Gefühl, dass sie nun zum Kern der Sache kamen. Er beobachtete Linda, wie sie mit beiden Händen die Bettdecke knetete. Sie wollte es loswerden, aber sie fürchtete sich.

»Nach allem, was passiert war – damit meinst du Lichtenbergers Selbstmord?«

404

Sie zögerte, nickte.

»Hat er sich umgebracht, weil er auch Geld genommen hat? Hatte er Angst, er könnte auffliegen?«

Erst dachte er, sie hätte seine Frage nicht verstanden, denn sie saß nur da und starrte ins Nichts.

»Er hat kein Geld genommen«, sagte sie schließlich leise. »David hat sich umgebracht, weil er Schratter getötet hat.«

Es war nicht so, dass der Gedanke Jona nicht schon kurz gestreift hatte. Die Brillensplitter, die an der Leiche festgefroren waren, die blauen Plastikränder der Fassung. Trotzdem hatte er nie ernsthaft erwogen, es könnte so gewesen sein.

Linda weinte jetzt, aber er konnte noch nicht gehen. Nicht bevor er verstanden hatte, wie die Dinge zusammenhingen. »Er hat kein Geld genommen, also hatte Schratter ihn doch gar nicht auf dem Radar, oder? Wieso hat er ihn dann getötet?«

Sie blinzelte ihn aus tränenverschleierten Augen an. »Ich dachte, du bist so intelligent. Wegen mir natürlich! David und ich waren schon fast ein Jahr zusammen, meistens haben wir uns bei ihm getroffen, wenn Beate Nachtdienst hatte. Oder in einem Hotel in der Stadt, über einem der italienischen Restaurants, die Roginski gehören.« Sie suchte auf dem Nachttisch nach einem Taschentuch, fand es, putzte sich die Nase. »Jemand hat es Schratter gesteckt. Ich tippe auf Aron, der kam einfach nicht über unsere Trennung hinweg. Schratter war nicht nur ein Paragrafenreiter, er war auch ein Moralapostel. Dozent und Studentin? Geht gar nicht. Er drohte David nicht nur damit, ihn rauszuschmeißen, sondern auch Beate alles zu erzählen, wenn er die Beziehung nicht sofort beendete.«

»Aber das wollte er nicht?«

»Nein.« Sie flüsterte nur noch. »Wir haben uns wirklich geliebt. Er hätte sich scheiden lassen, sobald ich mit dem Studium fertig war. Und dann kam dieser Abend.«

Jona ließ ihr Zeit, blickte zum Fenster, während sie sich noch einmal die Nase putzte. Der Wind draußen wurde stärker und stärker.

»Schratter ist zusammen mit Roginski bei den Helmreichs aufgetaucht. Es muss ein oder zwei Tage vor deiner Ankunft gewesen sein. Ein Montag. Er warf ihnen alles an den Kopf, was er herausgefunden hatte, und ordnete eine Art Krisensitzung im Rektorat an. ›Aber vorher fahren wir noch zu Lichtenberger, mit dem habe ich auch zu reden‹, soll er gesagt haben.«

Jona war nicht sicher, ob er hören wollte, was jetzt kam. Der tote Körper des Rektors stand ihm wieder vor Augen, wie er neben ihm lag, halb im Beton versunken.

»Ich war an diesem Abend bei David, wir waren im Gästezimmer. Mich in sein Ehebett zu legen, habe ich nie über mich gebracht. Es war kurz nach zehn, als jemand unten Sturm läutete. Ich war sofort in Panik, und David ist schnell in seine Sachen gesprungen, nach unten gelaufen und hat die Tür geöffnet.«

Jona konnte sich die Szene gut vorstellen. Der aufgebrachte Rektor, der Lichtenberger zur Rede stellte – obwohl ihn die Sache eigentlich nichts anging.

»Schratter hat von David verlangt, dass er sich entscheidet, sofort. Er hat sein offenes Hemd gesehen und die richtigen Schlüsse gezogen. Wollte nach oben laufen, um den Beweis zu haben, dass ich auch da bin, aber das hat David nicht zugelassen. Er hat sich ihm in den Weg gestellt.«

Sie presste die Lider aufeinander, als könne sie dadurch die

Bilder von damals ungesehen machen. »Ich habe Schratter brüllen hören. ›Diese Universität ist ein einziger Saustall, aber ich werde ihn aufräumen!‹ Dann war da nur noch Gepolter, Klirren, irgendwann ein Schrei und ein lauter Krach.« Um Lindas Mund herum zuckte es, als würde sie gleich zu weinen beginnen.

»Das Nächste, was ich gehört habe, war Davids Stimme. ›Bleib oben, Linda‹, hat er gerufen. ›Komm auf keinen Fall runter, bitte.‹ Ich habe getan, was er von mir verlangt hat, aber ich habe durchs Fenster gesehen, wie Roginski sein Auto in die Garage gefahren hat. Sie haben dort Schratters Leiche hineingeladen und sind dann zu den Helmreichs gefahren. Die wohnen in der Nähe, und Martin sagte, sie hätten diese riesige Tiefkühltruhe im Keller.« Sie zitterte nun, nicht nur ihre Hände, ihr ganzer Körper. »Ich bin dann doch runtergegangen. Habe Blut weggewischt. Mit einer Küchenrolle, das Papier habe ich im Klo runtergespült. Ich musste David stundenlang beruhigen, er war kaum ansprechbar. Ich sagte ihm, dass wir das gemeinsam durchstehen, dass niemand etwas erfahren wird, dass wir alle zusammenhalten.« Lindas Stimme war immer leiser geworden.

»Und es sah auch so gut aus. Am nächsten Tag war schon Andrea Gilles eingeweiht, die meinte, sie könne problemlos so tun, als sei der Rektor hier. Seine Mails beantworten, Anrufer vertrösten, in seinem Namen Auskunft geben. Ihr hatte er das Leben auch zur Hölle gemacht und nun bekam sie einen schönen Anteil vom Kuchen. David hatte sich ebenfalls beruhigt. Du hast ihn ja erlebt, kurz bevor …«

Sie unterbrach sich selbst. Wischte sich neue Tränen aus den Augen. »Die Tage vergingen, niemand schöpfte Verdacht. Die Polizei war auf unserer Seite, Ackermann bekommt seit Monaten großzügige Geldgeschenke, damit er seine Hand über die Vorgänge auf der Uni hält. Alles wäre gut gegangen, doch dann stellte sich heraus, dass jemand David bei seiner Tat beobachtet hatte. Vielleicht ein Nachbar, ich weiß es nicht. Jedenfalls bekam ich einen Brief zugesteckt, den hätte ich David niemals zeigen dürfen.« Sie verbarg das Gesicht in den Händen. Jona, der genau wusste, was jetzt kam, fühlte, wie seine Kehle sich zuschnürte. Wie Panik sich in ihm ausbreitete.

»Jemand schrieb: Du denkst, keiner weiß, was du tust. Aber da irrst du dich, es kann dich kein Vorhang schützen, und sei er auch noch so –«

Es ging nicht mehr. Er konnte es nicht hören. Ohne nachzudenken, riss er sich den Venenzugang aus dem Arm, sprang auf und rannte aus dem Zimmer. Den Gang entlang bis zu einer Glastür, gegen die er sank. Blut floss in einem dünnen Strom aus seinem Arm.

Es war seine Schuld. Ein dummer Streich, ein tödliches Ende. Seine Schuld.

Er stand da, ohne zu wissen, wie er jetzt weitermachen sollte. So klug war er sich vorgekommen. So witzig.

Vielleicht war es am besten, wenn er einfach auf sein eigenes Zimmer zurückging. Sich ins Bett legte, einrollte. Die Schwester um ein Schlafmittel bat. Er stellte es sich ganz genau vor. Es fühlte sich nicht tröstlich an.

Wie lange er da gestanden hatte, konnte er später nicht sagen. Zweimal sprachen ihn Ärzte an, die er abwimmelte. Am Ende machte er sich auf den Weg zurück in Lindas Zimmer.

Einmal pro Tag die Wahrheit sagen, obwohl Lügen so viel einfacher wäre.

Er setzte sich nicht neben, sondern an ihr Bett. So nah es eben ging. Sah ihr in die Augen. Es war das Schwierigste, was er je getan hatte. »Es kann dich kein Vorhang schützen, und sei er noch so rot. Ich kenne dein Geheimnis. Vielleicht hast du Glück und ich bewahre es.«

Erst begriff sie nicht. Dann öffnete sich ihr Mund, aber es kam kein Ton heraus.

»Der Brief war von mir«, sagte Jona. Jedes Wort fühlte sich an, als wöge es eine Tonne. »Was passiert ist, ist meine Schuld. Es war als Streich gedacht und ich wusste nicht, in welches Wespennest ich steche, aber das spielt keine Rolle. Es ist meine Schuld und es tut mir unendlich leid.«

Sie richtete sich auf, er wich nicht zurück. Wenn sie ihn schlagen wollte, würde er es ihr so leicht wie möglich machen. Sich nicht ducken, sich nicht mit den Armen schützen.

Doch sie sah ihn nur an, fassungslos, stumm, ohne ein Wort. Und irgendwann, als hätte sie der Rest ihrer Kraft verlassen, lehnte sie sich an ihn und weinte.

40

Der Besuch seiner Eltern am nächsten Tag war ein Albtraum für sich. Jona hätte am liebsten nur im Bett gelegen und die Decke angestarrt, doch seine Mutter hatte Kuchen mitgebracht und sein Vater unnatürlich gute Laune.

Sie wussten, was passiert war, natürlich, aber keiner von ihnen wagte, es direkt anzusprechen. Er lebte, das war die Hauptsache, und bald würde er wieder zu Hause sein.

Was diesen Punkt betraf, war Jona nicht so sicher.

»Wir hätten dich nie bei einer Familie unterbringen dürfen, die wir gar nicht persönlich kannten«, erklärte sein Vater im Lauf des Nachmittags. »Aber damit konnte wirklich keiner rechnen. Oder? Oder, Jona?«

Er sagte zu allem Ja oder gar nichts. Seine Gedanken waren bei Linda, die heute entlassen worden war.

Sie hatte ihm keinen Vorwurf gemacht, keinen einzigen. Dafür hatte sie ihn ihren Schmerz spüren lassen und das war tausendmal schlimmer gewesen.

Gegen vier Uhr erklärte Jona, er sei sehr müde. »Ihr könnt ruhig wieder nach Hause fahren, mir geht es gut. Ich melde mich bald, ja?«

Sie waren erstaunt, aber auch ein bisschen erleichtert. Er war keine einfache Gesellschaft gewesen heute Nachmittag.

Zwei Tage später erklärte der Chefarzt, Jona sei fit genug, um in häusliche Pflege entlassen zu werden. Die Bittners holten ihn ab – der Vater war an der Klinik ja bekannt und hatte bereitwillig versichert, seine Familie werde sich um Jona kümmern.

Pascal hatte im Auto auf Jona gewartet und klopfte ihm zur Begrüßung auf die Schulter, was ihm ein Stöhnen entlockte.

»Oh. Sorry. Das ist nur die unbändige Freude, dich zu sehen.«

In die gleiche Straße zurückzukehren, in der er mit den Helmreichs gewohnt hatte, an ihrem Haus vorbeizufahren ... Jona hatte nicht gedacht, dass ihn das so mitnehmen würde. Die Bilder seiner Flucht waren plötzlich wieder viel deutlicher in seinem Kopf. Da, nur wenige Meter entfernt, war der Keller, in dem die Truhe stand.

Er wandte sich ab. Konzentrierte sich und ließ sich von Pascal in sein Zimmer schieben. Das ungewöhnlich aufgeräumt war.

»Meine Eltern sagten, das müsse sein. Ich habe ihnen zwar erklärt, dass Unordnung dir am Allerwertesten vorbeigeht, aber sie haben darauf bestanden. Das hier ist dein Feldbett. Kommst du damit klar?«

»Bestens«, sagte Jona lächelnd.

Jemand hatte auch seine Sachen von den Helmreichs geholt und ordentlich in seine Koffer und Taschen gepackt.

»Von mir aus kannst du hierbleiben, so lange du willst.« Pascal lümmelte sich auf seinen Schreibtischstuhl. »Obwohl ich ja glaube, du willst lieber ins Studentenwohnheim.« Er grinste breit. »Nur so ein Gefühl.«

Am Nachmittag kam Marlene vorbei und bestand darauf, dass sie nach draußen gingen. Frische Luft, klarer Kopf, meinte sie.

Sie war es auch, die Jonas Hand nahm und festhielt, während

sie einen kleinen Hügel hinaufspazierten. Pascal hatte den Alukoffer dabei, er war ganz wild darauf, Jona zu zeigen, dass Elanus nicht den geringsten Schaden genommen hatte.

Im Gegensatz zu den letzten Tagen war es heute windstill. Über den Himmel zogen Wölkchen, die das Blau eher betonten als verdeckten.

»Was hältst du davon, wenn wir diesem Hendrik einen Besuch abstatten?«, schlug Pascal vor. »Von dem haben wir alles, was nötig ist, und du hast es noch gar nicht benutzt.«

Jona winkte ab. »Muss auch nicht sein. Lassen wir ihn in Ruhe.«

»Okay.« Pascal überlegte. »Weißt du was, ich bin gar nicht so schlecht mit dem Flight Controller«, erklärte er dann stolz, während er Elanus aus dem Koffer holte. »Pass auf, ich fliege ihn über den Wald bis zum Sportzentrum, filme die Jungs beim Fußballtraining und hole ihn dann wieder zurück. Ist das für dich okay?«

»Na klar. Total okay.«

Pascal warf Elanus hoch und ließ ihn sofort steigen. Zehn Meter, fünfzehn. Ein paar Sekunden Stillstand, dann schoss er in westlicher Richtung davon.

Jona hatte die App auf seinem Handy geöffnet und beobachtete gemeinsam mit Marlene, wie die Welt unter der Drohne vorbeizog. Bäume, ein Flüsschen im Sonnenschein, Straßen, Häuser. Schließlich der Sportplatz, wo tatsächlich gerade Fußball gespielt wurde.

»Das Bild ist gestochen scharf, warte mal, ich zoome ran, dann kannst du die Schweißtropfen auf der Stirn des Stürmers zählen«, rief Pascal. Fünf Minuten später lenkte er Elanus wieder zurück.

Es war ein wunderschöner Flug, es waren herrliche Bilder von Wald und Herbstlaub und Sonnenschein auf Wiesen, die noch ein paar Tage lang grün sein würden. Jona genoss jede Minute.

Er fing Elanus aus der Luft, hielt ihn auf der flachen Hand, bis die Rotoren zum Stillstand kamen. Strich mit der anderen Hand über die glatte, leicht gewölbte Oberfläche.

»War das nicht großartig?« Pascal war herangekommen, er strahlte übers ganze Gesicht. »Es fühlt sich jedes Mal so an, als würde ich mitfliegen. Das Teil ist fantastisch.«

Jona atmete tief durch, dann legte er Elanus in Pascals Hand. »Deins«, sagte er, legte Marlene den Arm um die Schultern und ging mit ihr den Hügel hinab.

HOCH SPANNEND, RAFFINIERT UND MITREISSEND!

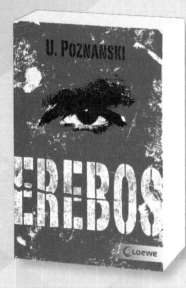

ISBN 978-3-7855-7361-7   ISBN 978-3-7855-7783-7

Welchem topaktuellen Thema sich Ursula Poznanski
in ihren Thrillern auch zuwendet, jedes Mal
überlistet sie ihre Leser aufs Neue
mit unvorhersehbaren Wendungen und
entführt uns einmal mehr in eine
spannende Buchwelt.

Band 1
ISBN 978-3-7855-7546-8

Band 2
ISBN 978-3-7855-7547-5

Band 3
ISBN 978-3-7855-7548-2

ISBN 978-3-7855-8230-5